프랑스 철학박사
건국대 김석 교수의 최초 신앙칼럼집

언제까지
돈의 노예로 살 것인가

김석 지음

언제까지 돈의 노예로 살 것인가
인 쇄 : 2022년 9월 21일 초판 1쇄
발 행 : 2022년 11월 2일 초판 2쇄
지은이 : 김석
표지디자인 : 노혜지
펴낸이 : 오태영
출판사 : 진달래
신고 번호 : 제25100-2020-000085호
신고 일자 : 2020.10.29
주 소 : 서울시 구로구 부일로 985, 101호
전 화 : 02-2688-1561
팩 스 : 0504-200-1561
이메일 : 5morning@naver.com
인쇄소 : TECH D & P(마포구)

값 : 15,000원
ISBN : 979-11-91643-67-1(03230)

프랑스 철학박사
건국대 김석 교수의 최초 신앙칼럼집

언제까지
돈의 노예로 살 것인가

김석 지음

진달래 출판사

작가의 말

신앙인에게는 많은 고민과 사색이 필요합니다.
대략 2006년대 말부터 우연한 계기로 교회 신문에 매달 한편씩 고정칼럼을 쓰게 되었습니다. 주된 독자층이 교인이다 보니 이것저것 살면서 부딪치는 문제나 사회적 이슈를 신앙과 성경의 관점에서 보면서도 인문학적 처지에서 생각할 거리를 주기 위해 노력했습니다. 이 두 지점에서 균형을 잡는 게 생각만큼 쉽지 않았는데 그래도 매번 마감을 잘 지키면서 은혜롭게 글을 쓸 수 있었습니다. 여기 모은 글이 대단한 전문성이나 철학적 문제의식을 보여주지는 않지만 매 순간 저의 머리와 가슴에서 일었던 깊은 고민과 생각, 당시 사회적 분위기도 엿볼 수 있다는 점에서 이것은 또 하나 신앙을 지닌 지식인의 고백이자 시대의 창이기도 합니다.
신앙 칼럼은 여러 면에서 사회신문이나 잡지에 쓰는 글과 다릅니다. 신앙의 깊이나 믿음의 성숙함이 남다른 분들이 적지 않지만, 전문가입장에서 신앙적 관점과 전문성을 동시에 보여주어야 하니 작업이 그리 쉽지 않습니다. 그렇다고 마음에도 없는 말을 쓰거나 특정한 목적을 위해 글을 쓸 수는 없었고, 자유롭되 지나치게 세속적이지 않게 고민을 투영하려다 보니 참 많은 생각을 했습니다. 따지고 보면 신앙이나 철학이나 둘 다 진리를 대상으로 삼습니다. 그리고 눈에 보이는 대상이 아닌 그 너머의 것을 고민한다는 점에서 공통점이 있습니다. 하지만 둘이 세상의 사태를 분석하고, 대안을 제시하는 방향은 너무 다르기도 합니다. 고민이 생기는 지점이 거기입니다.
성경에서 좋아하는 말씀 중 하나가 “진리를 알찌니 진

리가 너희를 자유케 하리라"(요한 8:32) 입니다. 진리는 세상에서 말하는 학문적 진리나 실험과 계산으로 검증이 가능한 과학적 진리, 이른바 인식론적 진리(에피스테메)를 말하는 것이 아닙니다. 바로 이 구절 앞을 보면 예수께서 자기를 믿고 따르는 사람들에게 너희가 내 말에 거하면 참 내 제자가 되고, 진리를 안다고 말씀하시기 때문입니다. 성경이 말하는 진리는 믿음, 신뢰, 절대성을 뜻하는 '피스티스'입니다. 나 자신을 보면 지혜의 학이자 진리를 엄밀하게 탐구하는 철학을 연구하는 비판적 학자로서 학문적 정체성을 지니고 있으면서, 초월적 신과 구원을 믿는 믿음의 진리도 끝까지 붙잡으려고 하는 기독인이기도 합니다. 제 칼럼에는 그런 두 정체성이 주는 긴장과 융합, 때로 절충이 잘 나타나 있습니다. 15년을 넘게 이어지는 사색과 성찰, 그리고 기도와 말씀을 통해 늘 새롭게 영글어지고, 풍성해지는 깨달음을 얻는 가운데 여기 던져진 많은 주제가 지금도 계속 제 삶에는 이어지고 있습니다. 흔히 신앙은 성찰하지 않고 무조건 믿는 것, 좁은 길을 가기 위해 세상의 모든 것에 눈을 감는 맹목적인 실천이라 오해하지만 진정 진리를 안다면 그냥 세상에 취해 사는 사람들보다 더 많이 고민하고 더 많이 실천하고, 더 많이 나누려고 해야 합니다. 질문을 던지고 생각하는 태도를 부정하는 것 자체가 비신앙적이면서, 이 세상에서 이뤄지는 사회적 삶을 편향되게 만들 수도 있기 때문입니다.

이 글을 지금까지 쓸 수 있게 이 모든 것을 허락하신 하나님께 영광을 돌리며, 특별히 2012년부터 올해까지 쓴 글을 모아 출판해준 진달래 출판사 오태영 대표님에게도 감사를 표합니다.

2022년 9월 21일 김석

차 례

사회 안정 위해 비정규직 문제 해결을

경기침체 잦아지면서 불완전 고용 해소 안 돼
밝은 미래 창출을 위해 상생하는 방법 찾아야

18대 대선이 다가오면서 사람들 관심은 누가 새 대통령이 될 것인지에 쏠리지만, 정작 우리 사회가 안고 있는 많은 문제와 해묵은 갈등은 정치적 해결의 출로를 찾지 못한 채 또 한 해를 넘길 것 같다. 그들 가운데 서민 현실에 가장 절실히 와 닿는 문제 하나를 꼽으라면 아마도 노동문제, 특히 고용안정과 불평등 구조의 해소일 것이다.

올해 3월 우리나라 통계청이 발표한 경제활동 인구조사 보고서에 따르면 한국의 임금불평등 구조는 OECD(경제협력개발기구) 가운데 최하위 수준인 것으로 나타났다. 임금불평등 격차가 큰 것은 기업 간, 산업 간 격차나 성별 격차보다는 비정규직 비율이 높고, 정규직과 임금 차이가 크기 때문이다.

2012년 3월 기준 우리나라 경제활동 인구 중 비정규직 비율이 대략 48%정도 된다고 한다. 그리고 남자 정규직 임금을 100이라 할 때 남자 비정규직 임금이 54.2, 여자 비정규직 임금이 39.6으로 격차가 매우 클 뿐 아니라 이런 불평등이 심화되고 있다. 쉽게 말해 같은 회사에서 같은 일을 하는 사람의 대략 절반은 동료의 절반 정도 급여를 받고 그림자처럼 일한다는 것이다. 어떤 자동차 회사는 같은 작업장에서 명찰 색깔로 정규직과 비정규직을 나누는데 일은 같지만 대우는 하늘과 땅이라 한다.

문제는 1998년 IMF구제금융 사태 이후 평생고용 신화가 사라지고 경기침체가 잦아지면서 인턴, 계약직, 임시직 형태의 다양한 불완전 고용이 점차 구조화되는 것이다. 기업 못지않게 대학도 비정규직 문제가 심한데 흔히 보따리 장사로 불리는 '시간강사'나 청소와 경비용역 같은 이들의 열악한 처우가 종종 보도되곤 한다.

나 역시도 최근에야 법적 지위가 바뀌었지만 사실 비정규직이 겪는 문제는 경제적 어려움만이 아니라 일터에서 겪는 자괴감과 좌절, 정규직 동료에게 느끼는 패배감 같은 것이 더 크다. 같은 직장에서 동일한 업무를 담당하고, 더 많이 노동하면서도 정작 정규직 보다 열악한 대우를 받음은 물론, 해마다 재고용에 대한 불안감에 시달리는 등 미래가 불투명하기 때문이다.

스스로 능력도 있고, 성실하다고 자부하지만 정규직이 되지 못하면 실패한 인생처럼 생각하기 때문에 그런 자괴감을 견디지 못하고 자살하거나 정신장애를 겪는 사례도 많다. 필자 주변에서도 개인적으로 잘 아는 몇 분이 그런 식으로 젊은 나이에 생을 마감했는데 지금도 그들을 생각하면 안타까운 마음이 든다.

고용불평등 문제는 개인의 고통을 떠나 사회적 위화감과 분열을 조장할 수 있고, 경제의 선순환에도 좋지 않은 영향을 미친다. 자유시장과 규제 완화를 신봉하는 신자유주의 체제 아래서는 경제적 불평등이 불가피한 현상이고 경쟁이 최고의 효율성을 보장한다고 하지만 지금처럼 고용불안정성이 커지면 생산력 저하와 내수시장 축소로 이어질 수도 있다. 생산성만 보더라도 안정적으로 고용된 직장을 위해 일하는 사람과 임시직으로 근무하는 사람이 보이는 일의 열정은 차이가 날 수밖에 없다.

다행히 최근 서울시에서 내년 하반기부터 서울시에 근무하는 비정규직 직원 2800여 명을 순차적으로 정규직으로 전환하기로 하자 다른 지자체도 비슷한 대안을 모색한다는 소식이 들린다. 엄밀한 실태 조사를 봐야겠지만 실제 그들을 정규직으로 전환해도 재정적 부담보다는 오히려 효율성이 더 증가할 수도 있다고 한다. 중요한 것은 거창한 평등정책이 아니라 사회구조를 개선하여 상생하려고 하는 적은 노력이다. 이스라엘 백성이 지킨 레위기 25장 '희년'의 여러 풍습은 사회적 불평등을 해소하고 정의를 실현하기 위해 하나님이 직접 내리신 지침이었다.

(2012-12-18)

돈이 최고가 된 세상

어떤 이유이든 돈은 행복의 기준이 될 수 없어
경제적 부유보다 신앙을 우선시하는 지혜 필요

지난주 교과부가 전국 학생 약 2만 5000명을 설문조사해 발표한 연구 결과가 자못 충격적이다. 이번 조사에서 학생 52.5%는 '인생에서 가장 추구하고 싶은 대상이 돈'이라고 대답했다. 학생들의 이런 대답은 학년이 올라갈수록 높아졌지만, 초등학생 38.3%도 돈을 최고로 꼽았다고 한다. 반면 봉사는 5.7%로 최하위를 차지했다.

또 흥사단에서 초중고생 2000여 명을 대상으로 윤리의식을 조사한 결과도 비슷했는데, 고등학생 약 44%가 만약 10억이 생긴다면 전과자가 되어 1년 정도 감옥에 가도 좋다고 답했다고 한다. 돈을 위해서라면 감옥의 고통을 감내하면서라도 범죄도 저지를 수 있다는 생각이 충격적이다. 학생들 생각이 이렇다 보니 장래 이상도 위인전에 나오는 그런 훌륭한 삶이 아니라 의사, 공무원, 사업가 등 돈과 관련한 것이 많았다.

이런 결과들은 충분히 예상한 바여서 놀랍기보다는 그저 멍하고 답답해 가슴을 친다. 한창 꿈을 키우고 세상의 아름다움을 보며 삶의 가치를 세울 나이에, 돈이 인생의 목표로 일찌감치 자리 잡은 삭막한 현실을 과연 누가 만들었나? 대학에서도 자신의 적성이나 인생관 실현보다는 직업적 안정성을 최우선에 두고 취업 준비에 몰두하는 학생들을 보면서 이런 안타까움을 느낀 적이 많다.
돈이 최고가 된 세상은 삶을 왜곡할 뿐 아니라 사람 관계도 비틀어지게 한다. 가난한 사람들이나 희생을 마다치 않고 숭고한 가치에 헌신하는 사람들은, 그 사람의 만족과 상관없이 실패한 인생으로 간주되고 비웃음거리가 된다. 그리고 돈을 벌려면 남을 속일 수도 있고 남의 것을 빼앗거나 심지어 해를 끼쳐도 된다는 물질만능주의 사고가 팽배하다 보면, 결국 우리 모두 피해자가 될 수 있다.

돈이 인생의 절대 목표가 될 수는 없다. 돈을 신처럼 숭배하는 태도가 윤리적으로 문제이기도 하지만, 돈은 행복을 위한 최소 수단에 불과하기 때문이다. 실제로 돈이 많다고 행복도가 다른 사람보다 높은 것은 아니다.

경제학자 연구에 따르면 일정 수준까지는 소득이 올라갈수록 행복도가 증가하지만, 대략 500만 원을 기준으로 더는 돈이 행복 조건이 되지 않는다고 한다. 500만 원 이상을 벌면, 그 후로는 사람 관계, 인정, 명예 등 다른 가치들이 더 중요하기 때문이다.

또 더 많은 돈을 벌려면, 그만큼 시간이나 정력을 투자하면서 상대적으로 잃는 것이 많아서 나중에 가서는 이로 말미암아 불만도 크다고 한다. 우리나라 사람들이 느끼는 불행의 주원인은 돈이 부족하거나 물질적 결핍에서 비롯하기보다는 지나칠 정도로 상대와 자신을 비교하고 사회적 체면에 얽매이는 것이다.

문제는 물신주의와 돈을 최고 목표로 삼는 세태가 오늘날 세상은 물론 교회에까지 침투해 여러 가지 부작용을 일으키는 것이다. 헌금을 횡령하고, 교회들에 사기를 치거나 손해를 끼치고, 교회를 경품처럼 사고팔아 사회적 물의를 일으키는 경우가 있다. 이런 교회는 더는 하나님께서 함께하는 교회라 할 수 없다.

성경은 여러 곳에서 돈에 대해 경고하고, 돈과 하나님을 겸해서 섬길 수 없다고 강조한다. “돈을 사랑함이 일만 악의 뿌리가 되나니 이것을 사모하는 자들이 미혹을 받아 믿음에서 떠나 많은 근심으로써 자기를 찔렀도다”(딤전6:10). 돈을 사랑하다 보면 결국 신앙을 잃어버릴 뿐 아니라 스스로를 고통 속에 몰아넣는다는 말이다.

새해를 맞아 우리 안에 팽배한 맘몬, 즉 물질숭배 사고를 벗어나 영혼의 때에 좀 더 가치를 두자. 그리고 행복은 돈이 아니라 다른 것에서 찾아야 한다는 것을 깨치고 세상에 보여주자.

(2013-01-15)

행복은 주어지는 것이 아니라 찾는 것

언제부턴가 물질적 부를 행복의 척도로 착각
범사에 감사하고 항상 기뻐하는 삶을 살아야

정도의 차이와 구체적인 바람은 다르지만, 사람은 누구나 행복을 원한다. 삶의 무게와 괴로움을 견디지 못하고 자살하는 사람도 자신이 불행하다고 느끼기 때문에 극단적인 선택을 하는 것이니 자살은 행복에 대한 좌절을 표현한 것이라 할 수 있다.

행복이 인간의 큰 관심사이기에 철학자들은 오래전부터 행복에 관해 얘기하며 행복에 도달하는 방법을 논해 왔다. 일례로 쾌락주의 학파는 인생의 목적을 행복으로 정의하여 쾌락이야말로 행복의 본질에 가깝다고 주장했다. 금욕주의의 흐름을 계승한 스토아학파는 인생의 목적을 행복에 두면서도 쾌락주의와 달리 어떤 정념이나 자극에 흔들리지 않는 안정된 정신적 경지를 이상으로 삼았다. 철학자들뿐 아니라 고대 그리스와 로마 사람은 행복한 삶을 이루려고 많은 노력을 했다. 예술이 발전하고 학문과 교육에 신경을 쓴 것도 행복을 중시하는 세속적 세계관 때문이었다.

오늘날 과학기술과 의학이 발달하고 산업이 고도화하여 인간의 삶이 그 어느 때보다 윤택해지고 평균 수명이 증가했지만, 행복은 거기에 비례해 증가한 것 같지 않다. 갈수록 증가하는 여러 정신질환과 자살률 그리고 범죄가 그것을 잘 보여준다. 여러 이유를 들 수 있지만 물질적 풍요가 정신적 안정을 가져다 주지 못하며 사회와 인간관계에서 받는 여러 스트레스의 증가를 그 원인으로 들 수 있을 것이다. 공동체 붕괴와 전통적 가치관의 상실도 불행의 원인일 것이다. 하지만 무엇보다 중요한 것은 행복은 외적 조건으로 결정되는 것이 아니라 본인이 느끼는 만족이자 스스로 부여하는 의미라는 것이다.

언제부터인지 물질만능주의 사고가 지배하여 인간은 과거처럼 삶의 의미나 바른 삶을 위한 지혜가 무엇인지 많은 고민을 하지 않고 자신의 우위를 보여줄 물질적 부를 행복의 절대적 척도처럼 생각하게 되었다. 하지만 역설적으로 물질적 부가 증가하면서 인간의 정신적 삶은 더 황폐화하였고 현대인이 느끼는 외로움과 불안감은 더 커졌다. 이런 경향은 변화와 유행이 유독 빠르고 물질적으로 서로 비교하기 좋아하는 한국 사회에서 더 심하다.

몇 년 전 세계 여러 나라를 대상으로 행복지수를 측정한 지표를 본 적이 있는데 우리나라의 행복지수는 세계 178개국 중 102위로 아주 낮았다. 통계에서 인상적이었던 것은 우리가 잘 아는 부유한 나라들의 순위가 대체로 하위권이고, 상위권 나라 중에 가난한 나라가 아주 많다는 것이다. 행복 지수가 가장 높은 나라는 호주 부근 작은 섬나라인 바누아투였다. 이 나라 사람들은 아주 작은 것에 크게 만족하기 때문에 일반적으로 행복도가 높다고 한다. 또 바누아투 사람들은 태풍과 지진을 제외하면 두려워하는 것이 없으며 공동체적 가치에 큰 의미를 부여한다고 한다.

이런 기사를 보면 행복은 우리가 느끼는 만족과 인정하는 의미에 많이 좌우한다는 것을 알 수 있다. 물론 생존을 위한 최소한의 물질적 여건과 사회의 안정을 전제하고 말이다. 같은 조건에서도 불행한 사람이 있고, 행복한 사람이 있을 수 있다. '안면 피드백' 이론이 있는데, 안면 근육의 움직임이 우리 뇌에서 특정 정서를 활성화한다는 견해다. 인상을 찌푸리면 기분이 안 좋아지고 스트레스가 증가하지만, 웃는 표정을 자주 지으면 긍정적 정서가 생긴다는 것으로 웃음치료가 이 원리를 따르고 있다. 성경은 어떤 조건을 달지 않고 '항상 기뻐하라''범사에 감사하라'(살5:16,18)고 명령한다. 행복은 주어지는 것이 아니라 내가 찾는 것이기도 하기 때문이다.

(2013-02-13)

꿈을 잃어버린 젊은이들에게

어떤 직업을 선택할 것인지를 고민하기보다는
무엇을 위해 어떻게 살 것인지를 먼저 정해야

개학과 함께 화사하고 향기로운 봄기운이 느껴지는 기분 좋은 3월이다. 대학가에도 갓 대학생이 된 새내기들의 호기심 어린 발걸음과 수다 소리로 모처럼 활력이 가득하다. 지난주에는 필자가 몸담은 학교에서 단과대학별로 신입생 입학식과 오리엔테이션을 진행하였다. 학교 공식 행사이고, 혹시 모를 안전사고나 불미스러운 일을 예방하려고 야외에서 진행하는 오리엔테이션에는 반드시 교수들이 동행한다. 학생자치 행사지만 학교 공식 허가를 받은 중요한 일정이기 때문이다.

해마다 반복되지만 신입생들을 만나 대화하는 것은 남다른 즐거움을 줘서 신선하다. 하지만 항상 이들을 만난 후에는 아쉬움이 남는다. 신입생들을 만나면 필자는 반드시 꿈이 무어냐고 물어본다. 그러면 십중팔구는 "고시를 통과해 고위 공무원이 되겠다", "의전(의학전문대학원)에 진학해 의사가 되겠다", "국제 업무를 담당하는 회계사가 되고 싶다" 등 본인이 생각하는 다양한 대답을 내놓는다. 이런 대답을 받으면 필자는 그것은 꿈이 아니고 희망하는 직업인데 뭔가 더 원대한 꿈은 없느냐고 되묻는다. 교수가 이런 반응을 보이면 당황하는 학생들이 참 많지만, 필자도 요즘 젊은이들의 모습을 또다시 확인하고는 어떻게 이들에게 새로운 비전을 불어넣어

줄까 고민한다.

언제부터인가 대학생들이 젊음의 열정이나 패기 대신 지나칠 정도로 일찍부터 현실 문제를 고민하고 장래 직업을 꿈과 혼동한다. 그러다 보니 대학가 특유의 낭만이나 기성 상업문화와 다른 참신하고 발랄한 대학문화가 사라진 지 오래다. 그리고 학생들은 미래의 큰 이상과 포부를 꿈꾸기보다 벌써 애늙은이처럼 직업을 고르고 '스펙' 관리에 더 신경을 쓰면서 꿈을 잃어가는 경우가 너무 많다.

학생들 생각을 들은 후 항상 필자는, 젊음은 무한한 가능성이 있으니 너무 일찍부터 자신의 미래를 정하지 말고 더 열린 마음으로 세상을 바라보며 자신의 잠재력을 찾아보라고 충고한다. 그리고 꿈이란 세상에서 자신이 실현하고 싶은 이상이자 목표를 말하는 것이지 단순한 직업이 아니니 진정으로 큰 꿈을 찾으라고 격려한다.

그렇다. 불황과 경제 위기가 점점 고착되고 사회가 경쟁 시스템에 맞게 돌아가자 젊은이들의 가장 큰 관심사가 취직이 되었다. 그러다 보니 심지어 친구 관계조차 최소화하고, 학과 엠티나 학교 여러 행사에 관심을 두기보다, 1학년 때부터 영어 공부나 자격증 챙기기에 급급해서 대학은 취업준비 기관이 된 지 오래다. 수업도 학문적 호기심이나 장래를 겨냥해 듣기보다는 좀 더 재미있고 손쉽게 학점을 따는 과목이나 취업 경력에 활용할 과목이 인기가 높다.

물론 필자의 제자 중에는 장차 아프리카 같은 제3세계

에서 교육 사업을 하여 소외된 이들에게 희망을 주겠다고 벌써 외국에 가 있는 학생도 있고, 선진국 문화와 교육을 체험하며 자신의 비전을 구체화하려는 학생들도 있다. 하지만 점점 많은 학생이 너무 일찍부터 이해관계를 따지고, 꿈을 펼치려고 하기보다는 공무원처럼 안정적 직장에 목을 매는 현상을 보는 것은 참 안타깝다. 자신의 미래를 제한하기 때문이다.

IT산업에서 가장 영향력이 있는 사람인 빌 게이츠는 젊은 시절부터 "세상의 왕이 되겠다. 컴퓨터를 전 세계 가정에 보급하여 컴퓨터 업계의 제왕이 되겠다. 전 세계를 미래의 무한 속도 경쟁 시대로 이끌겠다"는 꿈을 품었다고 한다. 이런 것이 비전이자 꿈이다. 성경에서도 "젊은이는 이상을 볼 것이며"(요엘2:28)라고 말했다. 젊은 이들이여, 더욱 큰 꿈을 키워라. 하나님께서 마음껏 쓰실 수 있는 역량 있는 사람으로 나아가기를 바란다.

(2013-03-12)

서민을 돌보는 공공 복지사업의 필요성

공공 서비스 분야만큼은 시장제일주의 벗어나
인적 자원을 보호하고 국민 행복에 앞장서야

최근 경상남도가 누적된 부채와 경영손실을 이유로 진주의료원을 폐쇄한다고 발표하자 공공의료 서비스에 관한 사회적 논란이 커지고 있다. 진주의료원에는 주로 경제적 빈곤층이나 노인 환자가 많은데 이들의 시름도 깊어지고 있다.

많은 전문가가 지적하듯 공공의료원은 애초 영리보다는 난치병 환자나 복지 사각지대에 있는 서민에게 최소한의 의료 서비스를 제공할 목적으로 국가나 지자체가 설립한 복지 기관이다. 다시 말해 지자체의 수익이나 성과 과시를 위해 존재하는 영리 목적의 기관이 아니라는 말이다. 진주의료원은 그간 일반병원이 외면한 의료급여 환자를 적극 수용하고, 별로 영업성이 없는 호스피스 병동도 운영하여 진주지역의 어려운 사람들에게 든든한 버팀목 역할을 톡톡히 해 왔다.

다른 도시나 지자체의 공공의료원도 사정이 비슷한데 대부분은 많은 경영상 어려움에도 주민복지와 주민 건강관리라는 측면에서 공공재원을 통해 사업을 유지하고 있는데 이번에 진주의료원이 성급하게 폐업을 결정하자 많은 우려를 자아내고 있다. 이것은 공공의료원의 재정 적자를 불가피하게 인정하면서도 투자를 더 강화하는 방향으로 정책을 펴는 경기도나 인천과도 대조된다.

문제는 이번 진주의료원 폐쇄가 단지 한 지역의 일이 아니라 여타 공공의료원의 향후 유지와 국가 의료정책에 미치는 상징적 효과가 매우 크다는 점이다. 야당이 의료원 폐쇄철회 조치를 요구하고, 여당에서도 신중한 재검토가 시작된 것은 의료원 폐쇄가 지자체의 고유권한이기도 하지만 정부의 장기적인 의료정책과 연동하여 향후 복지정책의 시금석으로 받아들여지기 때문이다.

이번에 경남 도지사는 의료원이 수익성을 내지 못하고, 노조가 귀족화했다는 이유를 들어 폐쇄를 결정했지만, 이 과정에서 지역주민의 의견을 충분히 수렴하거나 의료기관 폐쇄를 보완하는 추가 대책을 제시하지 못한 채 일방적으로 폐업을 강행했다. 의료나 공공 서비스를 시장에 맡기고 민간이 담당한다면 훨씬 효율성이 커진다고 생각했을지 모르지만 공공서비스에 관한 인식이 부족한 게 사실이다.

세계적으로 1990년대 이후 세계 경제가 글로벌화하고, 신자유주의 경제노선이 주류가 되면서 모든 것을 시장논리에 맡기고 경쟁 시스템을 통해 효율성을 극대화하려는 정책이 일반적이다. 신자유주의는 자유무역, 규제철폐 및 민영화, 투자개방(세계화)을 통해 선진화를 이룰 것을 주장하지만 시장이 확대되면서 부의 쏠림과 지나친 수익성 추구로 공공 서비스 가격이 오르는 등 부작용도 많다.

의료 사업만 봐도 우리나라 공공의료원은 현재 전체 의

료기관 6%에도 미치지 못하는 상황에서 지난 2월에는 민간의료기관도 공공보건 사업을 할 수 있고 이를 정부가 지원하도록 하는 방향으로 공공의료법이 개정되었다. 의료뿐 아니라 철도, 수도, 전기, 공항 등도 민영화 논의가 계속되고 있다.

필자는 여기서 민영화와 공영화의 장단점을 논하고 싶지는 않다. 하지만 의료, 교육, 기초 기간사업을 무조건 경제적 시각으로 바라보고 시장의 수요와 공급 논리에 맡겨야 한다는 것이 갖는 위험성을 지적함과 아울러 좀 더 신중하게 지혜를 모아야 한다고 생각한다.

개인적으로 필자는 프랑스에 오래 살면서 외국인인데도 그 나라의 교육과 의료정책의 혜택을 많이 입었다. 유럽은 국민 복지나 기초 생활에 직결된 사업을 국가의 당연한 의무로 생각하여 장기적으로 투자하는 경향이 크다. 복지는 국가가 베푸는 시혜가 아니라 인적 자원을 보호하고 국민 행복을 보장하려는 국가의 핵심 사업이다. 시장제일주의 사고를 벗어나 공공성에 관해 전향적인 생각을 가질 때다.

(2013-04-16)

노인 학대의 슬픈 현실

고령화 사회는 화살처럼 빠르게 다가오지만
우리의 효 가치관은 더디거나 뒤로 후퇴해

통계학적으로 65세 이상 노인비율이 7% 이상이면 고령화 사회로 분류한다. 우리나라는 이미 2012년 노인인구 비율이 11.8%를 넘었으며, 2017년에는 14.5%로 고령사회에 접어들고, 2026년이면 20%를 넘어 초(超)고령사회로 빠르게 진입하리라고 예상하고 있다. 노인 인구가 늘어나고 출산율이 떨어져서 경제 성장이 둔화하고 학령기 아동 인원이 감소하는 등 여러 문제가 발생하고 있다.

갈수록 사회구조가 경쟁체제로 굳어지고, 경기침체가 지속하여 이제 노인 문제가 사회적인 큰 이슈가 되고 있다. 복지시스템과 사회 원조가 취약한 우리나라에서 이미 노인자살률도 경제협력기구(OECD) 국가 중 최고이며, 소외된 노인 수가 증가하고 있지만 부모를 모시지 않으려는 풍토가 짙어지고 있어 독거노인과 방치되어 고통받는 노인이 늘고 있다. 여기에 더해 최근에는 노인을 학대하거나 노인을 표적으로 삼는 범죄도 증가하여 가정의 달 5월을 더욱 우울하게 만든다.

전통적으로 우리나라는 노인을 공경하고, 그들의 지혜를 소중히 생각하는 미풍양속이 있었지만, 사회가 불안정해지고 평균수명이 늘어나 이제 노인들은 쓸모없는 천덕꾸러기 취급을 받는 일이 빈번해지고 있다.

최근 서울시 자료를 보면 전체 노인 13.8%가 학대받은 경험이 있다고 한다. 더 참담한 것은 노인 학대가 일시적 현상이 아니라 매년 증가하고 있으며, 가해자가 아들인 경우가 무려 42.1%나 된다고 한다. 이것은 공식 통계자료에 근거한 것이고, 실제로 가족 학대를 참고 신고하지 않는 일반적 경향을 고려하면 더 많은 노인 학대가 있었을 것이라고 예상할 수 있다.

학대 유형도 다양한데 유기 3%, 신체적 학대 3.6%, 경제적 학대 4.3%, 방임 22.4%, 정서적 학대 66.7%로 나타났다.

신체적, 경제적 학대 같은 적극적 가해도 문제지만, 노인보호 시설에 맡기고 연락을 두절하거나 왕래하지 않는 유기, 보호와 원조가 필요한 노인을 방치하고 이들에게 필요한 수발이나 돌봄을 하지 않는 방임도 문제로 대두한다. 정서적 학대는 노인에게 고함을 지르거나 욕하기, 이들의 존재를 무시하기, 자신에 관한 주요 결정에서 소외하기 등으로 좌절을 주는 행위를 말한다.

우리나라 노인들은 대체로 은퇴 준비를 제대로 하지 않아 경제적 여유가 없고, 자식에 의존하는 경우가 많아 이러한 학대 행위는 사실상 삶의 의욕을 좌절시키고 죽으라고 떠미는 살인 행위와 마찬가지다.

실제로 한국은 65세 노인인구 10만 명당 자살 인구가 73.6명으로, 자살률이 가장 낮은 그리스의 13배나 된다. 특히 75세 이상 자살률은 더 높아서 인구 10만 명당 100명 이상이나 스스로 목숨을 끊고 있다.

부모에게 직접 상해를 입히거나 살해하는 패륜범죄와 존속살해도 가파르게 증가하여 이제 더는 어느 영화 제목처럼 노인을 위한 나라는 없다.

2013년 청소년 통계자료를 보면 부모의 부양을 가족이 맡아야 한다고 생각하는 청소년이 고작 35.6%에 불과하다고 한다. 최근에는 노골적으로 부모를 욕하고 증오심을 표출하는 인터넷 사이트까지 등장할 정도로 이제 노인은 몹시 거추장스러운 짐으로 전락하고 있다. 우리 사회가 소중히 해야 할 가치관을 잃어버리고 돈과 자신만 생각하는 이기심을 당연시한 것이 이런 현상의 원인이 된다. 이제 노인 문제를 강 건너 불처럼 보지 말고 시급히 해결해야 한다. 하나님은 명령하신다.

“너는 센 머리 앞에서 일어서고 노인의 얼굴을 공경하며 네 하나님을 경외하라”(레19:32).

(2013-05-14)

최근 벌어지는 정치적 역사 논쟁 우려

일본 식민지 행위는 어떤 경우에도 정당하지 않아
모든 과거사를 좌우 이념 대립으로 보는 건 잘못

역사를 둘러싼 해묵은 논쟁이 새삼 번지고 있다. 한국현대사학회가 주축이 되어 집필한 한국사 교과서가 교육부 검정심의를 통과하자 논란이 본격화되었다. 아직 교과서 내용이 공개되지 않아 말하기가 조심스럽지만, 일부 집필자가 언론에서 밝힌 내용을 보면 우려되는 바가 크다.

특히 필자 중 한 사람이 인터뷰에서 과거 일본의 조선 침략과 식민 정책에 협조한 친일 행위의 불가피성을 인정하고 친일파들의 공적도 밝혀야 한다고 주장했는데, 이런 부분이 교과서에 실제로 서술되었다면 심각한 문제다. 아직 종군위안부 문제나 친일잔재청산도 완전히 해결되지 않았고, 이웃 나라 일본이 점점 우경화하여 과거 태평양전쟁이나 식민통치를 정당화하고 있는데, 우리나라 내부까지 여기에 말려 들어가는 것 같아 뜻있는 사람들이 걱정을 많이 한다.

여기에 더하여 최근 인터넷에서 '일베'(일간베스트 저장소)라는 사이트를 중심으로 정부도 공식 인정한 5·18 민주화 운동이 북한이 개입한 폭동이고 그것을 진압한 과거 대통령이 영웅이라는 주장이 확산해서 현대사 문제로도 시끄럽다. 특히 일베는 전문적인 학술적 연구나 자료에 근거하지 않고 과격한 감정적 언사로 5·18 운동을 전라도 지역 폭동으로 규정하고 당시 희생자들을 '홍어'라고 조롱하여 아직 고통을 겪는 유족들의 마음을 후비고 있다. 그러면서도 이러한 공격적 행태를 유희의 일종이나 기성세대에 대한 솔직하고 당당한 저항과 새로운 도전인 것처럼 미화하고 있다.

학문적 차원에서 역사에 새로운 해석을 제시하거나 잘못된 기존 역사 서술을 비판하는 것은 건강한 역사관 확립을 위해 필요하다. 하지만 최근 일련의 역사 논쟁에서 제일 걱정되는 점은 그것이 지나치게 이념적 차원과 정치적 의도 아래 진행된다는 점과 한국 근현대사를 잘 모르는 젊은 세대가 감정적으로 여기에 뛰어들고 있다는 점이다.

해방 후 통일적 주권을 확립하지 못하고 6·25 전쟁을 겪으며 좌우 이념 대립이 심해져 모든 과거사를 이념적으로 바라보는 편향성이 커졌다. 역사를 객관적으로 바라보기보다는 좌파나 우파의 이데올로기를 통해 과거사를 바라보아서 역사에 대한 극단적 해석이 난무하게 된 것이다. 최근 교과서 논쟁도 자신의 주장을 학문적으로 제시하기보다는 과거 집필된 모든 교과서가 좌편향이기 때문에 다 바꾸어야 한다는 식으로 정치적 접근을 해서 문제가 된 것이다. 그리고 아무리 과거에 필연적으로 일어난 일이라 해서 그것을 정당화하는 것은 전혀 다른 문제다.

일본의 식민통치가 한국의 근대화를 촉진했다는 '식민지 근대화론'은 오랜 이론적 뿌리를 지니고 있으며, 다소 복잡한 논점을 내포하고 있다. 하지만 백 번 양보해 일본의 식민통치가 한국을 어느 정도 개화했다고 인정하더라도 일제 36년 동안 벌어진 민족 차별과 문화말살 정책, 그리고 태평양전쟁을 벌이느라 한국인을 병역·노역·위안부로 동원하여 착취하고 가혹하게 수탈한 행위가 정당화될 수는 없다. 그리고 일제하에서 식민 지배에 협조하여 기득권을 누린 사람들이 교육이나 의료를 통해 당시 조선에 공헌했다고 해서 이들의 친일 행위를 역사의 필연처럼 긍정할 수는 없다.

나치 하에서 공무원이나 군인으로 복무한 사람들을 처벌한 독일이나 프랑스 사례도 역사 바로 세우기 차원에서 진행된 것이다. 역사를 바로 평가하기가 쉽지는 않지만, 중요한 것은 우리가 지켜야 할 인류사적 가치를 염두에 두고 과거를 바라보는 것이다. 정치적 입장이나 결과와 상관없이 옳은 것은 옳은 것이고, 잘못된 것은 잘못된 것이다.

(2013-06-12)

다문화 시대 편견을 벗고 하나를 이루자

사회 전반에 깔려 있는 인종 차별적인 태도 바로잡아
국제화 시대에 걸맞게 모든 사람 포용할 자세 갖춰야

국어사전에서 '편견'이란 단어를 찾아보면, '한쪽으로 치우친 공정하지 못한 생각이나 견해'라고 나온다. 편견은 감정이나 가치관을 개입해 사태를 제멋대로 해석하는 것으로, 판단 과정에서 오류를 범하는 착각과는 본질이 다르다. 착각은 자주 경험하는 현상이며 쉽게 바로잡히지만, 편견에 빠진 사람은 정보가 정확하다 할지라도 그것을 무시하고 곡해해서 자신의 견해를 고집하는 경우가 많기 때문이다. 편견은 어떻게 보면 의지의 문제이기도 하다.

또 편견은 개인적 현상이지만 그것을 낳은 사회적 배경이 있으며, 편견을 당연시하는 문화에서 사람들은 쉽게 편견에 사로잡힌다. 대표적인 예가 인종 편견이다. 미국에서 노예제가 한창일 때 아주 신실한 사람들조차 흑인은 사람이 아니며, 노예제는 도덕적으로 아무 문제가 없다고 생각했다. 당시 극단적인 사람들은 심지어 흑인을 가축처럼 다루고 마음대로 죽일 수 있는 것도 하나님 뜻이라고 왜곡하기도 했다. 미국에서 최초로 흑인 출신 대통령까지 나왔지만, 인종 편견은 여전히 은밀하게 사람들 의식을 지배하며 영향력을 행사하고 있다.

한 심리학자가 시민을 대상으로 실험해 보았다. 시민이

경찰관이 되어, 스크린에 갑자기 나타난 사람이 무장했을 때 먼저 발포하는 실험이었다. 상대방이 총을 뽑을 수도, 단순히 지갑이나 개인 용품을 뽑을 수도 있기 때문에 순간적으로 잘 판단해야 한다. 실험 결과, 스크린에 나타난 사람이 흑인 남자면 무조건 총을 먼저 뽑아 응사하는 비율이 높았는데, 이것은 흑인에 대한 무의식적인 편견이 작용했기 때문이다.

그렇다면 과연 동방예의지국으로 불리는 우리는 이러한 인종 편견에서 자유로울까? 우리나라도 이미 외국인이 100만 명을 넘어서며 실질적인 다문화 시대가 열렸으며, 우리 주변에서 다양한 국적과 인종의 외국인을 빈번하게 접한다. 교회에도 많은 외국인 신자가 있다. 하지만 한국보다 못 사는 나라의 외국인들을 대하는 한국인들의 태도에는 편견과 우월의식이 많아 보인다. 반면 미국이나 유럽 백인에게는 너그럽고 심지어 친절함이 지나쳐 아부하듯 보이는 예도 있다.

모 방송국에서 동남아 출신 외국인과 호주 출신 외국인이 지도를 들고 길을 물었을 때 사람들의 반응을 알아보는 실험을 한 적이 있다. 똑같은 외국인이고 영어를 사용했지만 동남아 출신 외국인에게 친절하게 길을 가르쳐 주는 사람들은 아주 드물었다. 반면 금발 백인에게는 손짓 발짓에 서툰 영어로 길을 가르쳐 주려는 사람이 아주 많았다. 한국인의 이중성을 잘 보여 주는 씁쓸한 실험이었다.

동남아 출신이 이주 노동자로 오는 경우가 많아 한국인들은 이들을 하층민처럼 무심코 깔보는 경우가 많다. 한국 여성이 흑인이나 아시아 출신 외국인과 길을 가거나 버스를 타면 대놓고 욕을 하거나 안 좋은 시선으로 바라보는 경우도 흔하다. 심지어 같은 동포인 조선족이나 탈북민에게도 근거 없는 편견으로 이들을 마치 범죄 집단처럼 매도하거나 적대시하는 사람도 많다.

하지만 이제 세계는 국제화 시대로 접어들고 있으며, 취업, 교육, 결혼 같은 다양한 이유로 한국에 정착하는 외국인이 점점 늘고 있다. 사람은 몸이 커지면 옷을 바꿔 입어야 하듯, 이제 우리도 열린 태도와 관용으로 외국인들을 따뜻하게 대할 필요가 있다. 편견은 앞에서 언급한 것처럼 객관적 정보가 부족해 발생하는 현상이 아니라 사회적 분위기의 영향을 많이 받는다. 편견이 자리 잡으면 서로 융합해 공동체를 만드는 일이 불가능해진다.

편견에서 벗어나려는 지혜와 의지가 필요하다. 그리스도 예수 안에서 우리는 모두 하나이기 때문이다(갈3:28).

(2013-07-16)

습관이 가져오는 엄청난 힘

우리 뇌는 익숙한 행동을 유지하려는 경향이 많아
기도도, 성경읽기도 훈련이 없으면 그만큼 어렵다

약 한 달 전 발생한 아시아나 항공기 사고 당시, 뉴스에 아주 인상적인 장면이 있었다. 기체가 거의 두 동강이 난 채 정지하자 승무원들이 승객을 구조하기 시작했다. 이때 한 승무원은 본인도 심하게 다쳤지만 이를 전혀 의식하지 못하고 맨발로 뛰어다니며 승객을 대피시켰다.

나중에 기자들이 어떻게 그렇게 신속하고 효과적으로 구조임무를 수행할 수 있었느냐고 물어봤다. 만약 승무원들이 늑장 대응하거나 우왕좌왕했으면 사망자가 더 나올 수도 있는 절박한 상황이었기 때문이다. 이 승무원은, 평소 훈련을 많이 받다 보니 다른 것을 생각할 겨를도 없이 기계적으로 몸이 움직였고 나중에야 상황의 위험을 알았다고 말했다. 평소 반복된 구조 훈련이 긴급 상황에서 얼마나 위력을 발하는지 잘 보여준 장면이다.

우리는 살면서 습관의 중요성을 알지 못하고, 의지나 목표의식이 더 중요하다고 생각하는 경향이 많다. 하지만 최근 심리학 연구에 따르면 무의식적으로 반복하는 오랜 습관이 우리의 성공과 실패를 가르는 경우가 더 많다.

예를 들어 학생이 공부를 잘하려면 의지가 아주 중요하고 학업에 흥미를 느끼도록 동기를 부여하는 것이 필요하다고 여긴다. 하지만 초등학교부터 대학교까지 꾸준한 성적과 실력을 유지하는 학생들을 보면 오랜 기간 습관처럼 공부한 학생들이 많다. 어떤 계기로 갑자기 벼락치기 공부해서 성적이 오른 경우에는 다음에 슬럼프에 빠지기도 하지만 규칙적으로 공부하는 학생들은 학업에 대한 스트레스도 덜하고 성공할 확률도 훨씬 높다고 한다.

이것은 우리 두뇌구조와도 관련이 있는데 우리 뇌는 어떤 행동에 익숙해지면 그것을 반복하면서 유지하려는 안정화 패턴이 작동하기 때문이다.

아리스토텔레스는 『윤리학』에서 사람의 궁극적 목적이 행복이며, 행복에 도달하기 위해서는 탁월성을 함양해야 하는데 이것은 오직 습관을 통해서만 형성된다고 말한 바 있다. 습관은 행동뿐 아니라 성격이나 의지에도 작용한다.

예를 들어 불쾌한 일이 있을 때 화부터 내는 사람은 나중에는 조급한 성격이 몸에 배어 사소한 일에도 짜증을 내고, 할 일을 미루는 사람은 계속 게으름을 부리다가 결국 포기하는 경우도 많다. 무심코 안 좋은 말을 내뱉거나 주위를 썰렁하게 만드는 실수도 따지고 보면 평소의 잘못된 언행이 표출된 경우가 많다. 우리의 말투, 표정, 몸짓, 행동방식, 대인관계 등 모든 것이 우리가 어떻게 습관을 들이냐에 따라 결정되는 경우가 많다.

평소 필자는 수업시간에 학생들이 지각하는 것에 대해 무척 엄한데 지각도 습관이기 때문이다. 또 강의실에 들어가면 차분히 앉아 수업준비를 하는 학생도 있고 스마트폰을 잠시도 떼지 않고 만지거나 옆 사람과 수다를 떨고 음악을 듣는 등 다양한 모습을 본다.

재미있는 점은 이러한 행동이 거의 끝까지 반복된다는 것이다. 한번 자신을 돌아보라. 그리고 다른 사람에게도 자신의 안 좋은 점이 무엇인지 물어보라. 한가한 시간에 먼저 무슨 행동을 하는지, 그리고 교회 같은 중요한 곳에 갈 때 제시간에 가는지, 도착해서 제일 먼저 무엇을 하는지, 사람들에게 평소 어떻게 말하고 행동하는지…. 이런 행동이 세월이 지나면서 큰 격차를 벌려 우리의 삶을 달라지게 만든다.

우리의 행동과 성격은 타고나는 것도 있기는 하지만 대부분은 습관을 통해 형성된다. 또 아이들은 부모의 행동을 은연중 따라 하면서 성장하기 때문에 아이들에게 안 좋은 모습이 보이면 부모를 무심코 모방했다고 보면 된다. 리더와 대중의 관계도 이와 마찬가지다. 예수 그리스도는 습관에 따라 감람산에 가서 기도하셨고, 바울은 습관대로 회당에 가서 성경을 가르쳤다고 한다. 당신의 습관은 무엇인가?

(2013-08-13)

자살예방을 위한 절실한 노력 필요

2011년 기준 OECD회원국 중 8년째 자살률 1위
예방 차원의 여러 정책 국민 모두 인식 같이해야

어떤 사건이나 자극을 처음 접하면 놀라고 집중하는 반응을 보이는데, 이를 심리학은 '지향반응'이라고 부른다. 반대로 고통스럽고 충격적인 일도 자주 접하다 보면 익숙해지고 나중에는 무덤덤해지는데, 이것은 '내성'이다.

9월 10일(화)은 세계 자살 예방의 날이라 새삼 이 말이 생각났다. 자살을 대하는 우리 태도가 이와 같기 때문이다. 한국은 2011년 기준 10만 명 당 자살률이 33.5명로 경제협력기구(OECD) 회원국 중 8년째 자살률 1위를 기록하고 있는데 이제 만성화해 자살이 대수롭지 않은 일처럼 받아들여진다.

유명인이 자살하거나 아주 끔찍한 경우가 아니면, 자살은 뉴스도 아닌 내성의 대상이 되었다. 하지만 곰곰 생각하면 점증하는 자살률은 이미 우리에게는 너무 큰 비극이자 우리 사회의 치부다. 지금도 우리 주변에서 33분마다 1명이 자살로 세상을 등지고 있는데, 정작 우리는 이 문제를 해결하려고 총력으로 나서지 않기 때문이다.

작년 기준으로 국내 자살 인구는 연 1만5000여 명을 넘어섰으며, 이제 자살이 한국인의 사망 원인 4위를 차지하고 있다. 최근 들어 더 심각한 사실은 노인과 청소년

자살 비율이 급격히 증가한 점이다. 여러 이유가 있겠지만 자살문제를 우리 사회가 해결할 시급한 과제로 인식하기보다는 개인의 문제로 돌리기 때문에 자살률이 줄지 않는다고 할 수 있다. 또 은연중에 자살은 항상 있는 일이라고 당연시하기도 한다. 물론 현대 사회의 여러 소외가 자살의 원인인 점도 사실이다. 하지만 많은 연구나 정책 사례를 보면 자살예방정책을 적극적으로 펼 때 상당 부분 자살률을 줄일 수 있기에 자살이 많다는 것은 공동체의 책임이기도 하다.

자살하는 심리에는 보편적으로 자신이 사회적으로 고립되어 있고, 항상 타인에게 짐만 된다는 부정적 정서와 좌절이 깔려 있다. 그러면서도 누군가 자신의 목소리에 귀를 기울이고, 따뜻한 손을 내밀어 주기를 바라기에 이러저러한 형태로 구조 신호를 보낸다. 세상을 향한 마지막 절규가 외면당하면 결국 자살을 선택하는데 이는 사회가 저지르는 간접 살인이라고도 말할 수 있다. 실제로 자살하려는 사람을 적극적으로 만류하면 94% 정도가 다시는 자살을 감행하지 않는다는 통계도 있다.

근래 들어 우리나라도 자살예방의 중요성을 인식하여 여러 정책을 펴고 있지만, 아직 다른 선진국에 비하면 조족지혈이다. 예를 들어 이웃나라 일본의 경우 자살을 막기 위해 한 해에 투입하는 예산이 얼추 3265억 원인데, 이는 우리나라의 100배에 달하는 규모라고 한다. 다른 선진국들도 관련 전문가들이 협력해 자살률을 줄이려고 다양한 노력을 하고, 성공적으로 자살률을 줄이기도 한다.

자살예방과 절망에 빠진 사람들을 구제하려면 정부나 지자체가 나서야 하지만, 교회도 좀 더 적극적으로 자살을 줄이려는 사회적 분위기를 주도할 필요가 있다. 성경은 99마리 양뿐 아니라 잃은 양 한 마리를 찾는 일이 목자의 애타는 심정이라는 점을 가르쳐 주고 있다. 영혼구원을 위해서 천하만국보다 한 생명이 귀함을 인식하면서 지금도 어디선가 죽어가는 한 영혼을 위해 우리 모두 나서야 한다.

단체 못지않게 개인의 노력도 중요하다. 주변의 관심과 말 한마디가 자살을 결심한 사람을 살릴 수 있다.

언젠가 어느 책에서 본 유서 한 구절이 기억난다. 마지막으로 투신자살을 하러 가는 길에 만약 누군가 자신을 보고 한 번이라도 웃어 주면 다시 돌이켜 살겠다던 말이….

(2013-09-17)

감정 노동자가 겪는 고통과 실태

성장과 편리함도 좋지만 공존의 정신이 더 중요
건강한 사회를 위해 서로 배려하는 마음 지녀야

사회생활을 하는 이상 누구나 하루 한 번 이상은 다양한 서비스 종사자를 만난다. 출근길 지하철역에 있는 도우미(공익)나 역무원, 대형 마트에서 명찰을 단 채 물건을 파는 판매원, 전문 매장에서 상품을 설명하는 안내인, 그리고 가끔 걸려오는 각종 판매나 상담 전화 종사원이 그들이다.

이들을 감정 노동자라 부르는데 이는 고객을 직접 상대하며 민원을 들어주고 직접적 편의를 제공하여 고객을 만족하게 해 주는 사람들이기 때문이다. 고도 소비사회에서 유통과 서비스업 비중이 늘고 기업이 경영전략에서 고객만족도를 우선시하면서 감정 노동자들이 담당하는 역할이 커진다.

최근 이들이 겪는 다양한 인간적 고통과 문제가 심심찮게 언론에 보도된다. 경제 인구에서 차지하는 비중은 작을지라도 감정 노동에 종사하는 사람들이 주로 여성이고, 고용 상태가 불완전하고 대우가 좋지 않은 상태에서 정신적, 육체적으로 시달리며 심각한 정신적 문제를 겪기 때문이다.

감정 노동은 소비자가 요구하는 바와 각종 불만을 처리

해 주는 일이고 한국의 소비문화에서 고객을 왕처럼 대우하는 관념이 관행으로 자리해 이들은 시녀나 심하면 고객이 분풀이할 대상으로 전락한다. 언젠가 비행기 비즈니스석에서 라면을 제대로 끓여 주지 않았다고 승무원을 폭행한 어느 승객의 예가 단적이다. 이 사건을 언론에서 보도한 후, 사회적 비판이 일면서 이슈가 되었지만 지금도 비슷한 일이 종종 벌어지고 이들이 겪는 고통도 심각하다.

최근 한 심리치유기업이 감정 노동자 86명을 대상으로 심리상태를 조사한 결과 응답자 40.7%가 '심리적 외상을 경험했다'고 밝혔다. 심리적 외상이란 외부에서 오는 심한 정서적 충격이나 자극 때문에 정신적 고통에 계속 시달리는 증상을 말한다. 이들이 겪은 고통은 주로 극도의 무력감과 두려움, 우울과 분노, 인간적 모멸감과 자존감의 추락 등 다양하지만, 생업 문제로 스트레스를 마음껏 발산할 수도 없고 직장을 그만두기도 어렵다 보니 사태가 더 악화한다.

감정 노동자들이 겪는 고통은 업무가 힘들어서라기보다는 손님이 어떤 요구를 하더라도 무조건 들어주고 비위를 맞추면서 항상 로봇처럼 웃으며 예의 바르게 행동해야 하는 비인간적 조건에서 온다. 인간이기에 누구나 감정이 있고 부당한 대우를 받으면 화가 나는데 말도 안 되는 요구나 욕을 들어도 감내하고 종처럼 행동해야 하는 점이 이들을 고통스럽게 한다.

한국은 예로부터 사농공상 같은 사회적 신분에 따른 차별이 심하고 상놈과 양반을 나누는 권위주의 문화가 남아 있다. 여기에 인간의 모든 욕망을 상품화하고 만족하게 해 주려는 첨단 기업문화가 결합하여 소비자주권이 엉뚱하게 변질하고 있다.

최근에는 기업들이 서비스 질을 높인다는 명목으로 세세한 행동요령과 표정관리까지 매뉴얼화하고 직원들을 훈련하고 감시하여 도저히 봐줄 수 없고 상식적이지 않은 이른바 '진상손님'의 행패도 늘어간다.

편리함과 무한한 욕구 충족을 추구하는 자본주의 사회에서 서비스 노동은 갈수록 증가하는데 이제 성장과 편리함도 중요하지만 공존의 정신으로 이들을 배려해야 한다. 간도 쓸개도 빼놓고 고객 비위를 맞춰야 하는 감정 노동자들도 우리 사회의 소중한 구성원이기 때문이다. 무엇보다 인간이 다른 인간을 착취하고 내 욕구를 방출하는 쓰레기통처럼 타인을 취급하며 왕처럼 군림하는 사회는 건강한 사회가 아니다. 혹시 나는 부지불식간에 누군가에게 평생 잊지 못할 상처나 좌절을 안겨주지는 않았는지 돌아볼 일이다.

"저가 이 작은 자 중에 하나를 실족케 할찐대 차라리 연자맷돌을 그 목에 매이우고 바다에 던지우는 것이 나으리라"(눅17:2).

(2013-10-15)

사회 정의는 청렴 회복부터

사적 이익은 곧 국가적 피해
진정한 법치국가 완성을 위해
사회정의 회복부터 실현해야

그리스 철학자 플라톤은 개인과 국가가 서로 비슷한 구조와 원리를 가진다고 생각했다. 플라톤에 따르면 인간은 머리에 속하는 지혜, 가슴에 담겨 있는 용기, 배에 자리 잡은 욕망이 있으며 세 부분이 조화를 이루어야 성숙한 인간이다.

마찬가지로 국가도 머리 역할을 하는 통치자, 나라를 지키고 보위하는 전사, 노동하면서 생산에 종사하는 생산자 계급으로 이루어진다. 각자는 주어진 역할과 영역이 있으며, 각자의 몫과 사명을 다 하면서 협력할 때가 바로 정의의 실현이라고 플라톤은 말했다. 보통 사회정의론에서는 분배를 둘러싼 평등과 자유의 관계가 중요하다면 플라톤은 상호조화와 협력을 통해 공동체의 선을 도모하는 상태가 정의라고 말한다.

그런데 플라톤의 국가론에서 재미있는 점은 통치자와 전사계급이 사유재산을 절대 가져서는 안 되고 모든 것을 공유해야 한다는 생각이다. 플라톤은 통치 계급은 절대 사유재산을 가져서는 안 되고 심지어는 부인과 자식까지 공유해야 한다고 엉뚱한 주장을 하였다. 몹시 황당해 보이지만 플라톤은 몽상적으로 이런 주장을 펼친 것이 아니라 철학자답게 나름의 원칙과 생각이 있었다.

플라톤은 통치 계급은 힘이 세고, 사회를 움직이는 권력을 가지고 있기 때문에 이들이 사적 재산을 가지면 자신들의 이익을 위해 권력을 남용할 것이라고 우려했다. 플라톤은 대신 생산자 계급이 열심히 일해 통치 계급을 부양하면 이들은 통치에만 전념하고 생산자 계급을 지켜주면서 국가의 선을 함께 도모할 수 있다고 믿었다. 통치자들이 우선시할 것은 사적 이익이나 가족이 아니고 국가의 선이다. 만일 통치자들이 재물을 탐하면 재물로 인해 영혼이 타락하게 되고 그 피해는 사회 구성원 전체에게 돌아간다.

플라톤의 생각은 오늘날 국가의 녹을 먹고 공공 업무에 복무하는 공직자들에게 교훈하는 바가 크다. 공직자들은 대중보다 더 많은 정보를 접하고 권력을 행사하기 때문에 사적으로 자신의 지위를 활용하면 공동체에 큰 손해를 끼친다. 예를 들어, 각종 인허가 업무를 담당하거나 세무업무를 담당하는 공직자가 뇌물을 받고 자신의 권한을 남용한다고 가정하면 국가적으로 엄청난 피해가 발생하겠지만 당사자는 쉽게 부를 축적할 수 있을 것이다.

최근에도 각종 사업에 대한 조사와 국정 감사를 통해 적지 않은 부정사례가 계속 적발되고 있다. 검찰 수사 결과 입찰 담합과 정관계 로비자금, 비자금 조성 등의 혐의가 많이 밝혀졌다. 국민 혈세가 얼마나 사라졌는지 모르는 상황이다. 또 인사청문회에서 보듯 고위 공직자가 사사로이 권력을 남용해 자식들을 취직시키거나 이중 국적으로 병역을 면제받는 일 등도 자주 언론에 보도된다.

사회 기강이 바로 서고, 법치가 통하려면 무엇보다 권력의 자리에 있는 사람들이 청렴에 대해 경각심을 갖고 이를 실천해야 한다. 그래야 법의 공정성에 대한 시비가 없어질 것이고 사회정의가 회복될 수 있다. 언제부터인가 능력도 아주 많으면서 비리 혐의가 없고 성품도 곧은 공직자 후보를 찾는 것이 어려워졌는데 이것은 절대 정상적인 상황이 아니다.

성경은 부패하고 가증한 악을 일삼는 자들이 하나님을 인정하지 않는 어리석은 자들(시53:1)이라고 단죄한다. 법치국가 질서도 중요하지만 가장 기초적인 청렴 질서의 회복부터 다시 시작해야 대한민국을 건강하게 만들 수 있다. 진정한 법치주의를 위해 모두가 지지하는 정의부터 세우자.

(2013-11-12)

사랑과 미움의 같은 점과 다른 점

상대를 통해 자신의 욕망을 채우려하기에 갈등 생기는 것
하나님과 이웃을 중심에 두는 사랑이 절실하게 필요한 때

철학자 플라톤은 여러 저서를 남겼는데 소크라테스를 주인공으로 한 대화록이 많다. 플라톤은 오늘날에도 큰 깨우침을 주는 주제들을 다루었는데 가장 흥미로운 책 하나가 바로 '에로스'(사랑)를 주제로 삼은 『향연』이다.

향연은 그리스 사람이 가까운 지인을 불러 함께 먹고 마시면서 자유롭게 토론하는 형식을 일컫는데 『향연』은 아가톤이라는 사람의 집에 7명이 모여 사랑의 본질을 자유롭게 얘기하는 내용이다. 플라톤 작품에서 가장 문학성이 뛰어나고 흥미롭게 읽을 수 있는 책이자 사랑을 주제로 한 가장 오래된 철학서다.

이 책을 보면 에로스(사랑)는 태초부터 있던 것으로 만물을 탄생하게 만든 힘이며, 좋은 것의 원인이고, 인간을 초월적 세계로 향하게 만드는 동력으로 설명한다. 에로스는 또한 육체적 사랑으로 남녀가 서로 연모하고 결합하게 하는 원천이다. 에로스는 인간을 하나 되게 만들며 서로 집착하게 한다. 인간이 공동체를 이루고 결합하며 서로 관계를 유지하게 하는 것도 에로스 덕분이다. 하지만 플라톤은 에로스가 채울 수 없는 어떤 결핍에서 비롯되며 절대 만족을 모른다고 경계하기도 한다. 다시 말해 에로스는 아름다움이나 선이 아니라 그것을 가지지 못했기 때문에 갈망하는 탐심의 원천이다.

'사랑'이라는 단어를 떠올리면 대체로 긍정적이고 아름다운 감정을 느낄 것이다. 그리고 사랑의 반대는 미움이라 생각할 것이다. 하지만 사랑에는 타인이나 어떤 대상을 통해 자신의 결핍을 채우고 자신을 중심으로 상대를 통합하려는 부정성도 존재한다. 또 자신의 사랑이 충분히 채워지지 않거나 거부되면 사랑의 감정은 금방 원망으로 바뀌고 미움으로 표출되기도 한다. 이런 이유로 정신분석가 프로이트는 사랑과 미움은 사실상 같은 감정이라고 말하기도 하였다. 사랑은 분명 인간을 변화시키고 타자로 향하게 한다. 자신의 이기심에 기초하고 자신의 결핍을 채우려는 본성이 있기 때문에 이것이 절제되지 않으면 굉장히 위험할 수 있다.

자식을 지나치게 사랑하는 부모나, 상대방을 죽도록 사랑하는 사람의 예를 생각하면 된다. 이기적 정념에서 비롯되는 사랑은 상대에 대한 헌신의 형태를 띠지만 자칫 상대를 억압하거나 괴롭게 할 수 있다. 정신장애 중 하나인 '스토커'는 어떤 사람을 지나치게 사랑하면서 이 사람을 위해 모든 열정을 다하는 것처럼 보인다. 하지만 실은 상대를 자신의 소유물처럼 생각하면서 괴롭히는 폭력이다. 진정한 사랑은 상대의 행복을 위해 자신의 욕망이나 감정을 억제하는 것이다. 스토커는 상대가 무조건 자기 뜻을 따라주기만을 강요한다. 상대가 자신을 거부하면 이 사랑은 곧 무시무시한 증오로 바뀐다. 자식에게 특정한 진로나 자신이 못 이룬 꿈을 이뤄줄 것을 바라며 애정을 쏟는 부모도 이와 마찬가지다. 자식이 부모의 기대와 바람에 부응해 행동해 준다면 해피엔딩이지만, 행여 자식의 생각이 부모와 다르면 계속 충돌이 발생하고 부모는 자식의 행동을 사랑에 대한 배신으로 받아들여 갈등하게 된다.

사실 에로스는 좋은 것이지만 자연적인 자기중심성을 극복하지 못하면 상대에게 고통을 줄 수 있으며 모든 갈등의 뿌리가 된다. 나로부터 시작하는 사랑은 항상 이런 맹목성과 일방적 편향성을 갖기 마련이다. 진정한 사랑을 이루려면 예수 그리스도처럼 자신을 철저하게 버리고 낮아져야 한다. 아가페(절대적 사랑)가 에로스와 다른 것은 이러한 이기적 본성을 뛰어넘기 때문이다.

사회갈등이 유난히 심한 지금은 나 중심의 에로스가 아니라 하나님과 이웃을 중심에 두는 예수 그리스도가 행한 아가페적 사랑이 절실하게 필요한 때다.

(2013-12-18)

사회 갈등 해결할 창조 정치 기대하며

문명화 사회와 제한된 환경에서 갈등이란 당연한 현상
분열을 봉합하고 사회를 건강하게 할 새 정치 필요해

갈등과 분열을 좋아하고 즐기는 사람은 거의 없다. 있다면 십중팔구 정신건강에 문제가 있는 사람일 것이다. 갈등이 발생하면 감정이 격해지고 심리적 균형이 깨지며 스트레스를 받고 그 증상이 심하면 병이 생기기 때문이다.

갈등은 필연적으로 싸움을 동반하므로 일단 갈등이 생기면 이기거나 지거나 서로 상처를 받는다. 갈등을 어떻게 해결하든지 감정적 후유증이 남는다. 특히 오늘날처럼 사회가 복잡해지고 도시화가 급속히 진행될수록 갈등의 양상은 다양해지고 폭력성도 점점 커진다. 그래서 정신분석을 창시한 프로이트는 "문명화된 사회는 필연적으로 신경증을 유발하며 인간이 인간에게 가장 큰 고통을 준다"고 말했다.

지난해를 돌아보면 유독 우리 사회에 갈등과 폭력적 충돌이 많았으며 무엇보다 이념 간 대립이 심했다. 사회적 문제가 생기면 타협하고 조정하며 합리적인 해결책을 찾기보다 이쪽저쪽으로 편을 갈라 다투고 상대를 무조건 부정하고 제압하려는 진영논리가 횡횡하였다.

사회 민주화 투쟁의 여파로 사회가 온통 들끓던 1980~90년대에도 갈등이 발생했지만 지금처럼 적대적인 이념으로 대립하며 분열하지는 않았다. 민주화를 둘러싼 격동의 시대에 정치적 이슈를 제기하고 항거하는 집단과 공권력으로 이를 억압하는 권력이 충돌했다면, 최근에는 사회 전체가 과잉 이념 논쟁으로 증오의 골만 깊어지는 느낌이다. 교과서를 둘러싼 역사 논쟁, 정치 상황에 대한 시국선언, 파업과 촛불집회, 또 이에 대해 맞불집회를 벌이는 등 사회가 온통 대립과 갈등의 연속이다.

혹자는 이러한 갈등을 현상적으로 바라보며 우리 사회가 좌우 이념을 신봉하는 집단으로 나뉘었기 때문이라고 말할지 모르지만 필자가 보기엔 이것은 정확한 진단이 아니며 건설적인 해결책을 마련할 수 없는 것처럼 보인다.
사회 갈등이 깊어지는 이유는 단지 이념 때문이 아니라 국내외적 환경 변화와 심화된 사회 모순, 사회 대립을 해결하지 못하는 관리 시스템의 부재에서 비롯했다.

세계적인 금융 위기 이후 불황과 침체가 이어지고 독점화로 말미암아 경제적 불안정성이 심해지면서 경제가 성장할 동력이 떨어졌다. 경제 환경이 안 좋아질 뿐 아니라 자꾸 고갈되는 자원과 에너지를 차지하려는 분쟁이 전 지구적으로 펴졌다. 그러므로 어떻게 보면 이 시대에서 갈등은 불가피하다.

갈등 자체가 아니라 갈등을 해결할 능력을 갖추는 방법이 중요하다. 사람이 건강하고 활동이 활발할 때는 안 좋은 환경이나 질병 인자에 신체를 노출해도 병에 잘 걸리지 않지만 신체 균형이 깨지면 쉽게 병에 걸리는 이치와 마찬가지다.

오늘날 사회 갈등이 어느 정도는 일반화된 현상이므로 그것을 무조건 안 좋게 볼 것이 아니라 잘 관리하고 해결하며 사회의 면역력과 건강성을 키워 나가는 방안이 필요하다.

그러려면 무엇보다 다양한 목소리를 수렴하고 조정하는 정치가 제 역할을 해야 한다. 하지만 지난해 정치권을 보면 국민에게 희망을 주지 못하고 기득권을 고수하기에 급급했으며, 오히려 갈등을 부채질하고 이에 편승해 당파적 이익만 추구한 경향이 강하다. 국가 이익을 위해 서로 협력하는 자세를 보이기 보다는 반대를 반대가 난무하며 국민들에게 실망을 안겨 주었을 뿐이다.

성경은 "노하는 자는 다툼을 일으키고 분하여 하는 자는 범죄함이 많으니라"(잠29:22)라고 말한다. 2014년에는 사회 갈등을 창조적으로 해결할 수 있는 창조 정치의 복원을 기대해 본다.

(2014-01-14)

희생과 노력 없이 영광은 없다

삶을 온통 바치는 고통의 시간이 있어야
짜릿한 감동을 주는 '성공'도 가능한 것

언론이 동계올림픽 소식으로 후끈 달아오르고 텔레비전도 주요 경기장면을 여러차례 반복해서 내보낸다. 필자는 텔레비전을 거의 보지 않고 스포츠도 좋아하지 않는다. 손에 땀을 쥐고 심장이 두근거릴 정도로 흥분해서 경기를 본 적은 없지만 신문으로도 현장 분위기를 충분히 체감할 수는 있다.

모처럼 한국에 금메달을 선사한 이상화 선수의 멋진 투혼을 인터넷 신문으로 접했다. 선수들처럼 직접 경기에 참가하지 않아도 우승한 선수가 팔을 힘껏 치켜들고 감격에 겨워 포효하는 장면을 보면 우리는 그 환희를 고스란히 느낀다. 관중은 아낌없이 박수를 보내고 선수는 자국 깃발이 시상대에서 휘날릴 때 벅찬 눈물을 흘린다. 이때만큼 운동선수가 멋있고 광채 나는 슈퍼스타로 보이는 순간도 없다.

하지만 열광하는 관중은 최고의 자리에 오르고자 엄청난 땀과 눈물을 흘린 선수들의 속마음까지 이해할 수는 없다. 카메라는 화려한 우승 순간만을 따서 보여 줄 뿐이다. 우승을 달성하고자 4년, 아니 그 이상을 날마다 자신과 싸워야 했던 선수들의 고독과 핏빛 투지까지 생생하게 전달할 수 없기 때문이다.

사진에서 본 굳은살 잔뜩 박힌 이상화 선수의 발이 그러한 고통스러운 노력을 말없이 증언한다. 보도에 따르면 이상화 선수는 여름 내내 8㎞ 산악코스를 자전거로 달리며 체력을 키웠다고 한다. 허벅지 힘을 키우려고 170kg짜리 바벨을 드는 훈련도 반복했다는 이야기도 전해진다. 오랜 훈련과 강도 높은 근력 운동으로 근육이 팽창해 하지정맥이 허벅지까지 올라와 많은 고통을 받으며 울었다는 일화는 유명하다.

빙상의 여제로 누구도 따라올 수 없는 최고 기량을 뽐내는 김연아 선수도 하루 7시간씩 강훈련을 소화하며 소치올림픽을 준비해 왔다. 훈련 결과로 늘 따라다니는 허리와 다리 부상의 고통과 싸우며 말이다.

어디 이런 스타 선수들뿐인가? 아직 대중에게 주목을 받지 못하는 많은 선수가 자신이 지닌 최고 기량을 발휘하고 실수하지 않고자 날마다 지옥 같은 훈련을 감내하며 올림픽을 준비하였다. 언젠가 복싱 선수가 체중을 조절하려고 정말 고통스럽게 식이요법을 감행한다는 기사를 보고 '운동선수는 아무나 하는 것이 아니구나'라고 생각한 적이 있다. 스포츠가 상업화했다는 비판을 받지만 여전히 큰 재미와 짜릿한 감동을 주는 휴먼드라마가 펼쳐지는 이유도 이 때문이리라.

이런 면에서 스포츠 경기는 삶에 큰 교훈을 준다. 누구나 부러워하는 영광이나 성과를 오랜 수고와 희생 없이 얻을 수 없다는 평범한 진리가 그것이다. 예를 들어 좋은 대학에 진학한 학생들을 보면 잠잘 것 다 자고 놀 것 다 놀고 하고 싶은 것 다 하며 좋은 성적을 받는 경우는 거의 없다. 잠이 모자라 늘 피로해하고, 반복된 일과가 힘겹고 고통스럽지만 이를 견디고 꾸준히 자기 페이스를 잃지 않은 학생들이 최후에 웃는다.

또 어떤 분야에서 특출한 전문가로 인정받거나 큰 성공을 거둔 사람일수록 남보다 자기 삶을 더 희생하고 사적인 즐거움이나 여유를 누리지 못한다. 그런데 우리는 그런 과정을 고려하지 않고 최종 결과만을 보고 그 사람을 부러워하거나 자신이 그런 성공을 거두지 못했다고 한탄한다.

성경은 절대 세속적 성공이나 출세를 미덕으로 권장하지 않지만, 사람은 누구나 심은 대로 거둔다. “스스로 속이지 말라 하나님은 만홀히 여김을 받지 아니하시나니 사람이 무엇으로 심든지 그대로 거두리라”(갈6:7)

한 달란트를 땅에 묻었다가 고스란히 가져온 게으른 종을 처벌한 달란트 이야기도 이런 암시라 할 수 있다(마25장). 만약 당신이 별로 노력하지 않고 성공을 바란다면 이 어리석은 종과 전혀 다를 바 없다.

(2014-02-18)

국익을 위해 일하는 정보기관으로

한반도 위기상황에 걸맞는 첩보기관으로 거듭나
나라를 위해 궂은일도 마다하지 않는 역할 하길

최근 명성이 많이 쇠퇴했지만 왕년에 최고 실력을 자랑하던 정보기관은 이스라엘의 '모사드'다. 모사드는 원래 세계 각지에 흩어진 유대인을 팔레스타인 땅으로 데려오기 위해 설립되었다. 하지만 이스라엘을 위협하는 주변국을 감시하고 각종 대테러 작전에 성공하면서 용맹함을 떨친다.

특히 나치 정권의 유대인 학살 책임자 아돌프 아이히만을 무려 15년이나 추적한 끝에 아르헨티나에서 체포하여 이스라엘로 압송해 재판을 받게 한 일은 세계인을 놀라게 했다. 또 1972년 9월 뮌헨 올림픽 테러사건에 관여한 아랍 게릴라 13명을 7년 동안 추적해 암살하면서 테러 집단의 간담을 서늘하게 했다.

정보기관 하면 첫손을 꼽는 CIA나 KGB도 감히 하지 못한 궂은일을 능숙하게 처리하고 한번 목표로 삼은 표적은 절대 놓치지 않아 모사드는 최고 정보기관으로 군림하였다. 이스라엘처럼 주변이 온통 적대적인 강대국으로 둘러싸여 생존이 끊임없이 위협을 받는 작은 나라에서 정보기관의 역할은 절대적이다. 주변 나라를 감시하고, 중요 군사정보를 수집하며 때로 은밀한 군사작전도 수행하려고 이스라엘은 건국 이래 정보기관에 많은 투자를 하였으며 정보를 무기로 전쟁에서 곧잘 승리하곤 했다.

따지고 보면 이스라엘은 가나안 땅을 정벌할 때도 열두 정탐군을 파견할 만큼 정보전에서 선두주자이기도 하다. 가나안 땅에 관한 정보를 낱낱이 수집하고 현지 협조자 라합을 포섭해 그녀의 도움으로 정복전쟁을 잘 수행할 수 있었다.

현대사회에서 정보의 중요성이 점점 커져서 주요 국가들은 정보기관에 많은 투자를 하며 치열한 스파이전쟁에 매진하고 있다.

분단국가인 우리나라도 그 어느 곳보다도 정보기관의 역할이 크고 오랜 역사를 자랑한다. 그간 많은 부침이 있었지만 역대 어느 정권도 정보기관을 홀대하거나 축소하지 않았고 국가 안전보장의 최전방 보루로 활용하여 남다른 권력을 부여했다. 그러나 과유불급이라고 정보기관이 너무 비대해지고 하는 역할이 커지자 많은 물의를 빚고 있다. 최근 국정원은 서울시 공무원 간첩사건 수사에서 공문서를 위조해 법원에 제출한 혐의로 검찰 수사를 받고 여론의 질타를 받고 있다.

군사정권 시대에 대학 시절을 보낸 필자와 같은 세대에게 정보기관은 늘 부정적이고 음습한 이미지로 남아 있다. 1980년대 정권수호를 위해 민주화운동에 헌신한 이들을 고문, 수사하고 온갖 공안사건에 앞장서며, 독재정권의 첨병 노릇을 한 것을 부정할 수 없기 때문이다.

하지만 정보기관이 적지 않은 인권유린이나 공안사건으

로 많은 물의를 일으키면서도 굳건히 자리를 지켜올 수 있었던 것은 분단이라는 한반도의 위기상황 덕분이다. 어떻게 보면 남북분단의 적대적 대치상황과 러시아, 중국, 일본 등 탐욕스러운 강대국의 위협 때문에 생존의 위기를 느끼는 우리 국민이 이들에게 국가안보의 전권을 부여한 것이다.

하지만 우리 정보기관은 그간 이스라엘의 모사드처럼 국익을 위해 음지에서 싸우면서 국민을 지켜주기보다 정권유지의 방패가 되면서 신뢰를 잃어버렸다. 이번에 발생한 공문서 위조사건이나 기강해이는 이러한 비정상적 일탈이 가져온 결과다.

지금 현 상황에서 정보기관의 가장 중요한 역할은 대북감시나 해외정보수집에 있다. 여기에 큰 구멍을 내는 정보기관을 국민들은 어떻게 신뢰하겠는가? "모략이 없으면 백성이 망하여도 모사가 많으면 평안을 누리느니라"(잠11:14)는 말씀처럼 정보기관이 제 역할을 다하면 국익에 도움이 된다. 이제라도 제 자리를 찾아 국민의 신뢰를 받는 멋진 정보기관으로 거듭나기 바란다.

(2014-03-17)

교회 내 익명성을 극복해야 한다

우리는 그리스도 안에서 한 형제로 묶여 있는 지체
가벼운 관심과 인사부터 나누고 실천하는 삶 살자

우리 교회처럼 규모가 큰 교회에 다니다 보면 교인들끼리 서로 잘 모르는 경우가 많다. 특정 기관에서 활동하거나 일을 함께하지 않으면 오랫동안 같은 교회에 다니고 바로 옆자리에 앉거나 자주 마주쳐도 서로 무관심하기 쉽다.

마치 현대 도시인들이 익명성의 그늘에 숨어 적당히 거리를 두고 자기만의 프라이버시를 지키려고 하는 것처럼 교회에서도 익명성이 점점 커지고 있다. 이러다 보면 그리스도 안에서 한 형제라는 동질감은커녕 전혀 상관없는 제3자처럼 대하는 경향이 굳어진다.

약 한 달 전 필자가 겪은 웃지 못할 에피소드가 있다. 평소 전철을 자주 이용하는데 그날도 귀갓길에 2호선을 타 자리에 앉아 책을 보고 있었다. 합정역 근처에 왔을 때 옆에 앉아 있던 아주머니가 갑자기 "저기요 아저씨, 하나님 믿고 구원 받으세요"라고 말을 걸어 왔다. 갑작스러운 일이라 멍하니 있었는데 이분은 필자의 얼굴을 유심히 보더니 근심이 많아 보인다며 자신은 기독교인인데 꼭 교회에 나오라고 말하고는 답변할 틈도 없이 전철에서 내렸다.

순간적으로 벌어진 일이지만 집에 오는 내내 생각이 많았다. 필자를 전혀 알지 못하는 것은 당연할 수 있고 열심히 전도하다 보면 상대방 말을 제대로 못 들을 수도 있는 일이기에 얼마든지 벌어질 수 있는 일이다.

그러면서 생각해 보니, 함께 신앙을 나눈다면서도 형식적으로 예배만 드린 후 서둘러 집으로 가 버린다거나, 얼굴을 잘 알아도 간단한 눈인사 정도나 악수만 하는 사이가 되지는 않았나 뒤돌아보았다.

미국 사회학자 어빙 고프먼은 현대 도시생활을 지탱하는 미덕을 '예의 바른 무관심'이라고 불렀다. 예컨대 전철 안에서 누가 전화통화를 해도 못 들은 척하고 다른 사람이 어떤 행동을 해도 전혀 관심을 보이지 않은 채 서로 존중(?)하는 것이 도시인들의 생활방식이라는 것이다.

'예의 바른 무관심'은 현대인의 강박적 태도를 잘 보여주지만 이런 양식이 일상에 젖으면 이웃의 불행이나 고통도 외면하고 나중에는 공동체 관계 자체를 훼손할 수 있다.

최근에 죽은 지 한참 지난 노인 유골이 발견되었다든지, 이웃에 범죄나 안 좋은 일이 벌어져도 전혀 도와주지 않는 몰인정한 일들이 심심찮게 보도되곤 한다.

대형 교회들도 이런 도시화 현상과 비슷한 일이 진행되어 사람 관계가 차가워지고, 함께 있지만 철저하게 혼자인 경우도 점점 많아진다. 성경에는 "만일 한 지체가 고통을 받으면 모든 지체도 함께 고통을 받고 한 지체가 영광을 얻으면 모든 지체도 함께 즐거워하나니"(고전 12:26)라고 했는데, 과연 이런 관계에서 신앙이 제대로 자랄 수 있을지 의문이다.

교인이 많아지고 교회가 커지면 익명화 현상은 어느 정도 퍼지게 마련이지만 그런 일을 극복하려는 노력을 더 많이 기울여야 한다. 이를 위해 필요한 것은 서로를 향한 관심과 함께 그리스도의 사랑을 나누겠다는 마음가짐이다. 서로 잘 아는 사이가 아니어도 상대를 안다면 먼저 살갑게 인사하거나 덕담을 나누어 한 교인으로서 정을 돈독히 해야 한다. 사랑은 어디 멀리 있는 것도 아니고, 어렵거나 복잡한 것도 아니라 작은 관심부터 실천하는 것이다.

우리 교회의 모토는 '주님처럼 섬기겠습니다'이다. 이처럼 진정한 그리스도의 사랑을 받았는지 나부터 돌아보자. 그리고 진심에서 우러나오는 인사부터 나누어 보도록 하자.

(2014-04-15)

국민의 생명을 지키는 안보도 중요

어처구니없는 재난과 실수 반복하지 않으려면
근본부터 바로잡는 법령과 제도가 절대 필요해

4월 16일 진도 앞바다에서 발생한 세월호 침몰 사고로 온 나라가 여전히 슬픔에 잠겨 있다. 사건발생 후 한 달 가까이 흘렀지만 여전히 실종자와 그들을 기다리는 가족이 있고, 수색 작업도 진행 중이다. 그 때문에 국민의 마음에는 이미 숨진 이들에 대한 애끓는 애도와 미안함, 혹시 기적적으로 생존자가 있지 않을까 절박하게 기도하는 분위기가 여전하다.

이번 참사를 보면서 여러 원인과 대책이 얘기되고 있지만 국민의 마음에는 정부에 대한 불안감과 불신, 그리고 쉽게 치유되지 않을 상처가 남아 있다. 불신과 좌절의 이면에는 비슷한 재앙이 또다시 되풀이될 수도 있다는 불안함과 근본적 대안을 마련하지 못하는 정부와 정치권에 대한 배신감이 깔려 있다.

여하튼 시간이 지나면 사건의 충격은 조금씩 줄어들겠지만 국민 전체가 마치 자신이 그런 일을 겪은 것처럼 느끼는 집단 트라우마는 쉬 가시지 않을 것 같다. 어떤 정신과 의사는 이번 사건이 국민에게 6.25사변과 같은 상흔을 남길 것이라고 진단하기도 했다.

이번에 나타난 어처구니없는 실수가 다시 되풀이되지

않으려면 제도 보완과 법령 정비, 정부의 의지도 중요하지만 무엇보다 안보 개념을 다시 고민할 필요가 있다고 필자는 생각한다. 안보 하면 떠올리는 전통적 의미의 국가안보만이 아니라 국가의 주인인 국민의 생명과 재산을 보호하고, 철저하게 재난을 예방하고 위기에 대처하면서 국민의 행복을 지킬 수 있는 인간안보(Human Security)를 우리 문화에 정착해야 하겠다.

인간안보는 1994년 국제연합개발계획(UNDP)이 제시한 것으로 냉전 이후 변화한 시대에 발맞추어 사람의 생명 보호와 인권을 최우선시하면서 점증하는 여러 국지적 위험에 적극 대처하는 정책을 펴야 한다는 의미를 담고 있다. 실제로 최근에는 군사적 위협만이 아니라 내전, 환경위기, 테러, 각종 범죄 등으로부터 국민의 안녕을 지키는 것이 중요한 국가 과업이 되고 있다.

미증유의 동족상잔 비극인 6.25사변의 참상을 겪고 여전히 남과 북이 적대적으로 대치하고 있는 한반도의 현실에서 안보는 여전히 체제 수호와 직결되는 절대 과제다. 정치적으로도 개혁 성향의 진보집단이나 자유주의보다 보수가 더 지지를 받고 국민 정서에 안정 희구적인 경향에 손을 들어 주는 것도 그 때문이다.

하지만 보수정권이 계속 집권하고 국가안보를 소리 높여 외치면서 정작 국민의 생명과 행복권 보장보다는 안보를 위한 안보, 체제와 정권의 존립을 위한 안보가 더 강조된 측면이 없지 않다. 국가가 존속하는 이유는 국민을 지키기 위한 것인데 본말이 전도되어 국가 보전을 위해서 국민의 희생쯤이야 감수할 수 있다는 식의 위험한 발상이 안보지상주의 속에 슬그머니 자리를 잡았기 때문이다.

사건 직후 재난구호나 위기관리는 청와대 소관이 아니라고 발뺌하면서 책임을 회피한 청와대 국가안보실장의 태도는 이러한 편협한 안보관과 권부 엘리트의 부도덕성을 잘 보여 준다. 과연 이런 공직자들이 국민의 안전과 행복을 위해 헌신할 수 있으며 그런 능력이나 있는지 의심스럽다.

일찍이 맹자는 정치에서 첫째는 백성이고, 사직이 그다음이며, 임금은 가장 가볍다고 말한 바 있다. 오늘날 의미로 해석하면 국민이 제일 중요하고, 영토가 그다음이며, 주권은 오히려 제일 마지막 순위라는 뜻으로 이해할 수도 있다.

지금도 매 순간 우리를 위협하는 다양한 위험과 재난에서 국민을 지키고 보호하는 부모와 같은 역할을 나라가 제대로 하지 못한다면 국민은 그런 나라를 위해 절대 희생하지 않으려 할 것이다. 안보의 중심과 목적은 인간이다.

(2014-05-13)

악이 되풀이되지 않는 사회를 위해

언제부턴가 너무도 쉽게 타협하려는 경향이 짙어져
악은 어떤 모양이라도 결코 용납하지 말고 버려야

인간은 끔찍한 범죄나 세월호 사건 같은 외상적 참사를 겪으면 그것 때문에 고통을 받지만 다시 삶을 계속하기 위해 애를 쓴다. 세월이 약이라고, 참혹한 경험을 했더라도 차츰 그것에서 벗어나면서 현실로 돌아온다. 이런 끔찍한 경험이 집단적인 것이면 시시비비를 가리면서 나름의 교훈을 얻으려 한다.

이럴 때 우리는 보통 죄는 미워하되 사람은 미워하지 않아야 한다고 하면서 상처를 빨리 극복하기 위해 용서를 많이 얘기한다. 다시 말해 용서는 하되 절대 잊지는 않겠다고 하면서 상처를 빨리 봉합하려고 하는 것이다. 이것은 적응적 행동이다. 예를 들어 일제 36년 온갖 수탈과 억압을 받은 우리 민족이 일본을 대하는 태도가 이와 비슷하다. 지금의 일본 국민에게 선조의 책임을 묻거나 계속해서 심판을 주장하는 대신, 과거의 악행을 단지 역사의 기억으로만 남기고 현재의 일본인들과는 화해해야 한다고 말한다. 빨리 과거에서 벗어나 미래를 향해 생산적인 관계를 만들자고 그럴듯하게 정당화하면서….

하지만 용서는 하되 잊지 않겠다는 말은 그 자체로 모순이다. 잊지 않겠다는 것은 어떤 사람이나 집단을 보면 그와 연관된 과거의 잘못을 은연중 상기할 때만 가능한데 어떻게 이런 상태에서 진정한 용서를 할 수 있을까? 더구나 일본처럼 과거 잘못을 반성하지 않고 정신대나 강제 징용자의 한 맺힌 절규와 피해보상을 모르쇠로 일관하는 고약한 이웃을 대할 때 우리는 과연 화해를 말할 수 있을까? 그리고 예를 들어 어떤 흉악한 범죄를 저지른 사람을 내가 품으려 할 때도 용서는 하면서 잊지 않는다면 언젠가 그 기억 때문에 다시 그 사람에게 좋지 않은 감정이나 태도를 보일지 모른다. 실은 과거를 철저히 잊지 않는다면 용서할 수가 없다.

그리고 더 큰 문제는 쉽게 용서를 말하는 것은 절대 되풀이하지 말아야 할 악이나 실수에 대해 너무 쉽게 면죄부를 주게 된다는 것이다. 특히 우리나라처럼 유독 온정주의가 만연한 풍토에서 용서를 너무도 쉽게 권장하는 경향이 있다. 예를 들어 프랑스는 고작 4년간 독일의 점령을 받았지만 전후 12만 명이 넘는 나치 부역자를 처형했다.

반면 우리나라의 가장 큰 비극은 일제의 지배를 받은 것보다는 해방 이후 친일잔재의 청산과 친일파에 대한 단죄가 제대로 이루어지지 않은 데 있다. 그리고 이후의 역사에서도 이런 관행이 되풀이되면서 너무나 쉽게 범죄나 악에 대해 타협하거나 비리를 봐주는 경향이 생겼다. 예를 들어 국회의원이나 공직자들이 성추행 같은 잘못을 저질러도 시간이 흐르면 언제 그랬냐는 듯 다시 공직에 복직하는 일도 많고, 심지어는 명예회복을 주장하며 선거에 당당하게 나가 당선하는 경우도 많다. 이러다 보니 부조리와 잘못에 대해 효과적으로 대처하지 못한 경우가 너무 많다.

이번에 세월호 사건으로 국민은 많은 슬픔을 느꼈고 도저히 받아들이기 힘든 참사를 유발한 온갖 부조리와 협착세력에 대해 분노하였지만 벌써 그런 비리에 눈을 감으려는 경향을 보인다. 구조적 비리가 많은데도 유병언 일가에게만 책임을 물으면서 이런 인재가 재발되지 않도록 하는 구조적 노력을 슬그머니 중단하려고 하니 말이다. 참 안타까운 일이다. 주된 이유는 우리가 쉽게 분노하는 만큼 쉽게 용서하고 잘잘못을 따지고 고치기보다는 쉽게 망각과 관성에 몸을 맡기면서 현실로 돌아오려고 하기 때문이다. 이제 거꾸로 과거의 참사와 기억을 빨리 잊되 오히려 그런 악에 대해서는 다시는 용납하지 않으려는 마음가짐을 가져야 한다.

(2014-06-17)

타파해야 할 후진 봉건문화

사회가 발전하려면 제도 못지않게 의식도 중요해
새 시대에 맞게 나쁜 관행은 없애고 바로 잡아야

우리는 분명 21세기를 살고 있고, 개인의 자유와 평등을 존중하는 민주주의 체제를 채택했다. 하지만 봉건시대에나 있을 법한 영화 같은 일들을 심심치 않게 목격한다. 그래서 가끔 우리가 여전히 조선시대에 살고 있는 것이 아닌지 의문이 들 때도 많다.

봉건시대는 신분 간에 엄격한 구별이 존재하고, 계급질서가 사회를 얽어매서 백성을 오직 다스림의 대상으로만 여기는 불평등 사회다. 예컨대 조선시대에는 사농공상의 위계가 있어 계급이 다르면 혼인도 금지되었으며, 평민은 아무리 돈을 많이 벌어도 양반에게 천대를 받았다.

지배층도 국왕을 정점으로 품계와 벼슬에 따라 다른 대우를 받았다. 천민의 자식은 아무리 똑똑해도 과거를 볼 수 없었고, 양반이 노비를 마음대로 부리거나 사적으로 형벌을 가할 수도 있었다.

서양도 자급자족할 수 있는 장원을 중심으로 영주와 이들을 보필하는 기사의 신분질서가 피라미드처럼 존재했고, 최하층 농노는 아무런 권리도 없이 소나 말처럼 지배층을 먹여 살려야 했다.
서양에서 근대는 이러한 봉건 질서를 타파한 시민혁명

과 더불어 시작되었으며 개인의 인권을 소중히 하고 정치 참여를 확대하여 민주주의 시대를 열었다. 하지만 우리나라는 몸만 자라고 정신은 여전히 유아상태에 머물러 있는 정신장애인처럼 빠른 경제성장과 정치 변혁에도 봉건 문화가 깊이 뿌리를 내리고 있다.

양반과 상놈 구별은 없어졌지만 돈과 정치적 힘에 따른 구별이 새롭게 자리 잡았다. 상류층은 선민의식에 젖어 국민을 하찮게 보며 그 위에 군림하고, 권위적 조직문화가 사회를 지배한다. 재벌과 부자, 그리고 정치인과 관료들이 그들만의 카르텔(동맹)을 형성하여 힘없는 서민을 억압하는 경우가 많다.

인간은 평등한 존재라고 교과서에서 배우지만, 우리 사회에서는 갑과 을이라는 너무 다른 세계가 존재하고, 돈을 많이 벌거나 사회적 지위가 높은 사람들이 아랫사람이나 피고용인을 중세 때 노비처럼 함부로 대하는 착취문화가 존재한다.

이번에 벌어진 모 항공 회항 사건도 이런 봉건의식이 빚은 해프닝이다. 비행기에 탔으면 사회적 지위에 상관없이 승객일 뿐인데 승무원이 잘못한 것에 화가 나 소리를 지르다 못해 이미 출발한 비행기를 돌려 사무장을 내리게 했다. 자신이 모 항공 오너의 가족이고 임원이니 맘에 안 들면 비행규칙이나 관행도 마음대로 무시할 수 있다는 특권의식이 없다면 할 수 없는 일이다.

비슷한 일이 어디 한두 번 벌어졌나. 예전에 어떤 재벌 총수는 아들이 맞았다고 경호원을 동원해 가해자를 폭행해 물의를 빚기도 했다. 또 일반 시민 간에도 이런 차별의식이 존재해서 마트 같은 곳에서 서비스를 하는 노동자들이나 아파트 경비원을 비인격적으로 대하고 모욕하는 일이 흔하다.

사회 곳곳에서 사회적 지위를 이용해 상대를 짓밟거나 성적으로 학대하는 일도 많아 이제 뉴스거리도 되지 못한다. 만인에게 적용되어야 할 법은 약한 자에게만 엄격하고 재벌이나 정치인들은 큰 불법을 저질러도 쉽게 사면한다. 능력이 있는 사람이 등용되는 것이 아니라 어느 지방, 특정 학교 출신이어야 사회에서 주류가 될 수 있는 골품제가 우리나라에서도 여전히 적용되고 있다.

이런 봉건문화는 사회 통합과 상식이 통하게 만드는 것을 가로막으며 결국 나라를 갈라놓는다. 사회가 발전하려면 제도 못지않게 의식이 중요하다. 비합리한 일이 발생할 때마다 임기응변으로 대응하지 말고 새로운 시대에 맞게 봉건적 관행을 척결하고 바로잡아야 한다. 새 포도주는 새 부대에 넣어야 한다(눅5:38).

(2014-12-15)

새해엔 청년에게 소망과 기회 넘치길

점점 늘어나는 미래 불안감 해소하고 사회지원망 늘려
새로운 희망을 품을 수 있는 밝은 사회를 만들어 가야

새해가 되면 하나님을 믿지 않거나 종교가 없는 사람들도 습관처럼 소원을 빈다. 절실한 기도이기보다는 새해가 되면 으레 한번 품어 보는 막연한 소망일 수도 있지만, 여하튼 그간 이루지 못한 소원을 빌면서 새해에는 모든 것이 나아지길 희망한다.

나도 개인적인 기도제목과 2015년을 위한 계획이 있다. 하지만 올해는 무엇보다 우리 시대 청년들 삶이 나아지고 희망이 생기길 기성세대의 한 사람으로서 기도한다.

한 나라의 미래는 그 나라 젊은이들에게 달려 있는데 대학에서 젊은 학생들을 가르치고 상담하면서 안타까움을 느낄 때가 많다. 초중고 학창시절을 제대로 즐기지도 못하고 오로지 대학에 가고자 공부에 매진하고, 대학에 들어오면 낭만도 잠시 학점관리에, 스펙 쌓기에 또 다른 경쟁을 시작한다. 대학 입학 못지않게 사회생활을 시작하기 위한 준비에 전념해야 하기 때문이다.

필자가 대학에 다닐 때는 대학생 수도 적었고, 졸업 후 취업이 그리 어렵지 않았는데, 언제부턴가 평생직장 개념도 없어지고, 비정규직이나 인턴 같은 불안정한 일자리만 많아져서 젊은이들의 한숨이 늘고 있다.

오죽하면 대학 졸업을 유예하면서까지 취업에 올인 하고, 9급 공무원시험 같은 공시에도 우수 재원이 몰린다. 임금은 높지 않지만 잘리지 않는 안정된 자리를 찾기 때문이다. 또 좋은 경력과 자격증을 갖추어도 제대로 된 일자리를 얻기가 어렵다 보니 연애, 결혼, 출산을 포기하고 사는 이른바 '삼포 세대'가 양산되었다. 그러다 보니 우리 주변에서 노총각 노처녀를 보는 것은 이제 흔한 일이다.

이런 현상은 국가적으로 보면 대단히 위태로운 일이다. 국가의 존망이 흔들리기 때문이다. 물론 전반적으로 세계적인 경기 흐름이 둔화하고, 금융위기를 겪으면서 실업률이 높아지고 미래 세대의 불안감이 증폭한 것이 세계적 추세지만 우리나라는 1997년 IMF사태(국제구제금융을 지원받은 사건) 이후 이런 경제 위기와 불황이 만성화하고 있다.

지난해 대학가에 한창 불던 '안녕하십니까' 열풍은 이런 젊은이들의 위기의식을 그대로 반영한 사건이다. 그러다 보니 젊은 학생들 특유의 패기나 낭만은 사라지고 소심함과 보수주의가 만연하면서 친구들과 관계마저 거부하고 혼자 다니는 '자발적 아웃사이더'들이 점점 늘어나고 있다.

통계를 보니 학자금 대출을 받은 평균 액수가 1300만 원이나 되고, 청년 실업률도 8.5%로 구제금융 이후 최대라 하며, 취업준비생만 55만 명 정도라고 한다. 일부 부유층을 빼면 대학에 다닐 때는 비싼 등록금 때문에 빚을 지고, 졸업 후에는 불안한 일자리 때문에 빚을 갚지 못하고 하루하루 전전하는 것이 요즘 젊은이들 모습이다.

2014년 <미생> 같은 드라마가 크게 히트한 이유도 이런 슬픈 현실을 반영한다. 그런데도 기성 정치인들이나 관료들은 젊어서 고생은 사서도 한다는 식으로 실언하거나 본인이 열심히 노력해 잘살아야 한다고 현실감이 전혀 없는 말을 위로랍시고 내뱉는다. 정부는 정부대로 정규직이 아니라 비정규직 일자리를 늘려 임시변통으로 위기를 넘기려 꼼수를 부린다.

젊은이들이 살기 어려우면 그 나라는 늙은 나라가 되고, 자연스럽게 도태된다. 인구학적으로 1억이 넘지 못하는 나라는 늘 소멸 위험을 안고 있는데 우리나라의 저출산율은 특히 청년들을 보호해 줄 사회 지원망이 취약한 것이 주원인이다.

지난해까지 우리는 이념과 정치 싸움 등 소모적인 것에 너무 많은 에너지를 낭비했다. 이제 사회통합을 이루고 청년들이 새로운 희망을 품을 수 있는 그런 사회를 만들어야 한다. 젊은 대한민국을 위해 노력하자.

(2015-01-06)

소신과 고집 사이

고집은 자신 것을 지키려 하고, 소신은 대의를 지킨다
객관적으로 자신을 보고 완고함을 고치려고 노력해야

'불륜'과 '로맨스'는 비슷한 행동을 가리키지만 뉘앙스가 전혀 다른 말이다. '남이 하면 불륜, 내가 하면 로맨스'라는 말처럼 불륜은 정도를 벗어났다는 비난의 뜻이 강하지만 로맨스는 낭만적이고 달콤한 느낌이 든다. 이런 느낌을 아마 '소신'과 '고집'에서도 찾을 수 있을 것 같다.

누군가 소신이 있다는 말을 들으면 멋있고 듬직하게 보이지만 반대로 고집이 세다고 하면 아마 고개를 저으면서 부정적인 생각을 떠올릴 것이다. 그런데 주목할 것은 고집 센 사람도 자기 고집을 소신이라 착각하면서 바꾸려 하지 않는다는 점이다. 소신이 아니라 고집이 센 사람은 본인을 망칠 뿐 아니라 주변에도 큰 스트레스와 피해를 준다. 특히 이런 사람이 높은 지위에 있거나 힘이 세다면 그 폐해는 더 커진다. 요즘같이 사회 전체가 소통의 단절과 갈등으로 어지러울수록 소신과 고집을 구별해 현명하게 처신할 필요가 있다.

국어사전을 찾아보면 소신은 '굳게 믿고 있는 바', 고집은 '자기 의견을 바꾸거나 고치지 않고 버팀'으로 나와 있는데 이것만으로 둘을 명확히 구별하기는 어렵다. 그렇다고 소신은 아랫사람이, 고집은 윗사람이 부리는 것만도 아니다. 윗사람이 아랫사람에게 좋은 충고를 해 줘도 절대 고치지 않는 경우도 너무 많기 때문이다.

필자 생각으로는 자신이 가진 무언가를 지키려고 행동하면 고집이고, 손해를 무릅쓰더라도 대의나 합리성을 지키려고 한다면 소신일 가능성이 크다. 예를 들어 고집 센 사람은 자기 판단이 틀렸거나 문제가 많이 발생해도 절대 인정하지 않고 자신의 행동을 계속 합리화하려고 한다. 이것은 자존심을 지키고 실책을 모면하려는 방어 행동에서 비롯된다. 반대로 소신이 있는 사람은 개인의 이익을 좇기보다는 대의나 원칙을 지키려고 행동하는 경우가 많다.

성경에 보면 이스라엘 백성을 가리켜 '목이 곧다'는 표현이 자주 나오는데 이것은 그들이 하나님 말과 뜻에 귀 기울이지 않고 정욕과 이익에 따라 행동하면서 절대 반성하지 않는 고집 센 민족이라는 뜻이다. 심지어 십계명을 준 이유도 이 백성이 완악하기 때문(막10:5)이라고 말한다.

이스라엘 백성은 고집불통에 이기적이며 은혜를 쉽게 잊는 고질적 특성이 있었고 그 때문에 2000년 이상을 유랑하면서 고생한다. 그런데 고집은 원래 우리 자아의 자연스러운 본성이기도 하다. 생존을 위해 매사를 자신에게 유리하게 해석하고 때로 거짓을 무릅쓰더라고 이익과 체면을 지키려는 속성이 있기 때문이다. 반대로 내 실수와 오류를 인정하거나 익숙한 습관이나 잘못된 행동을 고치려고 할 때는 큰 심리적 고통과 불편함이 따른다.

심리학자 레온 페스팅거는 ‘인지부조화’이론으로 유명한데, ‘인지부조화 이론’이란 자아 안에 두 가지 상반된 생각이 존재할 때 심리적 갈등을 해소하고자 한쪽으로 생각을 정리하는 편향성을 말한다. 예를 들어 특정한 날에 종말이 온다고 주장한 사이비 집단이 예언이 실현되지 않으면 오류를 인정하는 게 아니라 자신들의 기도를 듣고 신이 심판을 연기했다고 합리화하면서 더 광신적으로 행동하는 식이다.

최근 우리 사회를 보면 개인부터 국가 지도자까지 고집과 인지부조화적 행동이 사회 전반에 가득하다는 느낌이 너무 많이 든다. 또 노인들뿐 아니라 젊은 사람들도 행동이나 습관에 문제가 있다는 지적을 받아도 잘 고치려 하지 않고 오히려 남 탓만 하는 경향이 갈수록 짙어지고 있다. 하나님께 저항했다가 10가지 재앙을 당한 바로처럼 어리석은 사람이 되지 말고 늘 제삼자의 입장에서 객관적인 눈으로 자신을 보고 완고함을 고치려고 노력해 보자. 모든 비극은 고집에서 시작된다.

(2015-02-10)

화를 다스려야 한다

분노조절 장애가 심해지면 사회적 관계에서도 배척
충동적 불상사가 발생할 수 있으니 스스로 조절해야

오랜 옛날부터 폭력은 늘 있었지만 최근 들어 치미는 분노를 주체하지 못하여 극단적으로 행동하는 이른바 '분노조절 장애' 현상이 사회 문제가 되고 있다.

지난주 경기도의 한 도시에서 형 부부와 다투던 70대 노인이 엽총을 발사해 형 부부와 이를 말리던 경찰을 죽이고, 본인도 자살한 사건이 발생했다.

보도에 따르면 형제간에 오랜 불화가 있었고 당일에도 돈 문제로 싸웠다고 한다. 하지만 사춘기 아이도 아닌 노인이 말다툼 중 친형을 향해 총을 쏘고 본인도 목숨을 쉽게 끊은 일은 납득이 가지 않는다. 서울에서는 여자 친구와 모텔에서 술을 마시다 다툰 남자가 불을 질러 투숙객이 죽고 적잖이 부상을 당한 사건이 발생했고, 모 연예인은 방송 촬영 중 동료에게 입에 담지 못한 욕을 하면서 화를 내 하차하기도 했다.

지난번 모 항공사 임원의 승무원 폭행도 순간적으로 욱하는 성격을 참지 못해서 벌어진 일이다. 정신의학자들은 화를 참지 못하고 바로바로 터뜨리는 현상을 '충동조절 장애' 혹은 '분노조절 장애'라 부른다.

그런데 이런 현상이 점점 심각해지고 있다. 최근 건강보험심사평가원이 발표한 자료를 보면 분노조절 장애와 유사한 충동조절 장애를 앓는 환자 수가 한 해 1만 3000~1만 4000명에 이른다. 특히 이 장애로 진료를 받은 환자 3명 중 2명은 10~30대 젊은 층으로 조사돼 예사 문제가 아니다. 이러다가 장차 길에서 사소한 일로 말다툼이 일어나면 부지불식간 죽임을 당할지도 모른다.

분노라는 감정은 불의한 상황에 처하거나 위기에 직면했을 때 그것을 이길 폭발적 힘의 원천이기도 해 플라톤은 화 자체를 그렇게 나쁘게 보지는 않았다. 구약성경에도 많은 선지자, 심지어 하나님이 불의를 행하는 이스라엘 백성을 향해 분노를 발하는 장면이 많이 나오며, 이런 분노는 정의의 상징이기도 하다.

그러나 원인이 합당한 분노나 절제된 표출이 아니라, 마치 짐승처럼 변해 화 자체를 주체하지 못하고 앞뒤를 가리지 않는다면 이것은 병적 장애로 반드시 치료해야 한다. 분노조절 장애가 심해지면 성격 장애나 인격 장애가 고착될 수 있으며 사회적 관계에서 적응하지 못하고 배척을 받거나 범죄자가 될 수도 있다.

분노조절 장애가 벌어지는 여러 사회적 원인에는 사회적 불평등이나 부당한 대우, 폭력이 있을 수 있지만 그렇다고 타인이나 사회를 향해 분노를 곧바로 발산하는 작태는 정당화할 수 없다. 화를 낸다고 분노와 스트레스가 해소되지 않는다. 또 화는 내면 낼수록 더욱 커지고 나중에는 화부터 내는 것이 습관이 된다는 점을 알아야 한다.

심리학 연구에 따르면 분노가 발생하면 대략 20분 정도 지속되지만 일단 정점에 이르렀다가 차차 가라앉는다고 한다. 그러므로 화가 날 때 20분 정도를 잘 넘기는 것이 중요하다. 화가 치밀면 지금 화를 낼 만한 상황인지, 화를 낸다면 어떤 방식으로 어느 정도 표현해야 하는지 감안해서 행동해야 한다. 성도라면 이 순간 기도해야 할 것이다. 그래도 참을 수 없을 정도로 화가 난다면 소리 내어 울거나 글로 감정을 기술하는 것도 화를 다스릴 방법이다.

분노는 성격 탓이 아니다. 화가 우리를 삼키도록 내버려두지 말고 참을성 없이 감정에 쉽게 휩쓸리지 않도록 자신을 다스리고 억제하려는 훈련을 계속해야 한다. 화는 자신을 죽이는 검이다. 분노에 차서 행동한다면 아무리 목적이 옳고 명분이 있어도 결국은 과잉 행동을 하고 사리분별력을 잃어버려 비극으로 끝날 수밖에 없다.

“분노가 미련한 자를 죽인다”고 성경은 경고한다(욥5:2).

(2015-03-10)

진정한 달관을 위하여

최근 모 신문사에서 요즘 20~30대 젊은이들을 '달관세대'라고 부르며 칭찬한 기사가 뜨거운 논쟁을 불러일으켰다. 이 신문에 따르면 불황이 계속되면서 연애, 결혼, 출산을 포기한 '삼포세대' 혹은 '88만원 세대'라고 자조하며 절망하던 젊은이들이 최근에는 미래에 대한 헛된 기대를 버리고 적게 벌더라도 주어진 것에서 행복을 찾으려고 태도를 바꾸고 있다고 한다. 새롭게 철이 든 젊은이들은 풍요로운 미래에 대한 환상을 버리고 햄버거를 먹고 궁핍하더라도 현실을 긍정하면서 자기 조건에서 만족을 찾는다고 한다.

물론 현실이 바뀌지 않는다면 절망하고 분노하기보다는 차라리 현실을 긍정하면서 주어진 여건에서 적은 만족이라도 찾는 것이 나을지 모른다. 문제 해결이 어렵고 구조적일수록 분노하기보다는 긍정적으로 사태를 보는 지혜가 필요하다. 안 그러면 화병으로 파멸할 수 있기 때문이다. 필자도 지난해에 개인적으로 오래 준비하고 기도한 일이 실패해 몹시 울화가 치밀고 낙심하기도 했지만 점점 하나님의 섭리를 기도 속에 찾고 주어진 여건에 감사하면서 이를 잘 극복하는 중이다. 달관은 이렇듯 좋은 것이기도 하다.

하지만 모든 문제를 필자처럼 그냥 받아들이면서 개인적으로만 풀라고 말한다면 자칫 사태의 본질을 호도할 수 있다. 더구나 그간 경제 성장의 과실(果實)을 누릴

만큼 누린 기성세대가 궁핍에 처한 청년층을 위로한다고 하면서 불안정한 일자리라도 감사하면서 받아들이고 매사를 긍정하라는 둥 격려하는 모습은 어딘가 공허하고 무책임해 보인다. 달관세대라는 말은 자칫 사회구조에서 비롯되는 구조적 문제를 개인에게 온전히 전가하면서 마치 자세만 바꾸면 불행 속에서도 행복을 찾을 수 있는 것처럼 호도할 수 있다. 필자가 보기에 젊은 세대는 달관보다는 체념세대에 가깝다.

한국경제가 언제부턴가 끝없는 침체에 빠지고 안정된 일자리가 줄면서 특히 사회생활을 막 시작한 젊은 세대에게 경제적 고통이 집중된 것은 주지의 사실이다. 먼저 이러한 냉혹한 현실을 인정해야 한다. 대학에 몸담고 있는 필자는 학생들이 졸업할 나이가 지났는데도 졸업을 유예하고 도서관을 전전하며 시험 준비에 매달리고 미래를 불안해하는 것을 보면서 젊은이들의 이유 있는 무력감과 절망에 많이 공감한다.

적어도 필자가 대학을 다니던 1980년대에는 취업이나 결혼 때문에 아등바등 고민하지는 않았다. 실제로도 어떤 식으로든 먹고살았기 때문이다. 요즘 학생들을 보면 삶의 비전이나 가치관을 고민하면서 낭만을 즐기고 패기 있게 모험하려고 하기보다는 어딘가 위축되어 있고 소극적이다. 학생들과 상담할 때도 제일 많이 나누는 화제는 직업과 장래에 대한 것이다. 이럴 때면 필자는 적극적인 삶의 태도와 젊은이다운 도전정신의 필요성을 강조하면서도 마음 깊숙이 안쓰러움과 큰 도움을 주지 못해 무력감을 느낄 때가 많다.

삶에서 물질적인 것보다 정신적인 것이 더 중요하고 특히 삶을 주관하는 절대자를 믿는 신자들은 범사에 감사하고 때로 주어진 삶을 그 자체로 아름답게 만드는 지혜가 필요하다. 그렇다고 해도 여전히 물질적인 것은 부정할 수 없을 정도로 중요하다. 나라의 운영을 책임진 사람이나 어른들은 젊은이들이 절대 빈곤에 허덕이지 않게 해 주면서 이들이 물욕과 정욕을 벗어나 달관의 지혜를 터득할 수 있도록 이끌어 줘야 한다.

성경은 우리가 너무 풍요로워 하나님을 외면하거나 반대로 너무 가난해 도둑질을 하면서 하나님의 이름을 욕되게 하지 않고 살 수 있기를 기도하라고 한다.

"혹 내가 배불러서 하나님을 모른다 여호와가 누구냐 할까 하오며 혹 내가 가난하여 도적질하고 내 하나님의 이름을 욕되게 할까 두려워함이니이다"(잠30:8).

(2015-04-07)

거짓말은 마귀에게 속한 것

도덕관념은 한번 무너지면 회복하기가 매우 어려워
거짓말을 용인하지 않는 사회 분위기를 만들어 가야

살다 보면 의도적이든 의도하지 않았든 빈말을 할 때가 있다. 아주 오랜만에 만나 반갑긴 하지만 특별히 다시 볼 일이 없는 지인을 만났을 때 건네는 "다음에 점심 한번 합시다"라는 말이 대표적일 것이다. 이 말은 물론 100% 거짓은 아니지만, 예의상 하는 경우가 많다. 진짜 점심을 해야 할 생각이면 그 자리에서 약속을 정해야 마땅하기 때문이다.

이런 일을 종종 경험하면서 실없는 사람이 되지 않기 위해 필자는 꼭 점심을 할 사람이 아니면 밥 한번 먹자는 말을 하지 않으려고 노력한다. 특히 내가 가르치는 학생들에게는 지키지 않을 말은 절대 하지 않으려고 한다. 이런 거짓말은 남에게 직접 손해를 끼치지는 않지만 지키지도 못할 말을 남발하다 보면 나중에는 상대의 말을 으레 빈말처럼 생각하게 할 수 있기 때문이다. 빈말도 엄밀하게 따지면 거짓말이고 또 다른 거짓말의 원천이 된다.

우리나라 한 방송국 프로그램에서 20~40대 성인남녀를 대상으로 실험을 해 보았더니 평균 하루 세 번 정도는 거짓말을 한다고 한다. 약속시간에 늦어지면 차가 막혔다고 변명하고, 보험에 가입하라는 친구 전화에 급한 회의가 있다고 둘러대고, 친구들과 술을 마시면서 아내에게 회식이 있다고 하는 것이 대표적이란다.

모든 거짓말이 다 나쁜 것은 아니며 상황에 따라 유연성을 발휘할 때가 있기는 하다. 때로는 화합을 위해 마음에 들지 않는 사람에게 칭찬해야 할 때도 있고, 누군가를 지켜 주거나 보호하기 위해 거짓말을 할 때도 있다. 아이들은 부모의 관심을 끌거나 혼나지 않기 위해 거짓말을 하기도 한다. 그런데 이런 방어적이고, 좋은 의도에서 하는 거짓말도 자주 하다 보면 습관이 되고, 나중에는 아무 거리낌도 느낄 수 없는 것이 문제다.

거짓말이 반복되다 보면 이익을 취하거나 다른 사람을 이기기 위해 거짓말을 수단으로 삼을 수 있다. 이런 사회는 불신 풍조가 일반화해서 결국 구성원 전체가 반목하게 된다. 특히 사회적 위치가 높거나 중요한 책임을 진 사람들이 실수를 은폐하거나 권력을 지키기 위한 목적으로 거짓말을 한다면 사회 신용도가 떨어지면서 공동체가 붕괴할 수 있다.

한 통계를 보니 우리나라 사람들이 인구수가 훨씬 많은 일본보다 공갈이나 사기 범죄를 일으키는 사례가 연간 1만 5000건 정도 많다고 한다. 이 정도면 우리 사회에 거짓말을 당연시하는 분위기가 이미 자리를 잡은 것이다.

<세월호> 같은 큰 사건이 발생해 사회가 수습 노력을 해도 국민이 정부 발표를 믿으려 들지 않거나 자꾸 음모론이 퍼지는 것도 따지고 보면 이런 거짓말이 만들어낸 불신 풍조 때문이다. 사건이나 사고가 벌어지면 솔직

히 문제점을 인정하고 이를 고치려고 노력하면 되는데 임기응변식으로 위기를 넘기려고 하다 보니 자꾸 거짓말을 반복하게 되고 그것이 더욱 커진다.

심심해서 늑대가 온다고 여러 번 거짓말하다 보니 나중에 진짜 늑대가 나타났을 때 사람들이 오지 않아 물려 죽었다는 줄거리의 <양치기 소년>은 거짓말의 폐해를 경계하는 이솝 우화다.

개인들 간에도 거짓말을 하지 말아야 한다는 도덕의식을 고취할 필요가 있으며 특히 공인들의 거짓말이나 은폐 시도는 반드시 일벌백계로 다스려 절대 용인하지 않는 사회 분위기를 만들어야 한다. 도덕관념은 한번 무너지면 회복하기가 매우 어렵기 때문이다.

편의와 이익을 위해 거짓말에 쉽게 의존하는 태도를 사회 전체가 경계해야 한다. 거짓말은 눈감아 줘도 되는 가벼운 행동이 아니라 마귀에게 속한 것이다(요일3:8).

(2015-05-05)

팔로워십(followership)의 중요성

훌륭한 조력자가 훌륭한 리더를 만든다

오늘날 리더십의 중요성이 갈수록 커지고 있기 때문에, 많은 학자가 리더십을 연구하고 있고 사람들은 이를 배우려 한다. 현대사회가 점점 조직화하면서 개인이나 소규모 집단이 폐쇄적으로 일하던 생산형태가 점점 개방적이고, 다양한 형태로 연결돼 협력하는 네트워크 모델이 일반화하고 있기 때문이다. 하지만 정작 효율적인 성과를 내려면 리더십(leadership) 못지않게 팔로워십(followership)이 중요하다는 점에는 많이 주목하지 않는다.

리더십이 추종자들에게 미치는 영향력이라면, 팔로워십은 리더십이 잘 발휘될 수 있도록 뒷받침하는 능력과 특성을 말한다. 조직에 적용해 보면 팔로워십은 일반 구성원에게도 필요하지만, 무엇보다 중간간부라면 반드시 갖춰야 할 자질이다.

영화에서 묘사되는 것과 달리, 2차 세계대전 당시 독일군은 굉장히 조직력과 전투력이 뛰어났다. 그 이유는 하사관 같은 중간간부의 자질이 탁월했으며, 이들이 군대에서 핵심 역할을 했기 때문이다. 중간간부가 견실한 조직은 리더가 없더라도 남은 과업을 잘 마무리할 수 있는 반면, 리더에 의존하는 조직은 리더가 사고를 당하면 큰 혼란을 겪는다.

교회에서도 담임목사의 역할과 능력이 중요하지만 이를 따르고 집행하는 부교역자들이나 직분자들의 팔로워십에 따라 교회가 사명을 감당할 수도, 실패할 수도 있다.

초대교회사에서 사도바울의 역할과 성과는 누구나 인정한다. 그런데 바울의 사역에는 늘 그를 수종하고 뒷받침하는 충실한 조력자들이 있었다. 바나바는, 바울이 예수를 만난 후 그리스도인으로 개종했지만 여전히 그를 의심하는 사람들에게 바울을 변호한 사람이다. 실라는 바울과 선교여행을 함께 다니며 복음을 전했으며, 바울과 함께 매를 맞으며 옥에 갇히기도 했다.

구약도 마찬가지다. 모세에게 여호수아라는 든든한 시종과 그의 입이 되어 준 아론이 없었더라면 출애굽 사역은 완성되기 어려웠을 것이며, 솔로몬이라는 지혜의 왕이 다윗을 계승한 덕분에 이스라엘은 부강한 나라가 될 수 있었다.

그렇다면 어떤 유형의 팔로워십이 필요할까? 미국의 경영학자 로버트 켈리 교수는 저서 <팔로워십의 힘>에서 리더가 20%를 결정한다면 그 나머지는 팔로워들에게 달려 있다면서 네 유형으로 구분한다. 독자적(창의적)인 사고와 적극적인 참여를 하며 태도 만점인 모범형, 능력은 있지만 불평불만하면서 방관하는 소외형, 적극적으로 충성하지만 능력이 부족한 순종형, 이도 저도 아닌 그저 리더의 지시만 따르는 수동형이 그것이다. 조직의 발전에 필요한 팔로워 유형은 단연 모범형이다.

훌륭한 팔로워는 리더의 뜻을 실현하기 위해 적극적으

로 노력을 보태야 하지만, 그에 못지않게 리더의 비전과 목표를 잘 헤아려야 하며, 목표 달성을 위해 창의적인 사고를 할 줄 알아야 한다. 다시 말해 열정과 충성도 중요하지만, 리더가 그리는 큰 그림을 볼 수 있는 혜안과 이를 실현할 수 있는 자율성을 갖추어야 한다는 말이다.

추종자들과 중간간부들이 불평불만을 늘어놓으며 리더에 반목하거나, 적극성은 있지만 능력이 부족해 과제를 잘 감당하지 못한다면 아무리 리더가 뛰어나도 그 조직은 성과를 내기 어렵다. 특히 많은 사명이 요구되는 현대 교회들은 리더십 못지않게 좋은 팔로워십을 갖추기 위해 인재를 잘 양성하고 훈련해야 한다. 훌륭한 팔로워십을 갖춘 21세기 리더들이 나중에 더 큰 리더로서 과업을 이어 갈 수 있기 때문이다. 하나님을 사랑하는 자 곧 그 뜻대로 부르심을 입은 자들에게는 모든 것이 합력하여 선을 이루는 법이다(롬8:28).

(2015-06-10)

젊음과 늙음은 생각에 달렸다

평균수명 늘어나면서 가치 기준도 많이 바뀌어 가
도태하지 않도록 생각과 태도 바꾸는 노력 필요해

의학이 발전하고 전반적인 생산력과 부가 증가하면서 세계인의 평균수명도 함께 늘고 있다. 아프리카처럼 만성적 기근 혹은 질병에 시달리거나, 중동의 여러 곳처럼 분규와 내란에 빠진 나라를 제외하면 평균수명은 전 지구적으로 꾸준히 늘고 있다.

2013년 세계보건기구(WHO) 통계에 따르면 세계 평균수명은 70세이며, 한국인 81세, 북한은 69세였다. 평균수명이 늘고 건강상태가 좋아지면서 요즘은 노인을 위한 일자리나 복지가 심각한 사회적 의제로 대두되고 있으며, 노인에 대한 전통적 생각도 많이 바뀌고 있다. 단적으로 언제부터인가 장수의 첫 번째 관문으로 간주되던 환갑잔치를 치르지 않고 넘어가는 경우가 많으며, 은퇴 후 아파트 경비나 택배 심부름 등 제2의 경제활동을 시작하는 분도 많다.

60청춘이란 말에서 보듯 사람들도 노인 기준을 지금보다 더 높여야 한다고 생각한다. 실제로 한국보건사회연구원이 노인 만여 명을 조사한 결과 78%가 노인의 연령기준을 70세 이상으로 생각한다는 통계가 나오기도 했다. 이런 추세를 반영하듯 요즘 노인들을 대상으로 한 평생교육 프로그램이나 취업 프로그램도 갈수록 늘고 있다.

평균수명이 늘어나 장수사회로 진입하면서 예전처럼 오래 사는 게 아니라 젊게 건강하게 살면서 자기 가치를 인정받는 것이 다수 노인의 관심사가 되고 있다. 물리적 나이가 많아도 여전히 청춘이라고 생각하면서 젊은이들의 문화를 함께 즐기려는 이른바 신중년들이 점점 늘어나는 추세다. 그렇다면 젊음과 늙음을 나누는 기준은 과연 무엇일까?

신체적 건강 나이, 사회적 활동여부 등 여러 기준이 있겠지만 필자가 오래전부터 생각하는 하나의 기준은 스스로를 변화시키려는 의지와 새로움에 대한 열정이다. 젊음이란, 단지 어리고 혈기가 왕성한 사람들이 아니라 끊임없이 성장하고, 미래를 향해 스스로를 발전시키려는 진취성에 본질이 있다.

반대로 늙은 사람들은 변화나 성장을 바라기 보다는 안정을 추구하고 지금까지 가꾸어 온 것을 지키려는 보수적 태도를 지닌다. 일반적으로 노인들이 여러 가지 점에서 완고한 태도를 보이는 것도 따지고 보면 그간 살아온 삶의 관성과 자기가 이룬 것을 지키려는 심리에 원인이 있고, 이것이 노인세대가 전통을 고수하여 물려 줄 수 있는 긍정성으로도 작용한다. 하지만 보수성이 지나치면 구태의연함과 현상유지에만 급급하게 돼 새로움을 수용하지 못하고 퇴물 취급을 받을 수도 있다.

젊음이 이처럼 삶의 태도와 생각에 달렸기에 나이는 들었지만 청년처럼 사는 사람이 있을 수 있고, 반대로 겉 모습만 청춘인 애늙은이도 얼마든지 있다. 대학에 몸담고 학생들을 가르치다 보면 나이는 20대인데 꿈도 비전도 갖지 못하고 무기력하게 대학생활을 보내다 도태되는 노인 대학생(?)들을 드물지 않게 보게 된다. 반대로 사회에서 인문학 강의를 하다 보면 다양한 분들을 만나는데 백발이 성성한 어르신이 어려운 철학책을 붙잡고 진지하게 새로운 배움에 몰두하는 모습을 보며 자극을 받고 나 자신을 돌아본 적도 많다.

무언가 자신에게 여전히 할 일이 있고 자신을 변화시킬 수 있다고 믿으면 청춘이고, 현재 상태에 만족하려 한다면 노인이다. 본인이 그렇게 하지 않으려 해도 나이가 들면 자꾸 활동에서 제외시키려 하고 고리타분하다고 생각해 뒷방 노인네 취급하려고 하는 것이 사회적 통념이다. 이런 흐름에 희생되지 않으려면 본인이 스스로 생각과 태도를 바꾸어야 한다.

성경을 봐도 많은 선지자나 사사들이 노인 시기에 왕성하게 활동하면서 젊은이들을 새로운 길로 이끌었다. 하나님을 믿는 사람은 영원히 독수리 같은 청춘이어야 한다.

(2015-07-07)

끝이 좋아야 모든 게 좋다

좋은 게 좋은 거라는 무책임을 관용이라 착각해선 안 돼
메르스 사태는 종결됐지만 악순환의 고리는 이제 끊어야

근 70일이나 지속되면서 온 나라를 어수선하게 하고 경제활동을 위축시켰던 메르스(중동호흡기증후군) 사태가 종결되었다고 정부가 7월 29일 공식 선언했다. 정부는 총리 발표를 통해 최근 23일째 메르스 확진 환자가 더는 발생하지 않았다고 말하면서 15개 메르스 관리병원의 지정을 해제하고 메르스 사태가 끝났다고 선언했다. 기승을 부리던 전염병이 한풀 꺾이며 일상을 회복하던 중에 들은 정부의 공식 발표는 이제 드디어 모든 것이 정상화되는구나 하는 안도감을 준다. 필자도 이번 주에 처음으로 건대병원을 통과해 학교로 출근하면서 병원이 예전의 활기를 되찾은 모습을 확연히 느낄 수 있어 무척 기분이 좋았고, 안심도 되었다.

메르스가 물러간 것은 환영할 일이지만 항상 느끼듯 이런 큰 문제를 마무리하면서 엄중한 사과 한마디 없이 서둘러 종결을 선언하는 당국 모습은 참 미덥지 못하다. 메르스 사태를 보면 불가항력적인 요소도 분명 있었지만 최초 감염자를 확인한 후 안일하게 위험성을 판단하고 필요한 조치와 대책을 적절히 취하지 못한 실책이 감염 확산에 크게 기여했기 때문이다.

지난 역사를 돌아보면 대형사고의 뒤처리가 늘 비슷했

다. 사건이 벌어지면 호들갑을 떨고 재발 방지를 약속하고 동분서주하다 시간이 지나면 슬그머니 손을 놓아 버리는 모습 말이다. 어찌 보면 우리 국민 자체가 뭔가 요란하게 시작하다가 흐지부지 끝을 흐리거나, 문제가 생겼을 때 책임을 지지 않고 어영부영 넘어가는 경우가 많다.

실수하거나 잘못을 범했을 때 철저하게 책임을 지기보다 자숙하는 척만 하다 시간이 지나면 언제 그랬냐 싶게 태연히 원대 복귀하는 모습을 너무 많이 볼 수 있다. 스캔들을 일으킨 연예인들이 시간이 지나 슬그머니 활동을 시작하는 일도 그렇고, 사회적으로 큰 사고를 저지른 기업이 잘못을 만회하기 위해 지속해서 노력하는 모습을 보이지 않는 점도 그런 예다. 그렇다 보니 대형 사고가 판박이처럼 반복되는 경우도 많고, 무책임을 관용처럼 혼동해 '좋은 게 좋다'는 식으로 넘어가려는 대충주의가 뿌리를 내린다.

필자가 공부하던 프랑스의 속담 중에 '끝이 좋아야 모든 것이 좋다'는 말이 있다. 뭐든지 마무리가 시작보다 중요하고 결과에 책임을 져야 함을 강조하는 말이다. 정반대는 '구렁이 담 넘어가듯 한다'는 우리 속담이다. 그런데 원래 우리는 유럽보다 더 철저했다. 평판을 중시해서 뭐든 끝까지 책임지려는 문화의 영향을 받았기 때문이다.

왕과 대신들의 사소한 행적까지 기록에 남기며 후대에 경계하고자 했던 조선의 실록이나 대형 토목 공사 주춧돌에 책임자와 인부들 이름까지 남겨 부실공사를 예방했던 선조들의 전통을 보면 얼마나 우리가 시작과 끝을 분명히 했는지 알 수 있다. 그리고 전대의 전통을 확 바꾸기보다 점진적으로 계승하면서 보완하는 온고지신 문화가 우리의 전통이었다.

그러나 언제부터 이윤만 되면 뭐든지 용납하는 물질만능주의와 빠른 유행만을 강조하는 소비풍조가 자리를 잡으면서 뭐든지 꾸준히 지속하기보다 수시로 바꾸고, 뒷마무리도 책임지지 않는 일회성 풍토가 대세가 되었다. 또 본인이 자리에서 내려오면 사업의 계승이나 연속성에 전혀 신경을 쓰지 않는 단절적 사업방식이 계속 반복된다.

메르스 사태는 종결되었지만 지금처럼 자연재해에 인재가 더해져 피해가 커지는 사태의 악순환 고리를 끊지 않으면 또 어떤 재앙이 닥칠지 모른다. 기초만 쌓고 완성하지 못하면 모든 사람이 비웃는다고 성경은 경계한다.

"그렇게 아니하여 그 기초만 쌓고 능히 이루지 못하면 보는 자가 다 비웃어"(눅14:29).

(2015-08-05)

우려되는 여성혐오 현상

남성과 여성은 서로 협력하는 대등한 존재이니
여성혐오가 사회 전체를 위협하기 전에 막아야

'삼일한', '성괴', '아몰랑', '김치녀' 같은 단어를 들어 본 적 있는가? 이 용어들은 최근 인터넷 공간에서 급속히 퍼지고 있는 여성혐오 용어의 일부다. '삼일한'은 삼일에 한 번 여자를 패야 한다는 뜻이며 '성괴'는 성형수술한 괴물, '아몰랑'은 '아 몰라'에 'ㅇ'을 붙여 애교스럽게 말하는 것으로 토론하다 자신이 없으면 회피하는 무개념녀를 지칭한다. '김치녀'는 허영심 많고 남자에게 기대기만 하는 일부 여성을 비하하는 말이다.

여성 성기의 속어로 여성을 싸잡아 지칭하는 못된 용어도 많다. 이 용어들은 원래 '일베'같은 극우 사이트에서 통용하던 것인데 최근에는 일반인들도 널리 쓰고 있다. 이러한 용어 확산이 단순히 재미나 풍자가 아니라 점점 증가하고 있는 우리 사회의 여성혐오 정서를 반영한다는 점에서 매우 우려스럽다.

얼마 전 한 일간지에서 젊은 남성들을 대상으로 설문조사를 했더니 '김치녀'라는 말을 들어 본 적이 있다는 남성이 100%였다. 또 이 말을 써 보지는 않았지만 동의한다는 사람은 무려 61.5%, 실생활에서 '김치녀'라는 단어를 사용해 본 적이 있다는 사람도 4명 중 1명꼴이었다.

설문조사 결과를 너무 확대 해석할 필요는 없지만 여하튼 여성혐오 현상이 확산되는 것은 사실이다. 전통적 가부장제가 붕괴하고, 여성들의 사회 진출이 활발해지고, 상대적으로 경제위기로 안정적 일자리를 얻지 못하는 남자들이 늘어나고 불안감이 커지면서 여성혐오 현상도 커지도 있다.

최근에는 아기를 키우는 엄마를 '맘충'이라 부르기도 하는데 엄마를 뜻하는 '맘(mom)'에 벌레를 칭하는 '충(蟲)'을 붙인 경멸적 표현이다. 일부 엄마들이 음식점이나 공공장소에서 아이들이 뛰어다니고 소란을 피워도 혼내지 않고 내버려 두는 것을 모든 엄마가 그러는 것처럼 싸잡아 이르는 말이다.

왜 이렇게 우리 사회가 황폐화되고, 나날이 여성혐오 현상이 증가할까? 단순히 사회 적응에 실패한 일부 남성들 탓으로 돌리기에는 그것이 너무 만연하다. 여성혐오 현상은 공무원이나 공채시험에서 군필자들에게 가산점을 주는 군가산점제도가 폐지되고 공교롭게 각종 시험에서 여성 합격자가 늘어나면서 시작되었지만 그것을 남성 역차별이나 제도 탓으로 돌릴 수는 없다.

실제로 여성이 남성보다 더 우대를 받거나 남성이 제도적 불평등에 희생된 것은 아니기 때문이다. 오히려 남성과 여성의 전통적 성역할이 무너지고, 공동체적 가치나 관계보다 개인의 이해타산을 더 중시하는 이기주의 문화가 뿌리를 내리는 사회 분위기 변화가 큰 원인이다.

과거에는 남성이 경제활동에 종사하고 여성이 육아와

가사를 분담하면서 남성이 돈을 쓰고 여성을 위하는 것이 일반적이었지만, 살기가 힘들어지고 개인을 더 중요시하면서 남성이 여성을 배려하는 문화가 점점 사라지게 된 것이다. 또 경제위기가 심화하면서 신자유주의 경쟁체제로 인해 안정적 일자리를 얻기 힘든 것도 여성혐오를 부추기는 원인일 수 있다.

하지만 여성혐오 현상은 어떤 이유로도 정당화하기 힘들며, 더구나 그것이 무차별적으로 모든 여성을 대상으로 삼는다는 점에서 위험한 범죄이기도 하다. 동서고금을 막론하고 사회적 위기가 발생하면 그것을 특정집단이나 개인에게 전가하는 희생양 현상이 발생한다. 그러나 누구 탓을 하고 증오를 부추기는 희생양 현상은 폭력을 확산하며 사회 전체를 더 큰 위험에 빠뜨린다.

여자를 남자의 뼈 중의 뼈요 살 중의 살로 생각하는 것(창2:23)은 창조의 원리이기도 하다. 여성혐오 현상을 심각하게 생각하고 적극 대처하지 않으면 노인혐오, 외국인혐오 등으로 옮겨 갈 수 있다. 불합리하고 광기 서린 여성혐오 현상을 우리 사회에서 즉각 물리쳐야 한다.

(2015-09-08)

건강 먹거리 열풍과 미혹

TV 정보와 전문가를 맹신하지 말아야
비판적 태도를 갖고 검증하는 자세 필요

정보화 시대라 불리는 요즘, 우리는 인터넷, 스마트폰, TV를 비롯해 여러 미디어가 쏟아내는 정보의 바다에 빠져 산다. 특히 요즘은 평균수명이 늘어나면서 건강에 대한 염려 때문에 좋은 먹거리나 의학 정보를 찾는 수요가 많다. 이런 추세에 발맞춰 TV 아침방송은 주로 주부들을 대상으로 전문가 해설을 곁들여 건강.의학.식품 정보를 자주 소개한다.

그러다 보니 거의 온 국민이 마치 전문가가 된 듯 행동하는 모습을 많이 본다. 누구나 한 번쯤 이런저런 것을 해야 건강해진다든지, 어떤 음식을 어떻게 먹어야 다이어트나 장수에 도움이 된다는 정보를 접해 봤을 것이다. 좀 부끄럽지만 필자도 한때 모 연예인이 건강과 다이어트에 좋다고 극찬한 이른바 '해독주스'를 만들어 꽤 오랫동안 복용한 경험이 있다. 물론 큰 효과는 보지 못했다. 아직 생소한 말이지만 이처럼 몸에 좋거나 해가 되는 음식을 가리며 유행처럼 집착하는 경향을 '푸드 패디즘(food faddism)'이라 부른다.

몇 가지 예를 들면 "물은 많이 마실수록 몸에 좋다", "밀가루나 탄수화물은 비만을 가져오고 건강에 치명적이다", "고기를 자주 먹으면 고혈압이 생기고 콜레스테

롤 성분이 증가한다" 등이다. 건강을 위해 식습관에 신경을 쓰는 것은 좋지만 지나치면 병이 된다. 중요한 점은 이런 주장들이 대개 학문적으로 검증되지 않았고, 어떤 정보는 의료계나 식품업계가 고의로 유포한 사례도 많다는 것이다.

'푸드 패디즘'의 권위자 다카하시 구니코 교수는 '천일염', '유정란', '은행나무 추출물'을 과장된 건강식품의 대표적 목록으로 고발하기도 했다. 그의 견해에 따르면 건강에 좋은 음식이 따로 있는 것이 아니라 골고루 많이 섭취하는 점이 중요하다. 음식뿐 아니다. 운동이나 좋은 습관을 권하면서 건강한 삶을 위해 무조건 실천하라고 주장하지만 근거가 희박한 예가 많다. 예를 들어, 간헐적 단식을 하면 건강해지고 수명이 늘어난다고 주장하지만, 과학적으로 입증된 바는 없다. 또 운동도 지나치면 운동중독에 빠지고, 몸을 상하게 한다.

사람들이 이처럼 잘못된 정보를 진리처럼 맹신하고, 유행처럼 좇는 데는 미디어의 영향이 크다. 학문의 세계에서는 어떤 연구 성과를 진리로 인정하기 위해 수많은 토론과 검증을 거친다. 그런데 일단 TV에서 어떤 것이 방송되면 대중은 그것을 자명한 사실처럼 받아들이는 경향이 있다. 그러다 보니 아직 충분히 검증되지 않았거나 실험적 가설 단계에 있는 내용을 거침없이 주장하면서 이를 이용해 돈벌이를 하고 유명세를 타는 사이비 전문가들이 생긴다.

우리가 아는 상식 중에는 이렇게 검증되지 않은 주장을 진리처럼 설파하는 이른바 '쇼닥터'가 퍼뜨린 그릇된 정보가 너무 많다. 옛날 사람들이 정보가 부족해 어리석음을 벗지 못했다면, 현대인은 정보의 홍수 속에서 스스로 속는 똑똑한 바보가 되어 간다.

원래 TV 같은 대중 미디어는 진실 보도나 과학적 탐구보다는 대중의 흥미나 상업적 성공을 가져다줄 정보에 민감하고, 일단 이를 터트려 독점하려는 성향이 있다. 그래서 저명한 사회학자 피에르 부르디외는 TV에 대해 비판적 태도를 갖고 그것이 전하는 모든 정보를 일단 의심하는 습관을 가져야 한다고 충고한다.

미디어 자체가 악은 아니지만 많은 거짓 정보를 유포하면서 대중을 우민화의 늪에 빠뜨리는 주범이다. 거짓과 선동은 마귀의 속성이기도 하다. 현명한 시민이 되기 위해서, 그리고 미혹을 받지 않기 위해서 늘 경계하고 조심해야 한다. TV를 아예 끊는 것도 좋은 방법이다.

(2015-10-06)

나르시시즘과 리더십

리더는 독선과 자기애를 버리고 겸손을 배워야

정신분석학 용어인 나르시시즘(narcissism)은 자신을 애정 대상으로 생각하고 이상화하는 심리를 말한다.

나르시시즘은 원래 병적인 자기애를 뜻하지만 인성 발달에 큰 영향을 미친다. 건강한 나르시시즘은 야망과 자존감의 원천이고 자신을 발전하게 할 동기를 부여하기 때문이다. 정상적인 사람이라면 누구에게나 나르시시즘이 있고 지위가 높거나 지도자일수록 이런 성향이 강하다. 그러나 정도가 지나치면 도리어 해가 된다는 말처럼 나르시시즘이 심하면 모든 것을 자기중심으로 보고, 편견이나 아집을 버리지 못할 수도 있다.

병적으로 굳어진 자기애는 세상만사를 자신을 중심으로 왜곡해 바라보며, 수단과 방법을 가리지 않고 다른 사람의 관심과 사랑을 끌려는 성격장애로 발전할 수 있다.

분명 병적인 측면이 있기는 하지만 나르시시즘을 잘 다스리면 긍정적 시너지를 낳는다. 그래서 나르시시즘과 리더십의 관계도 오늘날 중요한 연구 대상이다.

원래 리더들은 다른 사람보다 더 강한 권력욕을 갖고 있으므로 큰 목표에 매달리는 일이 많고, 자신에 대한 확신이나 의지가 보통 사람보다 더 강한 편이다. 강한 나르시시즘 성향 덕분에 리더들은 보통 사람들보다 더 멀리, 더 높게 보고, 큰 난관이 있어도 굴복하지 않으며 성과를 내는 일이 많다. 하지만 자기애가 너무 강하면 자칫 부풀려진 자아 때문에 자신의 단점과 잘못을 못 보거나, 실수를 하고도 인정하지 않는 독선적 행동을 할 수도 있다. 리더가 실수하거나 과업을 망치는 많은 경우는 대체로 지나친 자기 과신과 독선 때문이다.

솔로몬 사후에 후계자가 된 르호보암은 백성의 종이 되기를 자처하라는 원로들의 현명한 충고를 무시하고, 자기가 부친 솔로몬보다 더 강하다는 자존심만 고집하다가 이스라엘 10지파 백성에게 버림을 받았다. 예수의 수제자 베드로도 예수를 절대 배신하지 않겠다고 큰소리를 쳤지만 결국은 세 번이나 예수를 부인하고 도망쳤다.

우리 역사에서도 이런 사례가 많다. 임진왜란 때 한양을 버리고 의주까지 도망친 선조는 나중에 이순신 같은 장수들이 큰 전공을 세워 백성에게 칭송을 받자 이를 시기하며 못마땅해했고, 실제 역모로 몰아 죽인 의병장도 많다. 자신이 한 행동을 정당화하기 위해 무고한 사람을 희생할 수밖에 없었다.

삼성그룹의 이건희 회장도 탁월한 카리스마 리더십으로 삼성을 이끌었지만, 주변의 만류와 충고에도 자동차 사업에 미련을 버리지 못하고 무리하게 뛰어들었다가 큰 손실을 보고 후퇴한 것은 잘 알려진 일화다. 지위가 낮거나 영향력이 작은 사람의 나르시시즘이야 주변 몇 사람에게만 해를 끼치지만, 중요한 리더가 지나치게 한쪽으로 치우치고 자만심과 확신만 내세우면 르호보암처럼 나라가 분단되는 큰일이 발생하기도 한다.

오늘날 한국 사회에서 많은 지도자가 맹신과 강한 나르시시즘적 성향에 빠져 주변과 소통하기보다는 고집불통으로 물의를 일으키는 일이 많다. 이 모든 것이 자신을 과대평가하며 다른 사람을 무시하거나 자기 이상에만 집착하기 때문이다. 종종 지도자의 고집을 소신처럼 과장하지만 그것은 자신과 상황을 얼마나 객관적으로 성찰하고 있느냐, 또 사심이 있느냐 없느냐를 기준으로 판단할 수 있다. 오늘날 많은 학자가 카리스마나 능력 있는 리더십보다는 소통과 배려의 리더십이 중요하다고 역설한다.

성경은 “너희 중에 누구든지 으뜸이 되고자 하는 자는 모든 사람의 종이 되어야 하리라”(막10:44)는 말로 섬김의 중요성을 강조한다. 섬김과 배려야말로 모든 사람의 협력을 끌어낼 수 있는 리더십의 중요한 기술이다.

(2015-11-10)

너희 관용을 모든 사람에게 알게 하라

개인의 자유와 권리 요구만 커지고 갈등은 심화
증오와 편 가르기에서 벗어날 지혜가 꼭 필요해

프랑스의 대표적인 계몽주의 사상가이자 작가인 볼테르는 '관용'의 철학자로 유명하다. 문학적 재능이 탁월해 일찍부터 시, 우화, 소설 등 여러 작품을 발표하고 역사가로도 이름을 날렸지만, 프랑스 사람들의 가슴에는 관용을 대표하는 사상가로 기억되고 있다. 볼테르는 당시 유럽에서 무소불위의 절대 권력을 휘두르던 가톨릭을 비판하고 가톨릭에 의해 가혹하게 탄압받던 기독교 신도를 적극 변호하며 함께 싸웠다. 볼테르는 관용이야말로 차이와 불화를 극복하고 인류 문명의 발달을 일으킬 대표적 사상이라 생각했다. 오늘날 프랑스가 '톨레랑스', 즉 관용의 나라로 알려진 데는 볼테르의 공이 크다.

한국사회는 1970년대 경제성장, 1980년대 민주화 투쟁, 1990년대 공산주의 몰락과 세계화로 요약되는 큰 격변 속에서 꾸준히 성장을 거듭해 왔다. 80년대 이전에는 전후(戰後) 가장 짧은 시기에 경제성장을 고도로 이룬 나라로, 그 후에는 민주화와 산업화를 같이 정착시킨 나라로 귀감이 되었다. 비록 1997년 외환외기라는 시련을 경험했지만 경제적으로나 정치적으로 명실상부 선진국에 진입할 정도로 성숙해졌다. 하지만 언제부턴가 양극화가 점점 심해지고 개인의 자유와 권리에 대한 요구가 커지지만 통치는 권위적이 되어 곳곳에서 갈등과 불협

화음이 커지고 있다.

정책을 둘러싼 정치권의 대립, 세대 갈등과 계층 갈등, 기업과 경제 분야에서 보이는 다양한 갑질과 착취뿐 아니라 개인 간에도 보복 운전 등 폭력이 빈번해지고 있다. 이념 갈등은 오히려 80년대보다 더 치열해지고 있으며, 온라인과 오프라인에서 여러 개인과 단체가 서로 잡아먹을 듯이 비난하고 있다. 집회 현장에서 반대되는 주장을 가진 사람들이 충돌하는 장면은 익숙한 풍경이 되었다. 언제부턴가 사회가 삭막해지고 증오와 편 가르기가 횡행하고 있다.

사회 갈등은 어느 하나의 요인으로 설명하기 어렵지만 이렇게 갈등이 만성화한 원인은 아무래도 '관용'의 부족에 있다. '관용'이란 상대에게 굴복하거나 조건 없이 체념하는 것이 아니라 차이를 인정하고 타자를 배려하는 정신이다. 상대에 대한 열린 마음과 소통하려는 자세에 관용이 자리를 잡는다.

"나는 당신의 의견에 반대하지만 당신의 말할 권리를 위해 싸우겠다."

볼테르의 격언으로 알려진 이 말은 진위 시비는 있지만 관용 정신을 잘 보여준다. 상대가 나와 똑같이 주장하거나 생각한다면 관용이 필요 없다. 관용은 오히려 차이와 갈등이 있을 때 필요한 덕목이며 부조화처럼 보이는 것을 공존하게 하는 선(善)이다. 관용이 많은 사회는 번창하지만 미워하고 싸우는 나라는 망하기 마련이다.

유럽인은 오랜 세월 서로 싸우고 대립하느라 헤아릴 수 없이 많은 사람을 죽이는 전쟁을 계속해 왔다. 볼테르나 존 로크 같은 사상가들이 관용을 부르짖은 것은, 그 같은 살육의 역사를 반성하고 이성적 사고를 바탕으로 한 양심에 대한 최후의 믿음에서 비롯되었다.

최근 우리나라에서 심화되는 갈등 양상을 보면 상대 주장은 억압하고, 내 생각만 옳다 믿으며, 폭력을 써서라도 그것을 관철하려는 욕심에서 비롯한다. 하나님의 나라가 아닌 인간 세상에서 갈등과 차이는 어느 정도 불가피하다. 중요한 점은 갈등이 아니라 그것을 풀어 나가려는 관용의 지혜를 갖는 것이다. 우리 사회가 오늘날 겪는 여러 어려움을 극복하고 더욱 도약하려면 이제 관용을 정착시켜야 한다. 관용은 말세에 필요한 그리스도인의 덕목이기도 하다.

“너희 관용을 모든 사람에게 알게 하라 주께서 가까우시니라”(빌4:5).

(2015-12-10)

진정으로 새로워지는 2016년으로

진정한 깨달음은 반드시 변화 실천을 동반하는 것
새 사람을 입는 것이 곧 그리스도인이 가질 증거

사람들은 보통 새해가 되면 소망을 품고 새로운 결심과 각오를 다진다. 운동, 금연, 금주, 여행, 공부 등의 계획부터 주변 사람에게 잘하고 더 긍정적으로 살기 등 다양한 약속을 하면서 신년 계획을 세운다. 세월이 지나는 만큼 뭔가 바뀌고 싶은 게 인지상정이기 때문이다.

필자도 새해가 되면 그간 바빠서 손을 대지 못한 색소폰을 다시 시작하려고 생각하고 있다. 한 가지라도 연초의 결심을 꾸준히 실천한다면 해마다 자신을 발전시킬 수 있을 것이다. 하지만 대부분은 1~2월이 지나면 조금씩 게을러지다가 다시 예전의 생활로 돌아가는 경우가 많다. 그리고 나이가 들수록 예전의 버릇이나 습성을 더 버리지 못하고 완고하게 되는 일종의 관성도 생긴다.

사람이 바뀌는 것은 엄청난 노력을 필요로 한다. 아리스토텔레스가 얘기했듯 몇 번의 실천으로 오랜 습관과 기질을 변모시키는 것이 쉽지 않기 때문이다. 그래서 아리스토텔레스는 행복을 위해 중용과 더불어 좋은 습관의 중요성을 매우 강조했다. 사람이 동물과 다른 것은 배우면서 스스로를 변화시킬 수 있는 힘이 있다는 것이다.

발달심리학자도 예전에는 인간의 변화와 성장은 성인기

에 도달해 멈춘다는 입장을 견지했지만 요즘은 발달과 학습은 평생 지속된다고 주장한다. 발달심리학자 에릭 에릭스는 나이별로 성취해야 할 과제가 있으며, 학습과 발달은 평생 지속된다고 주장하면서 현대 교육이론에 큰 영향을 미쳤다. 그래서 오늘날 대학이나 지역의 문화센터에서는 성인들을 위한 다양한 교육 프로그램을 운영하고 있으며, 심지어는 노인들을 위해 인문학 강의를 개설하는 곳도 많다.

나이가 들수록 행복을 위해 배움에 대한 열정이 더 필요하다는 것이 평생교육의 모토다. 사람이 공부하는 것은 어떻게 보면 스스로를 변화시키기 위해서다. 이를 보여 주는 말이 '괄목상대'(刮目相對)로, <삼국지>의 오나라 장수 여몽의 일화에서 나왔다. 여몽은 용감한 장수였지만 너무 무식해 오나라 왕이 최소한의 공부라도 하라고 충고한 사람이다. 그가 공부를 시작하면서 너무 몰라보게 바뀌고 똑똑해졌기 때문에 헤어진 후 사흘만 지나도 눈을 비비고 다시 본다는 뜻을 지닌 '괄목상대'라는 말이 유래했다.□

하지만 지식이나 기술의 습득이 아니라 기질과 성격, 그리고 가능하다면 가치관을 바꾸는 것이 진정한 성장이라 할 수 있다. 성경은 이러한 혁명적 변화를 강조하면서 이것이 하나님을 만난 증거이자 그리스도인의 미덕이 되어야 함을 강조한다.

꾀가 많고 자신의 이해관계에만 충실했던 야곱은 천사와 씨름한 후 '이스라엘'이란 축복의 이름을 얻고 아브라함의 족보를 잇는 이스라엘의 비조가 된다. 세리로 천대받던 약탈자 삭개오는 예수를 만난 후 부정하게 모은 재산을 가난한 자들에게 나누어 주고 예수의 제자가 되었다. 믿는 자들을 핍박하던 사울은 다메섹에서 예수를 만난 후 바울이 되어 복음 사역을 완수했다. 이런 큰 인물들뿐 아니라 성경 역사는 수많은 변화와 새로움의 기록이자 일화들로 가득 차 있다.

복음을 듣고 큰 변화 없이 구습과 나태함에 빠져 전과 같이 지낸다면 이 사람에게 복음은 진리사건이 아니라 단순한 지식에 불과하다 할 수 있다. 진정한 깨달음은 반드시 변화와 실천을 동반하기 때문이다. 세상의 지식도 사람을 변모시키는데 구원을 주는 능력인 복음이 사람을 바꾸지 못한다면 복음을 제대로 받지 못한 것이다.

성경은 "하나님을 따라 의와 진리의 거룩함으로 지으심을 받은 새 사람을 입으라(에4:24)" 명령한다. 새로운 변화와 멈추지 않는 영적 성장을 위해 기도하고 노력하는 2016년을 만들자.

(2016-01-05)

사랑하는 이의 희생 덕분에 사는 제2의 삶

복음은 예수께서 우리 대신 죽었다는 사실을 알리는 것
그가 남긴 생명의 말씀을 반드시 실천하며 살아가야 해

할리우드 스타 감독 제임스 카메룬이 만든 영화 <타이타닉>은 1912년 벌어진 초호화 여객선 '타이타닉'의 침몰을 모티브로 삼은 영화다. 재난을 소재로 삼았지만 세계적 배우 레오나르도 디카프리오와 케이트 윈즐럿이 주연한 애절하고 낭만적인 러브스토리로 기억되는 영화이며, 영화 주제곡 'My heart will go on and on'(나의 마음은 늘 그대로일 겁니다)은 널리 알려진 영화 주제곡이기도 하다.

생과 사가 교차하는 극한 상황에 처한 사람들의 여러 모습, 사랑과 이별을 소재로 한 이 영화엔 눈물샘을 자극하는 장면이 꽤 많다. 아마 영화에서 가장 슬픈 장면 중 하나는 남자주인공 잭이 연인에게 마지막 말을 남긴 후 차가운 검은 물속으로 영원히 사라지는 장면일 것이다. 잭은 한 사람 간신히 지탱할 수 있는 널빤지에 연인 로즈를 올려놓고 춥다고 떠는 그녀를 격려하며 반드시 행복하게 살라고 당부한다.

영화를 보면 몰락한 귀족가문의 딸인 로즈는 정략결혼의 제물이 되어 권위적인 재벌 약혼자와 마음에도 없는 혼인을 하기 위해 미국으로 향하는 중이었고, 잭은 도박으로 타이타닉 3등실 티켓을 얻은 가난한 화가였다. 절망 속에서 자살을 시도하던 로즈는 잭을 만나 목숨을 건지며 진정한 사랑과 삶의 재미에 눈을 뜨지만 타이타닉의 침몰이 모든 것을 절망 속에 빠뜨린다.

하지만 잭은 수많은 고비를 넘기며 로즈와 함께 살아남기 위해 고군분투한다. 잭을 만나며 로즈는 살아야 할 이유와 삶의 의미를 되찾지만 이들의 사랑을 비극적 죽음이 갈라놓으려 한다.

마지막 순간 구명조끼를 입은 채 찬 바다에서 표류하면서 다른 이들과 구조를 기다리지만 대부분 저체온증과 굶주림으로 죽는다. 영화의 주인공 잭도 자신이 곧 죽으리라는 것을 알자 지금 봐도 가슴이 뭉클해지는 사랑의 유언을 슬프면서도 행복한 표정으로 남긴다.

"로즈 당신을 만난 게 내 인생 최대의 행운이야.… 사람들이 구하러 올 거야. 잘 들어. 당신도 언젠가는 죽겠지만 이 바다는 아냐… 약속해, 무슨 일이 있어도 절대 포기하지 않을 거라고… 당신은 살아야 해. 살아서 애들도 낳고 훌륭하게 키워야지, 그리곤 나이 들어 편안히 죽어야 해… 약속하고, 절대 저버리면 안 돼."

여주인공은 사랑하는 연인을 보내고 자신도 죽을 것 같았지만 잭과의 약속을 지키기 위해 필사적으로 버티다 구조된다. 영화의 첫 장면은 잭의 유언대로 결혼해 자식을 낳고 곱게 늙어 간 로즈가 과거를 회상하는 식으로 전개된다. 잭은 죽었지만 로즈의 기억 속에 영원히 살아남아 있고, 그와의 약속은 로즈의 남은 인생을 버티게 해 주는 힘이다.

영화처럼 누군가 나를 살리기 위해 온갖 노력을 다하다 결국 대신 죽으며 남은 인생을 잘 살아야 한다고 당부의 말을 남긴다면 어떤 기분일까? 기독교가 말하는 구속이 이런 사랑이다.

2000년 전 벌어진 일반적이고 역사적 사건이 아니라 연인과의 운명적 만남이자 내 생명 하나를 구하기 위해 그가 죽었고, 그가 남긴 마지막 당부를 잊지 못해 열심히 살려고 하는 것이 바로 복음의 본질이다. 의욕과 희망을 전혀 갖지 못하던 로즈가 사랑을 통해 제2의 인생을 살게 되었고, 연인과의 약속 때문에 행복하려고 하듯 예수의 희생이 헛되지 않도록 열심히 새 삶을 사는 것이 신자의 운명이다.

신자와 불신자의 차이는 복음을 지식으로 아느냐, 로즈처럼 자기 마음에 살아 있는 당부로 아느냐에 있다. 결국 복음은 위대한 사랑이고, 연인의 몫까지 대신 살겠다는 약속의 실천이다.

"그가 우리를 위하여 목숨을 버리셨으니 우리가 이로써 사랑을 알고 우리도 형제들을 위하여 목숨을 버리는 것이 마땅하니라"(요일3:16).

(2016-02-20)

각자도생으로 외로운 우리 사회

따뜻한 공동체적 관계 복원이 무엇보다 중요해
교회는 상한 영혼의 친구이자 영원한 안식처

"어렵고 힘들 때 의지할 사람이 있습니까?"
경제협력기구(OECD)가 회원국 36개국의 사회적 연계성을 측정하려고 한 이 질문에 한국인이 가장 부정적 답변을 했다고 한다. 유달리 정이 많고 공동체 의식이 강한 우리 문화와 한국인의 기질을 떠올리면 좀 의아할 수 있지만 사실이다. 또 자신의 삶에 만족하는지를 묻는 질문에도 한국인은 평균 이하 점수를 받았다. 살면서 어려움에 부딪힐 때 함께 이야기하고 문제를 풀어 줄 친구나 이웃이 점점 줄어들기 때문이다.

우리나라 빅 데이터 업체 다음소프트가 2011년부터 2015년 12월까지 인터넷에 올라온 글을 분석한 결과 '외롭다'는 언급이 10배 이상 증가했다고 한다. 공동체 관계가 무너지고 뿔뿔이 흩어져 각자 외롭게 삶을 모색하는 것이 우리 한국인의 슬픈 자화상이다.

이것은 갈수록 경쟁의식과 효율성만을 중시하고 물질적 가치와 돈을 숭상하면서 함께 나누고 보존해야 할 인간적 가치와 나누고 베푸는 연대의식을 잃어버리기 때문이다.

정보화 시대로 접어들면서 도시화가 가속하고, 전통적인

인간관계와 만남이 해체되고 있는 것은 세계적 추세다. 하지만 유독 우리가 다른 나라보다 사회적 삶의 만족도가 낮고, 자신의 문제를 홀로 짊어지고 고독 속에 사는 것은 우리 사회에 심각한 병이 있다는 것을 방증한다. 아마도 그 원인 중 하나는 내적 가치나 삶의 본질적 문제를 깊이 천착하지 못하고 성급히 선진국으로 도약하고자 모든 것을 물질적 성장과 외양에만 지나치게 투자하는 성공 강박증 탓이 아닐까 한다.

앞만 보고 달리다 보니 늘 앞서 나가는 사람을 쫓기 바쁠 뿐, 현재 내 좌표나 내 주변의 사람들에 대해서 생각하지 않는다. 그리고 인간관계가 바쁜 삶에 걸림돌이 된다고 생각한다. 출근 시간에 뛰어다니고, 표정 없이 학교와 일터로 향하며 여가에는 스마트폰과 인터넷에 몰두하는 것이 우리가 주변에서 흔히 보는 모습이다.

이렇다 보니 삶의 외형상 조건은 과거보다 많이 좋아졌지만, 행복도나 삶의 의미, 그리고 사회적 관계에서 얻는 만족감은 떨어지고, 인간관계 지표에 큰 구멍이 생겨도 문제의식조차 느끼지 못한다. 그래서 결국 앞에서처럼 사회적 관계에 대해 부정적인 답변이 나오는 것이다. 그런데 인간관계는 단순히 사람에게 위로나 부수적 만족을 주는 것이 아니라 행복한 삶에 있어 필수 조건이다.

2005년 호주 플린더스 대학 연구진이 70세 이상 노인들을 10년간 추적 조사한 결과 친구를 많이 둔 노인이 가족 관계가 좋은 노인보다 사망 위험이 22% 정도 낮았다고 한다.

연구진에 따르면 외로움을 많이 느끼는 사람들은 건강도 안 좋고, 심장마비, 암, 알츠하이머 등 질병에도 취약하다고 한다. 철학자 아리스토텔레스는 행복은 반드시 사람들과 결합해서 살아갈 때 실현할 수 있다고 말했다. 아무리 물질적 조건이 좋아도 혼자 모든 것을 해결하는 사람은 행복할 수 없다.

행복한 삶과 평안을 위해서는 좋은 친구가 필요하고 따뜻한 사회적 관계가 이를 뒷받침해 주어야 한다. 일인(一人) 가구가 점점 늘어가고 삶의 조건이 팍팍해지고 있는 이때 각자도생(各自圖生)의 살벌한 문화를 해결할 대책을 사회가 함께 모색해야 할 때다. 무엇보다 교회가 사랑의 공동체로서 지역 속에서 사람들을 묶어 주고 위로하며 외롭고 지친 이들이 영혼의 구원과 육신의 행복을 찾을 수 있도록 안식처가 되어 주어야 한다.

성경은 "사람이 친구를 위하여 자기 목숨을 버리면 이에서 더 큰 사랑이 없나니"(요15:13)라고 말한다. 죄로 죽을 수밖에 없는 우리를 위해 친히 자기 목숨을 십자가에 내놓으신 예수 그리스도의 사랑이 절실한 시대다.

(2016-03-17)

공유재와 성물

세금과 헌금 아끼는 것이 시민과 신앙인의 도리
하나님 물건을 소중히 여기는 실천 노력 필요해

'공유지의 비극'은 미국의 생물학자 가렛 하딘이 1968년 『사이언스』에 발표해 유명해진 이론이다. 목초지 같은 것을 공유하면 개인의 이기심 때문에 공유지가 망가지는 현상을 말한다.

'공유지의 비극'은 논술고사에 단골로 출제되는 지문이기도 한데, 개인이 자기 이익을 극대화하려고 공유지에 양을 많이 방목하려다 과잉경쟁을 불러와 목초지를 황폐화하고 모두에게 손해를 끼치는 상황을 보여 준다. 공유지의 비극을 막으려면 정부나 공동체가 법이나 제도를 마련해 각자의 권한과 책임을 분명히 해 주고 공유지를 약탈하지 않도록 통제해야 한다.

하지만 더 근본적인 해결책은 공유지를 이용하는 구성원이 공유지의 소중함을 인식하고 이기심을 억제하면서 공동체의 이익을 지키겠다고 마음먹을 때 나온다. 다시 말해 제도보다는 공동체의 것을 내 소유 이상으로 아낄 때 장기적으로 모두가 이익을 얻을 수 있다는 얘기다.

새삼스럽게 공유지의 비극을 언급한 것은 학교나 교회처럼 여러 사람이 모이는 장소에서 모두의 처분에 맡긴 자원이나 소비재를 무분별하게 낭비하는 일을 자주 보기 때문이다.

필자가 근무하는 대학의 각 건물에는 교수와 강사들이 강의 전후에 머물 수 있는 '교강사실'이 있다. 행정실은 교강사들이 마시라고 커피나 차를 갖춰 놓지만, 점심시간만 지나면 바닥이 난다. 음료수야 어느 정도 개인 소비의 한계가 있지만, 예컨대 건물 화장실의 휴지나 수돗물 등은 필요 이상으로 낭비되기 일쑤다. 강의실 전깃불이나 에어컨도 사용 후에 그대로 켜 두고 가는 경우가 많지만 이를 주의 깊게 살펴서 끄거나 일부러 살피는 사람은 많지 않다.

필자는 늦게 퇴근하는 날이면 연구실이 있는 건물에 사람이 없나 살펴서 화장실 전원을 끄고 귀가한다. 전체 건물을 다 그렇게 하지 못하더라도 바로 위아래 층을 살피고 점검하고 귀가한다. 이것은 필자가 자린고비라서 그런 것이 아니라 대학의 녹을 받는 교수이기 때문이다.

학교의 전기나 수돗물 같은 공유재는 결국 학생 등록금으로 충당하는 것인데, 이것을 낭비하면 학생들이 부담할 등록금이 늘어나고 결국 대학의 구성원 전체에게 손해를 끼치기 때문이다. 절약은 필자가 실천하는 작은 직업윤리 중 하나다.

교회에서도 화장실에서 손을 씻으면 티슈를 딱 한 장만 쓰거나 필자의 손수건을 사용하려고 일부러 노력한다. 그런데 필자처럼 공유재나 성물을 의식적으로 아껴야 한다는 생각이 생각만큼 널리 퍼져 있지는 않다. 오히려 직책이나 역할과 무관하게 큰 고민 없이 물이나 전기,

휴지 등을 거리낌 없이 낭비하는 모습을 자주 발견한다.

공유재를 함부로 낭비하고 공짜처럼 생각한다면 결국 부메랑처럼 사회 전체의 손해로 돌아온다. 교회 물건들은 성물이기에 경제적 손해를 넘어 죄가 될 수도 있다.

레위기를 읽어 보면 성물을 함부로 했을 때 제사장이 속건제의 숫양으로 속죄를 해 주어야 죄 사함을 받는다고 경고한다(레5:16). 공유지와 공유재가 공동체 구성원 모두가 지켜야 할 공공의 것이듯 교회 시설과 물건은 하나님께 드린 성물로 마련한 것이다. 불필요한 낭비로 교회의 재정을 새게 한다면 하나님의 물건을 도적질하는 것이다.

교회의 성물과 재산을 소중히 하고 지키려면 작은 것부터 실천하는 노력을 습관화해야 한다. '버려진 휴지와 낭비되는 물은 당신의 양심입니다' 같은 문구를 본 적이 있다. 마찬가지로 '훼손되고 낭비되는 성물은 당신의 영혼입니다'라고 말할 수 있다.

공유재와 성물을 아끼는 마음은 민주시민의 자질과 신앙인의 성숙도를 보여 주는 징표일 수 있다.

(2016-04-07)

인구감소, 대한민국의 위기

한국은 세계 속에서도 노령화 가장 빠르게 진행 중
미래 생존과도 직결되니 시급한 해결책이 필요해

유엔은 세계 인구가 50억 명을 돌파하던 1987년 7월 11일을 '세계 인구의 날'로 정했다. 세계 인구는 가파르게 증가하여 2100년이면 100억 명이 될 것으로 예상한다. 그런데 세계 추세와 반대로 우리나라 인구는 점점 줄고 있다. 한국은 2018년이면 인구절벽에 도달하고, 2100년경에는 지금보다 인구가 절반이 줄어들 것이라고 한다. 인구절벽이란 유년층 인구 그래프가 갑자기 절벽처럼 떨어지는 현상을 말한다. 이러다가는 런던의 한 연구소 예측처럼 인구감소로 말미암아 대한민국 자체가 사라질 수도 있다.

인구감소는 여러 문제를 발생시킨다. 요즘 대학가는 구조조정의 몸살을 앓고 있는데 2018년부터 학령인구가 대입정원보다 적어질 것으로 예측되기 때문이다. 2023년에는 학령인구보다 대입정원이 16만 1038명이나 많아 여러 대학이 문을 닫을 수밖에 없다.

학령인구가 줄어든다는 것은 경제활동에 종사할 생산가능 인구가 줄어든다는 말이다. 거기에 더하여 한국은 세계에서 노령화가 가장 빠르게 진행되는 나라다. 즉 일할 젊은 세대는 줄어드는데 부양받아야 할 노인이 기하급수적으로 많아진다는 얘기다. 인구가 감소하면 산업 규모가 축소하고, 소비가 줄어 기업들도 도산한다. 그리고 도시가 점차 소멸하는 와중에 남아도는 부동산이나 사회 인프라가 또 다른 문제를 낳는다. 폐허가 된 도시에 노인들만 둘러앉아 한숨을 쉬는 일이 현실화할 수 있다.

이웃 나라 일본을 보면 저출산, 고령화가 얼마나 끔찍한 재앙인지 잘 알 수 있다. 일본은 1989년부터 출산율이 떨어져서 도시가 슬럼화하고 있으며, 경제성장률도 급격히 하락하고 있다. 노령연금수령자는 가파르게 증가해서 노인빈곤과 국가재정이 위태로워지고 있다. 한국은 현재 출산율이 일본보다 낮아 문제가 더 심각하다. 한국은 20쌍이 결혼해 고작 아이 12명을 낳는다고 한다.

통설에 따르면 인구가 1억 명을 넘지 못하면 그 민족은 소멸할 위험이 있는데, 한국 청년들은 결혼 자체를 꺼리고 있다. 당면한 여러 문제가 있지만 시급히 인구문제 해결책을 세우지 않으면 우리나라 경제가 곤두박질칠 뿐 아니라 인구학자들의 경고처럼 나라 자체가 없어질지도 모른다.

지금처럼 정치권이나 정부가 강 건너 불구경하듯 말로만 대책을 세우지 말고 현실적이면서 실현 가능한 대책을 세워 인구절벽 문제를 해결해야 한다. 그렇지 않으면 정말 회복 불가능한 상황이 발생할 수 있다.

물론 결혼이나 출산에 대한 생각을 바꾸는 게 중요하지만 급한 것은 저출산 현상을 낳는 사회.경제적 문제를 정부와 사회가 적극적으로 해결하는 일이다. 청년실업 증가나 사회복지제도의 불완전성이 결국은 결혼이나 출산에 심리적 제약으로 작용하기 때문이다.

따라서 개인의 의지에 호소할 것이 아니라 범정부적 대책을 세워야 한다. 프랑스는 한때 인구감소로 큰 위기를 겪다가 대통령 직속기관으로 <인구 및 가족정책 고등위원회>를 설치하는 등 총력을 기울여 현재는 유럽에서 출산율이 높은 나라가 되었다.

성경에 보면 족장들이 자녀에게 축복할 때 항상 자녀가 하늘의 별처럼 번성할 것을 빌어준다. 아기를 많이 낳아 인구가 늘어난다는 것은 그 나라가 장차 생존하고 미래에 강력해진다는 긍정적인 신호다.

최근 우리나라는 경제침체 여파까지 겹쳐 나라 전체가 활력을 잃어 가고 있다. 이제 인구문제와 고령사회 해소는 우리 생존을 위해 무조건 해결해야 할 가장 시급한 과제다. 시민, 지자체, 정부, 그리고 교회가 다 같이 이 나라의 기적적인 부흥을 위해 기도하고 힘을 모아야 할 때다.

(2016-05-17)

지금은 기도하고 부흥 운동에 나설 때

정교분리는 고수해야 하지만 나라 사랑에 더 앞장서야
위기 앞에 절박하게 부르짖는 미스바 기도운동 필요해

이슬람을 국교로 채택한 중동이나 북아프리카의 국가를 제외한 대부분 나라는 정교분리(政敎分離) 원칙을 지키고 있다. 정교분리란 제도적으로나 이데올로기적으로 정치와 종교가 독립성을 지키고 서로 영역에 간섭하지 않는 것을 말한다.

대통령이 성경에 손을 얹고 취임선서를 하는 미국이나 기독교 전통이 강한 유럽은 물론 아시아 국가 대부분도 이 원칙을 철저히 지킨다. 정교분리는 국가권력이 종교의 자유를 함부로 침해하거나 간섭하고 종교가 국가운영에 개입하는 것을 막기 위한 목적으로 마련된 원칙이다. 우리나라 헌법도 종교 자유와 국가 중립성에 기초한 정교분리 원칙을 지지한다.

그러나 정교분리를 너무 형식적으로 이해해 교회나 교인은 정치적 사안에 대해 일절 관심을 두지 않거나 국가에 문제가 생겼을 때 종교가 이를 외면하고 사회운명에 무심해도 좋다는 식으로 받아들이면 곤란하다. 인간은 사회를 떠나 살 수 없을 뿐 아니라 공동체에 위기가 발생하면 그 구성원들의 생존도 위협을 받기 때문이다.

또 정치는 사회 갈등과 문제를 해결하고 서로 관계를

조정하는 과정이기에 인간은 불가피하게 정치적일 수밖에 없다. 오히려 기독교인은 자기가 속한 사회 구성원으로서 선한 의무를 다해야 할 뿐 아니라 위기 시에는 더 앞장서야 한다.

일제 치하 기독교가 중심이 된 독립운동은 이런 모습을 잘 보여 준다. 3.1운동 당시 개신교인 인구는 전 인구의 1.5%인 약 24만 명에 불과했지만, 독립운동에 적극 참여했을 뿐 아니라 이를 주도했다.

일설에 의하면 만세운동은 고종 황제의 장례일인 3월 3일 전날로 예정되었으나 그날이 주일이었기에 기독교계의 요청으로 3월 1일(토)에 진행했다고 한다.

또 기록에 따르면 삼일운동에 관련되어 체포된 사람 1만 9525명 중 기독교인이 17.6%였고, 일제의 보복을 가장 많이 당한 곳도 교회였다. 열여섯 꽃다운 나이에 체포되어 감옥에서 모진 고초를 당하다 죽은 유관순은 대표적 3.1 열사다.

민족주의 운동과 신사참배 반대운동에도 교회가 적극적이었는데 우리가 잘 아는 주기철 목사는 신사참배를 거부하다 옥중에서 순교했다. 평양의 민족지도자 조만식 선생은 조선물산장려운동과 언론운동에 기여했고, 해방 이후에는 조선민주당을 창당해 반탁운동을 전개하다 죽임을 당했다.

해방 이후 평안도에서는 기독교 민족주의 주자들이 정치적 주도권을 가졌으며 교육과 계몽운동에 앞장섰다.

대한민국 정부의 주축도 신식교육을 받고 새로운 자산가 계급을 형성한 기독교 엘리트층이었고, 자유민주주의 원리를 채택한 건국헌법에 기독교 정신이 큰 영향을 미쳤다. 기독교는 반공과 자유주의 이념 정립에 기여했을 뿐 아니라 독재 시절에는 인권과 민주주의 회복을 위해 싸우기도 했다.

이처럼 한국 기독교는 정교분리의 원칙을 지키면서도 나라를 잃었을 때는 주권회복에 몸을 사리지 않았고, 해방 후에는 민주주의 확립과 새로운 사회 건설에 누구보다 앞장섰다. 도움과 원조가 필요한 곳에도 많은 이가 달려가 몸을 바쳤다.

최근 우리 사회는 경제, 안보, 환경 등의 위기 심화와 더불어 사회윤리의 타락과 범죄가 극성을 부리고 연일 터지는 사건·사고로 사회 분위기가 어수선하다. 사회의 위기가 구조적으로 심화하면서 국민의 불안감이 커지고 있지만 누구 하나 해결책을 제시하지 못하고 있다.

아직 총체적 파탄에 이르지는 않았지만 파국의 징후들이 연일 불거지고 있다. 풍전등화의 위기에서 절박하게 하나님께 부르짖은 미스바의 이스라엘 백성처럼 교회와 성도들이 기도하고 부흥의 몸짓을 시작할 때다. 교회는 파수꾼이기도 하기 때문이다.

(2016-06-08)

음란은 땅을 더럽히는 죄

최근 성폭력 범죄 발생 빈도 늘고 죄질도 점점 나빠져
성 문제에 대해 엄격한 가치관과 불관용 원칙 필요해

2013년 한 해 우리나라에서 발생한 성폭력 범죄는 2만 8786건이다. 이 통계를 따르면 30분마다 성폭력 범죄 1건이 발생한다.

최근에는 오지 섬에 부임한 미혼 여교사를 학부모 포함 동네 주민 3명이 성폭행한 사건이 발생해 국민의 공분을 샀고, 학교 담당 경찰관이 상담하며 관리하던 여고생과 성관계를 맺어 물의를 빚기도 했다. 성폭력이나 성범죄 관련 기사가 하루가 멀다 하고 보도되고, 유형도 천차만별이다.

특히 성범죄 중 죄질이 나쁜 것은 자기 보호 능력이 없고 성에 관해 잘 알지 못하는 아동을 유린하는 범죄인데, 우리나라는 하루 2건 이상 수사기관에 집계된다고 한다.

하루가 멀다 하고 쏟아지는 성 관련 뉴스를 보다 보면 정말 대한민국이 이 정도로 성적 타락이 극심한가 싶은 자조감이 든다. 또 전에는 성범죄를 소수의 은밀한 문제처럼 간주했지만 오늘날은 공적 장소는 물론 가정까지 퍼져 거의 모든 곳에서 성범죄가 불거지고 성 범죄 당사자도 평범한 사람이 많다. 한 사회의 건전성을 가늠해 볼 수 있는 척도가 바로 성에 관한 가치관이나 성범죄를 단죄하는 사회적 불관용이다.

오늘날 인류의 성적 타락은 소돔과 고모라 시대를 능가할 정도로 일반화되고 있는데 우리나라는 특히 심각하다. 법이나 치안이 잘 확립된 나라에도 성범죄가 없을 수는 없지만, 우리나라는 그것이 너무 일상화돼 오히려 성 문제에 둔감해지고 있다.

최근 동성애 비판과 저지에 한국 교계가 힘을 모으면서 성 윤리가 사회의 건강함과 하나님의 심판 여부를 가늠하는 기준이라는 공감대를 많이 확산하고 있다. 하지만 동성애 이외에도 아동 성범죄, 몰래카메라, 성추행이나 강간, 음란물, 매매춘과 향락산업 등 성 윤리와 성 문제가 개입되는 영역이 많은데 이런 것에는 교회도 상대적으로 소홀하다.

대학가에서는 몇 년 전부터 성 관련 문제에 대해 엄격한 잣대와 기준을 세우고 있고, 구성원들이 부지중에 문제를 일으키지 않도록 교육과 상담을 제도화하고 있다. 대학교수나 직원도 예전에는 형식적 교육으로 시늉만 하다가 최근에는 전문 강사를 초빙해 한 학기에 한 번 이상 성범죄 예방교육을 의무적으로 실시한다.

성교육은 그 형태가 어떠하든 참여자들이 잠재적 가해자처럼 느낄 수도 있어 썩 유쾌하지는 않지만, 필자의 경험으로는 이런 형태의 각성과 교육은 꼭 필요하다. 성 문제를 심각하게 생각할 수 있는 계기가 되기 때문이다. 성 문제나 성적 타락에 대해 좀 더 제도적인 방책을 철저히 해야 한다.

또 성 문제를 공론화하면서 성적 방종을 낳는 문화에 대해서 경계해야 할 필요가 있다. 예컨대 성을 상품화하면서 즐기거나 성적 일탈이나 방종을 개인의 자유라고 생각하는 상대주의 가치관을 비판해야 한다.

아직 우리 사회에서는 음주와 성적 향락을 자연스러운 접대의 한 양태처럼 바라보는 경향이 있다. 성 문제가 불거지면 그럴 수도 있지 하며 쉬쉬하고 일단 덮으려고 한다. 그러나 성범죄는 이런 관용의 토양에서 싹이 튼다. 인간의 자연스러운 성정이나 욕망을 긍정하면서 성적 향락을 불가피하게 인정하는 세상 윤리와 달리 하나님의 절대 의를 강조하는 기독교적 사고관은 모든 형태의 성적 타락에 대해 비판적이다.

“하나님의 뜻은 이것이니 너희의 거룩함이라 곧 음란을 버리고”(살4:3).

성적 음란이나 행음은 하나님의 영이 깃든 사람 자체를 성적 도구로 변질시키면서 그것을 즐기는 사람의 영혼은 물론 그들이 사는 땅까지 더럽히는 심각한 범죄다. 성 문제의 심각성을 사회 전체가 고민하면서 우리 사회를 건강하게 만들기 위해 대책을 세워야 한다.

(2016-07-04)

갑자기 최후의 순간이 온다면(?)

생사화복의 주관자는 오직 하나님이심을 명심하여
후회 없는 삶을 위해서라도 항상 죽음을 대비해야

인터넷을 검색하다가 우연히 자동차 사고 영상을 보았다. 8월 2일 부산 감만동에서 일가족 5명이 타고 가던 SUV 차량이 길가에 주차돼 있던 트레일러 차량을 들이받아 생후 2개월과 3세 아이, 엄마, 할머니가 숨지고, 운전자가 중상을 입는 사고가 발생했다. 공개된 블랙박스 영상을 보면 차 속도가 갑자기 빨라지자 운전자가 당황해 "아이고 차가 와 이라노" 하고 소리치고, 뒤에 앉은 여성이 "아기, 아기, 아기. 아이고" 하는 절규가 들리지만 끝내 차를 세우지는 못했다.

신문기사를 보니 사고 운전자가 오랫동안 택시 운전을 한 사람이고, 차가 통제 불능인 것 같은 상황을 보여 급발진이나 차량결함이 의심된다고 한다. 사고 원인은 조사를 하겠지만 여하튼 안타깝고 허무한 죽음이다. 사고 동영상은 대략 14초 정도지만 죽음 직전의 절박하고 두려운 느낌이 생생하게 느껴진다. 짧은 시간이지만 차에 탔던 당사자들에게는 그 순간이 엄청 길었을지 모르고, 죽기 직전 순식간에 많은 생각을 했을지도 모른다.

우연히 죽음 직전까지 갔다가 살아 온 사람들의 경험담을 들어 보면, 짧은 순간 자신의 인생이 파노라마처럼 펼쳐지기도 한다고 한다. 사고를 당한 분들이 마지막까지 자기들이 안고 있던 아기를 걱정했는데, 만약 나라면 그런 순간 무슨 말을 했을까 생각해 보았다.

필자의 친한 친구도 2012년 늦게 일을 마치고 택시를 타고 귀가하다가 급발진이 의심되는 교통사고로 사망했다. 당시 TV에서 택시 속도가 순식간에 100킬로 가까이 상승하고 요리조리 장애물을 피하면서 질주하다 벽을 정면으로 들이받는 장면을 보았다. 끔찍한 사고 장면을 보면서 택시가 질주하는 동안 친구가 얼마나 두렵고 많은 회한과 가족들에 대한 걱정이 있었을까 생각하며 비통해했다. 당시 그는 한창 연극 연출가로 활동하며 본격적으로 이름을 알리기 시작했고, 중학생 아들과 부인이 있었지만 모든 것을 두고 속절없이 천국으로 떠났다.

죽음은 이처럼 예고 없이 찾아오기도 한다. 그러나 인간은 언젠가 죽을 운명이라는 것을 알면서도 천년만년 살 것처럼 세상의 재물, 명예, 권력들에 집착하고, 죽을 때 후회할 일을 거리낌 없이 저지르면서 산다. 참 어리석고 미련한 존재이지만 고쳐지지 않는 모습이기도 하다.

고대 로마에서는 전쟁에서 승리한 장군이 네 마리 백마가 이끄는 전차를 타고 화려하게 입성하는 개선식 관습이 있었다. 개선식 당일에 개선장군은 살아 있는 신처럼 한 몸에 영광과 찬사를 받는데, 재미있는 것은 개선 전차에 비천한 노예가 같이 탑승한다는 사실이다. 이 노예의 임무는 백성들의 환호를 받는 개선장군에게 끊임없이 '메멘토 모리(memento mori, 네가 죽는다는 것을 기억하라)'라고 속삭이는 것이다. 개선장군이지만 언젠가 죽는 존재라는 것을 알고 겸손하게 행동하라는 것을 일깨우는 풍습인데 로마인들의 지혜를 엿볼 수 있다.

필자도 사회에서 활발하고 중요한 활동을 하는 다른 중년들처럼 2015년까지 앞만 보고 열심히 살아왔다. 죽음, 병, 재난, 환난은 나와 무관한 일이고, 불행을 당한 사람들을 보면 동정하면서도 내가 처한 상황은 다르다고 믿어 왔다. 올해에는 1월부터 여러 가지 계기로 그간의 나의 모습에 대해 많은 회개와 반성을 하며 겸손히 기도 중이다.

성경은 “사람이 마음으로 자기 길을 계획할지라도 그 걸음을 인도하는 자는 여호와시니라”(잠16:9)고 말한다. 기독교의 믿음은 생사화복(生死禍福)의 주관자가 내가 아니라 절대자 하나님임을 고백하는 것이다. 삶에 온전히 충실하고 후회를 남기지 않기 위해서라도 ‘메멘토 모리’와 최후 심판을 늘 기억해야 한다.

(2016-08-08)

자살은 하나님에 대한 명백한 범죄다

죽음의 문제는 인간이 좌지우지할 것이 아니니
언제 어디서나 당당한 그리스도인으로 살아야

지난 8월 26일(금) 롯데그룹 부회장이 검찰 소환을 앞두고 스스로 목숨을 끊었다. 그는 은퇴 후 여생을 보낼 목적으로 자주 찾던 경기도 어느 산책로에서 목을 매 인생을 마감했다. 그간 적지 않은 사회 저명인사들이 검찰 수사를 앞두거나 조사 도중에 자살한 일이 많아 이런 비극이 새삼스럽지 않다.

사회적으로 성공한 사람들은 어느 날 갑자기 비리 혐의로 수사 대상에 오르면 평생 쌓아 온 명예가 실추돼 하루아침에 나락으로 떨어지지 않을까 하는 두려움을 일반인보다 훨씬 크게 느낀다고 한다. 또 자신이 속한 조직에 누를 끼치면 안 된다는 중압감도 커서 자살로 어려움을 회피하려는 충동적 행동을 나타내기 쉽다.

작고한 이 부회장은 기독교 신자로 알려졌고, 평소 낙천적인 사람이어서 주변에 주는 충격이 컸던 모양이다.

언뜻 보면 죽음을 통해 모든 허물과 죄를 책임지고 명예도 지키는 것 같지만, 사실 자살은 그 목적이 어떠하든 범죄이고, 책임 있는 행동이 아니다. 유다는 예수를 판 후 자기 잘못을 깨닫고 자신이 무죄한 피를 팔았다고 한탄하면서 목을 매어 죽었지만 저주받은 자로 성경에 기록되었다. 압살롬의 반역을 돕다 자신의 실패를 깨닫고 고향에 돌아가 자살한 아히도벨도 마찬가지다.

자살은 생명의 주관자이신 하나님에게 도전하는 행위이며, 속죄를 구하는 겸손한 행동과는 거리가 멀다. 진정 용기가 있다면, 베드로처럼 예수를 세 번이나 부인했지만 자기 잘못을 회개하고 남은 인생을 그 빚을 갚기 위해 산 것처럼 살아야 할 것이다.

인간 윤리로 판단할 때도 범죄 혐의자가 자살하는 것은 숭고한 행동이 아니라 범죄 혐의를 덮고 조직을 감싸려는 이기적 행동이다.

자살에 대한 많은 논의와 주장이 있다. 고대 키레네학파 같은 쾌락주의자들은 쾌락을 최고 선이자 인생 목적으로 추구하면서 결국 고통을 피하는 방법은 인간적 한계를 넘기 위해 죽는 것이라고 역설했다.

실제로 고대 철학자 헤게시아스는 자살을 권장했고, 많은 사람이 그 영향으로 스스로 목숨을 끊었다. 프랑스 문필가 장 아메리는 자살은 자유의지에 따른 결정이므로, '자유로운 죽음'이라고 말하기도 했다. 유명 작가 중에서도 자살한 사람이 많다.

분명 인간에게는 여러 가지를 선택할 수 있는 자유의지가 있다. 때로는 사는 것보다 죽음이 더 명예롭거나 심지어 대중적인 찬양을 받기도 한다.

예를 들어 일제 침략을 규탄하며 대한 독립을 위해 헤

이그 밀사로 싸우다 일제의 방해로 뜻을 이루지 못하자, 한을 남긴 채 순국한 이준 열사 같은 분이 있다.

하지만 자살자 상당수는 대의를 위한 희생보다는 자신이 당면한 문제로 괴로움과 고통을 겪다가 거기서 벗어나려고 죽는다. 설사 자신이 속한 조직이나 특정 비밀을 지키려고 죽는다 할지라도 그것은 결국 사람의 목숨을 도구처럼 대하는 희생주의 사고의 연장일 뿐이다.

이번 롯데그룹 이 부회장 같은 경우도 그가 남긴 유서처럼 비자금도 없고, 사측에 아무 잘못이 없다면 죽을 것이 아니라 검찰 수사를 받아 그 진실을 밝히려고 노력했어야 한다. 죽음으로 모든 것을 덮은 게 아니라 의구심만 더 키운 게 이번 자살의 본질이다.

진정 하나님의 영광과 복음을 위해 사는 크리스천들은 어떠한 경우에도 자살이나 성경이 금하는 극단적 행동을 삼가야 한다. 그리고 세상 삶에서도 공동체와 역사에 대해 진실하고 윤리적으로 떳떳해야 한다. 죽음에 대해서 인간은 늘 겸손해야지, 그것을 내가 좌지우지할 수 있는 것처럼 생각하면 안 된다.

(2016-09-22)

말은 그 사람의 인격을 대변한다

미 대선 운동을 보면서 기독교인들은 언행에 더 조심해야

올해 치러지는 미국 대통령 선거에 초미의 관심이 집중되고 있다. 9월 26일 1차 TV토론은 전 세계 8400만 명이 시청했다고 한다. 누가 미국 대통령이 되느냐가 국제 정세와 각국 외교 정책에 중요하기도 하지만, 열기가 고조되는 이유의 상당 부분은 기존 대통령 후보와 너무나 격 (格)이 다른 도널드 트럼프에 대한 흥미와 우려 때문일 것이다. 애초 사람들은 정통 공화당 지지자들에게도 거부감이 많은 트럼프보다 힐러리가 절대 우세를 보일 것으로 예상했다. 하지만 선거 유세가 본격화되면서 팽팽한 접전이 계속되고 있다.

트럼프는 상대에게 막말과 야비한 공격을 쏟아내기로 유명하다. 이번 대선 토론에서 민주당 후보 힐러리는 트럼프의 여성에 대한 막말 부분을 물고 늘어져 상당한 재미를 봤다.

트럼프는 우리나라에 대해서도 "미군이 돈 잘 버는 한국을 돕는 것은 미친 짓이다"라고 발언해 한 국이 주한미군 방위비를 한 푼도 안 낸다고 사실을 왜곡하기도 했다. 또 멕시코 이민자를 성 범죄자로 단죄하고, 여성을 개·돼지로 부르거나 외모를 들어 모욕적인 성적 폄하를 하기도 했다.

상식적 사회라면 이렇게 막말을 쏟아내고, 정치를 코미디처럼 만드는 트럼프 같은 사람의 대선 도전은 해프닝에 그칠 것이다. 하지만 그는 지금 전통을 자랑하는 공화당의 정식 후보이고 지지율도 만만치 않다. 정치인은 선거와 유명세에 목숨을 걸기에 대중의 주목을 받고 자기편을 열광시키려고 의도적으로 막말하거나 선동을 일삼는다. 하지만 트럼프처럼 거침없이 막말 퍼레이드를 벌이는 경우는 그리 많지 않다. 흥미를 끈 자극적인 발언들이 나중에 자기 목을 조이기 때문이다.

선거로 심판을 받겠지만 트럼프처럼 선거 승리를 위해, 그리고 본인의 정치적 소신을 관철하기 위해 막말과 눈살 찌푸리는 행동을 하는 사람을 용납할 수 있을까? '트럼프'가 미국에만 있는 것이 아니다. 우리나라 정치인 중에도 수준을 의심하게 할 정도로 막말을 퍼붓거나 상대에게 비열하고 자극적인 공격을 가하는 사람 들이 적지 않다. 올 초 한 시민단체가 19대 국회의원 활동에 대한 신문, 방송 기사를 분석한 결과, 의원 73명이 122건의 막말로 여론의 지탄을 받았다고 한다. 정치적 견해가 다르고 정파적 이익이 중요하다고 사회적 관계에서 통용될 수 있는 최소한의 예의를 보여 주지 못하고 상대를 송두리째 부정하는 막말을 이해해 주긴 어렵다.

막말은 기업인, 공직자, 교육자 같은 사회 오피니언 리더들에게도 볼 수 있지만 우리 주변에서도 흔하다. 국립국어원 실태조사에 따르면 우리나라 청소년이 사용하는 일상적 언어 80% 이상이 욕설, 비속어, 조롱을 포함한다고 한다. 심지어 가정, 학교, 직장, 군대에서도 언어폭력 때문에 피해가 급증하고 있다. 또 인터넷에서 악성 댓글 때문에 대인 기피증에 걸리거나 자살하는 일도 벌어진다. 이 정도라면 가히 '막말 사회'다.

언어폭력은 물리적 폭력보다 더 심하고 치명적인 트라우마를 남기거나 영혼을 파괴하기도 한다. 그것이 지속해서 기억에 남아 작용하기 때문이다. 인간은 누구나 자기 존재에 대한 집착과 자존감이 있다. 폭언이나 막말은 이 민감 한 부분을 건드리기 때문에 그 폐해가 심각하다. 성경은 "형제를 대하여 라가(바보, 머저리) 라 하는 자는 공회에 잡히게 되고 미련한 놈이라 하는 자는 지옥 불에 들어가게 되리"고 말하며 막말을 엄중한 죄로 단죄한다(마5:22). 사람은 하나님의 형상대로 창조된 고귀한 피조물이다. 함부로 막말을 일삼는 것은 자기 영혼을 더럽히는 일일 뿐 아니라 상대를 파탄시키는 용서 못할 범죄다. 트럼프의 막말 파동을 우리 기독교인들도 반면교사로 삼아야 한다.

(2016-10-11)

병든 영혼과 병든 사회의 치유

우리 영혼과 사회가 병든 이유는 악한 영의 미혹 때문
사회가 어수선할수록 악한 영이 역사하지 않도록 성도들은 기도해야

살다 보면 병에 걸려 고통을 당할 때가 있다. 사전에 의하면 병은 '살아 있는 생명체의 신체 전부 혹은 일부가 일시적이거나 만성적인 장애를 일으켜 정상적인 기능을 발휘하지 못하는 상태'를 말한다. 병은 바이러스나 세균 같은 외부 병원체가 동물이나 인체에 침입해 일으키는 '감염성 질환'과 당뇨처럼 내적 원인에 의해 발생하는 '비감염성 질환'으로 나뉜다. 의학 지식이 없더라도 상식적으로 생각할 때 병은 신체 균형이 깨지고 기능에 장애가 생기면서 정상생활이 불가능하거나 고통받는 상태라고 정의 할 수 있다. 건강했던 사람이 병에 걸리면 건강이 얼마나 소중하고 축복인지를 절실하게 깨닫는다.

역사적으로 볼 때 감염성 질환은 사회 근간을 크게 흔들기도 했다. 우리 몸은 외부 환경에 잘 적응하고 균형을 유지하지만 낯선 세균이나 바이러스에 노출되거나 면역력이 떨어지면 병에 걸린다. 신종 바이러스가 출현하면 유행성 질병 때문에 수많은 사람이 한꺼번에 목숨을 잃기도 하고 이것은 전쟁 같은 인위적 재앙보다 더 치명적으로 작용하기도 한다. 실제로 1918년 창궐한 스페인 독감은 약 5000만 명이나 되는 생명을 앗아갔다. 전쟁 때문에 죽은 사람보다도 병으로 죽은 사람이 더 많다. 최근에도 신종플루, 조류독감, 메르스 같은 질병이 출현하면서 사회를 불안하게 했다.

하지만 바이러스가 창궐한다고 모든 사람이 병에 걸리지는 않는다. 인간은 아무리 손을 깨끗이 씻고 주변을 청결하게 하더라도 눈에 안 보이는 수많은 세균, 바이러스, 기생충에 둘러싸여 산다. 그런데도 병에 걸리지 않는 것은 스스로를 보호하면서 병원체에 맞서는 면역 시스템이 작동하기 때문이다. 그러나 어떤 이유로 면역 기능이 약해지면 사소한 병원체가 침입하더라도 속수무책으로 고통받거나 심하면 죽기도 한다. 암 같은 질병도 따지고 보면 암세포를 죽이고 증식을 억제하는 면역 기능이 제 역할을 못하고 저하됐기 때문에 발생하는 것이다.

그러므로 병을 예방하거나 치료하려면 위생이나 의학도 중요하지만 결국 몸의 면역력을 기르는 게 제일 좋은 방법이다. 그리고 몸의 균형이 깨지지 않도록 먹는 것에 신경 쓰고, 적절하게 운동해서 몸을 건강하게 유지해야 한다. 아무리 의학이 발달하고 문명의 기술이 좋아져도 모든 병원체를 원천 차단하거나 제거하는 것은 불가능하기 때문이다.

몸의 질병과 마찬가지로 영혼의 병도 비슷하다. 병원체에 해당하는 악한 영의 지배를 받아 영적 생명이 제 기능을 발휘하지 못할 때 '영적으로 병들었다'고 말한다. 성경은 악한 영과 사단의 지배에 끌려 들어가는 것을 '미혹'이라고 표현한다. 우리가 사는 세상 자체가 공중권세 잡은 마귀 사단의 지배하에 있기 때문에 깨어 근신하지 않으면 미혹되기 쉽고 자신의 영적 상태를 바로 알기도 어렵다. 사회가 갈수록 악해지고 풍속이 타락하며 각종 범죄가 기승을 부리는 것도 미혹 때문이다. 성경은 이런 모습이 나타나는 것은 인간이 불순종의 아들들 가운데 역사하는 영을 따르기 때문이라고 말한다(엡 2:2).

최모 씨 국정 농단 게이트로 나라가 온통 어수선하다. 사이비 종교의 영향력 때문에 그렇다는 충격적 보도도 있다. 국정 시스템이 제대로 작동하지 못하면서 국민의 불안과 불신이 커지고 있는 미혹의 상태다. 신체에 비유하면 몸의 면역력과 균형이 깨진 것이다. 건강한 사람은 병에 전혀 걸리지 않는 사람이 아니라 병원체에 감염되어도 이에 저항하고 잘 이겨 내면서 빨리 균형을 찾는 사람이다. 사회의 질병도 더 치명적으로 발전하지 않도록 잘 이겨 내면서 건강한 사회의 기능을 되찾아야 한다. 지금은 악한 영의 기운이 대한민국을 접수하지 않도록 예수 믿는 사람들이 더 기도하면서 미혹을 예방하는 면역체 역할을 감당해야 한다.

(2016-11-09)

말세와 난세에 다시 생각하는 정명론

정명을 회복해 사회 무사안일과 도덕불감증을 바로 잡아야
사명을 감당하고 깨어 있는 것이 말세 교인의 자세

공자의 대표 사상인 '정명론(正名論)'은 '이름을 바로 잡는다'는 뜻을 가지고 보통 유교적 신분 질서와 통치를 정당화하는 이론으로 활용되었다. 정명론은 제나라 경공이 공자에게 정치의 본질을 물었을 때 공자가 "임금은 임금답고 신하는 신하답고 부모는 부모답고 자식은 자식답게"라고 말한 것에서 그 실천적 의미를 잘 드러낸다. '이름을 바로 한다'는 것은 자기 본분에 충실하면서 대의명분을 분명히 하는 아주 중요한 일이다.

공자의 사상은 보수적이고 위계적으로 보이지만 거꾸로 임금이 임금답지 못하거나 부모가 부모답지 못하면, 그리고 신하나 자식이 해야 할 도리를 다하지 못하면 그에 맞는 대우를 받지 못하거나 심하면 쫓겨날 수도 있다는 혁명성을 내포하고 있다. 실제로 맹자는 공자의 정명론에 근거해 역성혁명, 즉 신하가 임금을 몰아내고 새 왕조를 여는 정변을 옹호하기도 했다. 맹자가 역성혁명을 두둔했으므로 조선 초에는 <맹자>를 금서로 정하기도 했다.

최근 최순실 국정농단 사건 탓에 온 나라가 어지럽다. 따지고 보면 이 사건이 그리 큰 여파를 몰고 온 것도 대통령과 그를 보좌하는 공직자가 자신에게 주어진 역할과 책임을 못하고 오히려 아무 권한이나 법적 지위가 없는 사람들을 국정에 개입하게 했기 때문이다. 큰 조직이든 작은 조직이든 조직을 운영하고 공동 목표를 실현하려고 지도자들을 세우고 그들에게 특정한 임무와 권한을 주는데, 이를 소홀히 하면 어떤 일이 벌어지는지를 작금의 사태가 잘 보여준다. 당사자들이 어떤 변명을 하더라도 자기 이름에 충실하지 못한 점에 있어서 합당한 책임을 물어야 한다.

하나님이 당신을 찬미하게 하려고 지은 천사가 자기 지위를 지키지 아니하고 처소를 떠나면서(유1:6) 대적 마귀와 사단이 되었다. 이사야 14장을 보면 이들은 자신들의 보좌를 높여 가장 높은 구름에 올라 창조주 하나님과 비기려고 했다. 그 결과 큰 날의 심판까지 영원한 결박에 묶여 흑암에 갇혔다. 성경에 따르면 죄는 결국 자기 지위를 소홀히 하거나 자신이 감당해야 할 사명을 배신하는 행동이다. 아무런 유익을 남기지 못하고 도로 한 달란트만 가져온 종을 주인이 책망한 것도 같은 맥락이다.

공자의 정명론이나 타락한 천사 이야기는 현재 벌어진 시국 문제는 물론 말세를 사는 모든 기독인들에게도 시사해 주는 바가 크다. 정도 차이는 있지만 누구나 자기 자리와 이름이 있다. 통치자들에게 이름에서 나오는 본분과 권한이 있듯, 모든 사회 조직과 가정에도 자기 역할이 있으므로 각자는 자기 명(名)에 충실해야 한다. 특히 자신이 한 집단의 책임자라면 그에게 주어진 책임은 더욱 크다. 그러므로 혹시라도 자신이 자기 자리에 합당하지 않다면 그 자리에 욕심을 내서는 안 되고 어떤 역할이 주어졌다면 최선을 다해야 한다. 이번 국정농단 사태를 정치적으로 큰 후유증 없이 해결하는 것도 중요하지만 무엇보다 우리 사회에 만연한 무사안일과 도덕불감증을 바로 잡는 계기로 삼아야 한다.

12월이면 교회도 신년에 감당해야 할 직분을 주고, 새기관과 조직을 구성한다. 혹시라도 자기가 속할 조직이나 직분이 없다면 나중에 천국도 열외가 되어 바깥으로 밀려날지 모른다. 미혹이 기승을 부리는 말세에 자기 자리를 떠나지 않고 사명을 감당하도록 경각심과 사명의식을 가져야 한다.

맡은 자들에게 구할 것은 충성(고전4:2)이라고 하였다. 교회와 가정, 사회와 국가에서 우리는 다양한 이름과 본분을 부여받는다. 올 한 해 자기 정명에 충실했는지 반성하면서 마음가짐을 새롭게 해 새해를 준비하자.

(2016-12-08)

하나님은 작은 일에 충성된 자를 쓰신다

중직일수록 주차 · 예배 질서 등 소소한 일들에 더욱 신경 쓰고 주님 심정으로 성도 배려해야

대체로 한국 사람들은 작은 것보다 크고 화려한 것을 좋아하며, 내실보다는 외양과 겉으로 드러난 성과에 신경을 쓴다. 옷도 고급이어야 하고, 소지품도 최신 명품이어야 하며, 가난한 것보다 부한 씀씀이를 좋아한다. 그래서일까. 사람도 섬세하고 꼼꼼한 성격보다 통 크고 대범한 성격을 더 좋아한다. 소인배, 소심함, 자린고비, 꽁생원, 강박 등은 다 부정적인 어감을 준다. 물론 통 크고 속 넓은 것은 좋은 일이지만 그것이 지나쳐 겉치레만 신경 쓰고 작은 것을 무시한다면 재앙이다.

예컨대 인명과 재산 피해를 일으킨 수많은 사고를 보면 작은 점검에 소홀하고, 닥쳐올 위험을 대범하게(?) 무시해서 생긴 경우가 대부분이다. 사건 사고 보도에서 천재지변이라 어쩔 수 없었다는 보도는 거의 본 기억이 없다. 오히려 사전에 이러저러한 일에 소홀하고, 무사안일한 사고방식으로 점검을 게을리해서 대형 사고가 발생했다는 비판이 일반적이었다.

새해에는 우리 사고방식을 근본적으로 바꿔야 한다. 작은 일부터 실천하고 작은 일부터 변화시키는 것이 절실하다. 특히 영혼의 때를 위해 사는 기독인들에게는 작은 일을 소중히 생각하는 것이 습관처럼 자리 잡아야 한다.

성경을 읽어 보면 항상 큰 것보다 작은 것, 대범함보다 섬세함, 큰 충성보다 작은 충성, 큰 사람보다 작고 보잘것없는 사람을 더 강조한다. "지극히 작은 것에 충성된 자는 큰 것에도 충성되고 지극히 작은 것에 불의한 자는 큰 것에도 불의하니라(눅16:10)"나 "누구든지 이 계명 중에 지극히 작은 것 하나라도 버리고 또 그같이 사람을 가르치는 자는 천국에서 지극히 작다 일컬음을 받을 것이요 누구든지 이를 행하며 가르치는 자는 천국에서 크다 일컬음을 받으리라(마5:19)"는 말의 의미가 그것이다. 세상에서는 크고 눈에 확 띄는 것에 사람들이 가치를 부여하지만, 하나님 나라의 법칙과 질서는 때로 지나칠 정도로 섬세하고 소심할 것을 요구한다. 사내답고 활달하며 큰 사냥감을 즐겨 잡았던 에서보다 집에서 어머니를 돕고, 양을 키울 때도 한 마리 한 마리를 악착같이 챙기는 여성 같던 야곱에게 장자권이 넘어간 것은 상징하는 바가 크다. 하나님이 이스라엘의 왕으로 선택한 사람도 키 크고, 잘생기고, 큰일(?)에 종사한 형들이 아니라 하찮은 목동 일에 최선을 다한 작은 아이 다윗이었다. 그의 내면의 충심과 겸손함을 보셨기 때문이다.

교회에서 중책을 맡아 큰일을 하는 사람일수록 오히려 큰 것보다 작은 것에 충실하고 작은 자부터 배려해야 한다. 예를 들어 자기가 맡지 않은 교인에게도 필요하면 먼저 인사를 하거나 상처받지 않게 배려하려는 소심함, 출입하는 모든 곳을 깨끗이 하고 점검하는 강박적 안타까움, 성물을 아끼고 전기용품 하나라도 아끼는 섬세함이 필요하다. 보통 자기가 맡은 큰 사명에만 몰두하기 쉬운데 그간 우리가 간과한 부분부터 변화시키는 것이 좋다.

교회에서 주차 질서를 잘 지키고, 예배위원 말에 잘 따라 주고, 몸이 불편한 사람에게 양보하는 것부터 실천하자. 또 늘 고쳤으면 하고 생각하는 부분은 교회가 크다 보니 자기가 맡은 기관이나 부서 사람들에게만 직분자들이 신경을 쓰는 것이다. 이제 배려의 폭을 좀 더 넓혀 더 커다란 연세공동체를 만들자. 새해에 큰 결심과 큰 소망을 계획하기보다는 내가 소홀히 했던 작은 것부터 점검하고, 작은 것부터 실천하면서 소박한 마음으로 새해를 시작하자.

(2017-01-10)

핑계 아닌 회개가 필요한 사회

최근 사망한 히틀러 최측근 브룬힐데 폼젤
"나는 타자기만 두드렸을 뿐"
아담처럼 죄를 전가하는 태도는 자신과 남에 대한 기만이자 마음의 병
성경은 이러한 모습에 대해 최후의 날에 진노가 있다 엄히 경고해

나치 독일의 선전장관 조제프 괴벨스의 여비서를 지낸 브룬힐데 폼젤이 지난 27일 106세를 일기로 사망했다. 괴벨스는 히틀러의 최측근으로 선동과 대중조작에 능숙하여 나치 이데올로기를 확산시킨 주범이다. 폼젤은 괴벨스가 자살할 때까지 3년 동안 여비서로 일하면서 나치에 복무하고, 나치가 저지른 악행을 가까이서 목격한 사람이다. 하지만 죽기 전까지 그녀는 자신은 나치에 협력한 것이 아니라 타자기만 두드렸을 뿐이라고 주장했다. 그녀는 주로 나치 전사자를 축소하거나 독일 여성의 성폭력 피해 통계를 과장하는 일을 했는데 자신의 행동에 대한 반성이나 증언을 남기지 않았다. 생전 인터뷰에서 요즘 젊은이들이 과거로 가더라도 나치에 맞서 싸우지는 않을 것이라고 주장하기도 했다. 폼젤의 자기합리화는 나치의 유대인 수송책임자로 수많은 학살에 직접 가담하고도 자신은 무죄라고 강변한 또 다른 독일인 아이히만을 연상시킨다. 종전 후 체포되어 사형을 당한 아이히만도 군인으로서 맡은 임무에 충실했을 뿐이라고 변명하면서 전혀 뉘우치지 않았다.

폼젤이나 아이히만처럼 최근 우리나라에서도 큰 범죄를 저지르고도 전혀 참회하지 않고 스스로를 정당화하는 사람들이 너무 많다. 이들 중에는 명백한 증거가 나와도 모른다고 딱 잡아떼거나 심지어는 자신이 피해자라고 주장하기도 한다. 또 폼젤처럼 상황 탓을 하면서 어쩔 도리가 없었고 자신은 할 일을 했다는 식으로 정당화하는 이도 있다. 물론 이들이 아이히만처럼 유대인 학살 같은 끔찍한 범죄를 저지르지는 않았지만 권력에 빌붙어 기득권을 누리고, 범죄를 저지르고도 반성하지 않는 태도는 똑같다. 시간이 지나면 진실이 밝혀지겠지만 거짓말을 한 사람들은 또 다른 거짓말과 상황 논리로 자신의 알리바이를 정당화하려 할 것이다.

수많은 역사 속에서 인간의 기만과 핑계 대기는 계속해서 반복된다. 아담이 선악과를 따 먹은 이래 사람들은 지은 죄가 드러나면 과오를 인정하고, 돌이키려고 하기보다는 은폐하거나 온갖 핑계를 대면서 빠져나갈 구멍만 찾는다. 선악과를 따 먹은 것에 대해 아담을 질책하자, 그는 하나님이 만들어 준 여자 때문에 과일을 먹었다고 오히려 대들었다. 여자는 또 하나님이 창조한 뱀 때문에 자기가 속았다고 책임을 뱀에게 전가했다. 선악과를 따 먹은 것도 심각한 죄지만 그것에 대해 묻는 창조주를 또 다시 속이면서 반성하지 않는 태도가 인간에게 영원한 저주와 죽음을 가져왔다.

의도적으로 남을 속이는 새빨간 거짓말보다 이렇게 저렇게 합리화하는 핑계가 사람을 허탈하게 만들 때가 많다.『핑계의 심리학』의 저자 브리기테 로저에 따르면 자신을 보호하거나 자기 행동을 정당화하기 위해 대는 핑계는 거짓말의 일종이다. 오히려 핑계는 사실 자체를 왜곡하여 그 얘기를 듣는 사람들도 기만한다는 점에서 더 안 좋은 속임수다. 인간은 자신을 방어하고 심리적 고통을 피하려는 속성이 있어서 핑계에 자주 의존한다. 특히 우리나라처럼 체면과 권위를 중시하는 분위기에서는 문제가 발생하면 핑계를 대거나 거짓말을 해서라도 빠져나가려는 행동이 일반화되기 쉽다. 핑계는 큰 가책 없이 자신을 보호할 수 있는 손쉬운 해결책이기 때문이다. 하지만 핑계를 대다 보면 결국 자신의 과오를 뉘우칠 수 없고, 또 다른 핑계와 기만을 낳는 악순환이 반복된다. 핑계는 자신을 똑바로 보지 못하고 거짓을 진실처럼 믿는 마음의 병이기도 하다. 혹시 나약하기에 핑계를 댄다고 여전히 인간을 옹호하고 싶은가? 하지만 성경은 고집과 회개하지 않는 마음이 최후의 날에 진노를 쌓는다고 경고(롬2:5)한다.

(2017-02-06)

내 편이 아니면 적이 되는 세상

맹목적인 내집단 편향적 태도는 분열만 키울 뿐 근본적 대책 아냐
좌로나 우로나 치우치지 않는 것이 성경에서 제시하는 올바른 태도

지난해 12월 9일 현직 대통령 탄핵 소추안이 국회에서 가결된 후, 탄핵 인용과 기각을 촉구하는 두 집회가 매주 도심에서 열리고 있다. 탄핵에 대한 헌법재판소 최종 결정이 곧 이루어지는 만큼 법리적(法理的)인 결론은 나겠지만, 국민 분열과 적대의 후유증이 잘 극복될지 우려된다. 어느 나라에서든 정치적 대립이나 갈등은 있다. 미국에서도 트럼프 대통령이 적법한 절차로 당선되었지만, 여전히 반대 진영의 불만과 시위가 계속되고 있다. 유럽에서도 이민자 문제를 둘러싸고 정파 대립이 극심해지고 이 틈을 타 자국민 우선주의와 인종적 편견을 조장하는 극우파가 세력을 넓히고 있다.

상대적으로 우리나라는 종교, 인종, 민족, 지역 갈등이나 폭력적 대립이 그리 심하지 않았다. 하지만 최근 촛불 집회나 태극기 집회에서 나오는 과격한 구호나 퍼포먼스를 보면 광기가 느껴지고 상대를 향해 원초적인 증오를 쏟아 내는 장면을 쉽게 볼 수 있다.

정치적 소신을 밝히고 주장을 자유롭게 펼치는 것은 민주국가 시민의 권리이자 존중할 대상이다. 국민이 왕이나 귀족을 위해 무한히 봉사하고 의무만 감당해야 하는 봉건국가가 아닌 현대사회에서 정치의 주인은 국민이기 때문이다. 하지만 비록 극소수의 행동이라도 지금처럼 상대를 죽인다고 선동하거나 특정인 이름을 쓴 플래카드나 허수아비를 찢고 불태우면서 살의를 조장하는 행동은 표현의 자유를 넘어선 증오 범죄에 가깝다. 유튜브에는 이런 자극적인 영상이 너무도 많이 떠돈다. 이런 영상을 보면 몸서리가 쳐진다. 이런 식으로 모든 것을 내 편 네 편으로 가르고 극한적으로 상대를 부정한다면 누가 이기든 대한민국이라는 배에는 큰 구멍이 뚫릴 수밖에 없고, 장기적으로는 배가 침몰할 수 있다.

심리학적으로 보면 극한적 증오나 갈등은 내집단(內集團) 편향에서 온다. 사람은 누구나 자신이 누구인지 정체성을 확인하려고 하며, 그 정체성의 하나로 자신이 속한 집단을 범주화하고 긍정하는 사회적 본성이 있다. 예컨대, 우리는 대한민국 국민이며, 기독교인이고, 교회 각 기관에 속한 사람들이다, 이런 식으로 정체성을 인식한다. 여기에 성별이나 나이 등 범주로 계속해서 공통점을 찾아 나간다. 자신이 어떤 집단에 속하면 그 집단을 내집단(內集團)으로 생각하면서 내집단에 자부심과 일체감을 갖는다. 반대로 자신이 속하지 않은 집단은 경계하고 구별하는 성향이 생긴다. 내집단(內集團)·외집단(外集團) 구분은 사회적 동물인 인간에게 자연스러운 성향이고, 그것 덕분에 집단 결속력이 생기고 사회가 발전하기도 한다. 전 세계에 흩어져 사는 유태인들이 유대교를 믿고 유대인의 가치관을 공유한다는 동질성으로 2000년 넘게 민족적 결속을 유지하면서 이스라엘을 세운 것이 대표적이다.

하지만 내집단에 대한 충성심이 너무 강한 나머지 외집단을 부정하다 보면 외부인을 적대시하면서 절대 문을 열지 않는 폐쇄성이 커질 뿐 아니라 자칫 극단적 폭력성이 발휘될 위험이 있다. 우리나라는 6.25 사변이라는 참상을 겪었지만 폐허 속에서 경제를 일으키고 빠른 시일에 새로운 나라를 건설하면서 민주화와 산업화를 동시에 이룩했다. 그러나 최근 탄핵 정국에서 분열과 대립이 점점 커지면서 우리의 창조적 동력을 자칫 내부 갈등에 소진하지 않을까 우려하는 목소리가 높다. 내집단 편향은 맹목성과 편견을 조장한다. 자신의 정치적 판단이 옳다고 생각하더라도 한번쯤은 중립적이고 비판적으로 자기를 돌아볼 필요가 있다. 지나친 편향은 아무리 좋은 목적을 위한 것이라도 위험하다. 성경은 “좌로나 우로나 치우치지 말고 네 발을 악에서 떠나게 하라”(잠 4:27)고 편향성을 경고한다.

(2017-03-06)

도를 넘은 스마트폰 사용에 대한민국 몸살

'스마트폰'과 '좀비' 합친 신조어 '스몸비' 유행할 정도로
한국 사회 스마트폰 중독 심각해
교통사고 확률 대폭 증가
사생활 침해, 안구건조증과 거북목증후군, 정신 장애까지
과도한 스마트폰 사용은 우리 몸과 영혼을 병들게 해

최근 '스몸비'라는 신조어가 화제가 되고 있다. 스몸비(smombie)는 스마트폰(smartphone)과 좀비(zombie)의 합성어이며, 스마트폰에 정신을 빼앗긴 채 좀비처럼 걷는 사람을 뜻한다.

좀비는 원래 부두교에서 마술의 힘으로 살려낸 시체를 말한다. 의식 없이 비척비척 걸어 다니면서 사람을 무는 괴물인데, 재난 SF영화에 단골로 등장하는 캐릭터다.

스몸비 현상은 디지털 시대에 새로 나타난 풍속도인데, 스마트폰 사용자의 25%가 이에 해당한다고 한다. 이들은 길을 걷는 중에 문자를 주고받거나 동영상을 시청하고 스마트폰을 검색하면서 주위를 살피지 못해 일반 보행자보다 사고를 당할 확률이 70% 이상 높다.
길거리에서 보행자끼리 부딪치기도 하지만 차에 치이거나 추락 사고를 당하기도 한다. 또 운전 중 스마트폰을 사용하다가 교통사고를 내기도 한다. 통계에 따르면 2015년에 스마트폰 때문에 생긴 보행자 사고는 142명, 자동차 사고는 1360건이었다고 한다. 스몸비 현상은 우리나라만의 현상이 아니라 전 세계에서 일어나고 있는 새로운 골칫거리로, 각국이 사고를 막기 위해 애쓰고 있다.

길을 걸을 때 스마트폰을 사용하면 시야가 10분의 1로 줄어들면서 장애물을 보지 못하거나 위험을 인지하기 힘들어 본인뿐 아니라 다른 사람에게 피해를 줄 수 있다. 요즘은 등산하면서 스마트폰을 보는 사람도 많아져 앞사람과 충돌하거나 다른 사람의 진로를 방해하기도 하고 사고를 일으키기도 한다.
고정된 장소에서도 조금이라도 틈이 생기면 습관적으로 스마트폰을 들여다보는 스몸비가 많다. 극장 같은 어두운 장소에서 스마트폰을 들여다보거나 때와 장소를 가리지 않고 셀카를 찍어 대는 사람들 때문에 사생활 침해 시비가 증가한다.

교회에서도 예배 시간에 스마트폰을 습관적으로 만지는 사람들을 가끔 본다. 이처럼 사람들이 디지털 기계에 중독되면서 안구 건조증이나 거북목증후군(목 디스크의 일종), 생식 기능 저하 등 신체 문제뿐 아니라 우울, 불안, 주의력 결핍 같은 정신 장애도 증가한다. 디지털 기계에 몰입하면서 사람과 대면하는 만남이 줄어들고, 사이버 공간에서 혼자 떠돌면서 자폐적이 되기 때문이다.

이쯤 되면 스마트폰이 편리함을 가져다준 것이 아니라 인간을 노예로 만들었다고 할 수 있다. 아니 기계가 내 영혼을 빼앗았다고 말하는 것이 정확하다.
고대 중국의 이야기 중에 이와 관련해 새겨들을 만한 내용이 있다.

한 선비가 길을 가는데 어떤 노인이 힘들게 물을 길어 농사를 짓는 것을 보았다. 노인을 불쌍히 여긴 선비가 "물을 먼 곳에서 쉽게 끌어올 수 있는 양수기를 만들어 주겠으니 사용해 보라"고 제안했다. 그러자 노인은 기계를 가지면 그것을 사용하게 되고, 기계를 사용하다 보면 기계에 마음을 빼앗기게 되고, 그러면 나중에는 순박함이 사라지면서 인간 본성조차 잃어버리게 된다며 기계를 쓰지 않겠다고 말했다.

노인은 몸이 편한 대신 마음을 빼앗기는 것보다 몸이 힘들더라도 건강하게 자연 속에서 사는 삶을 선택하는 현명함을 가지고 있었던 것이다.

성경에도 마음을 빼앗기지 말라고 경고하는 구절이 많이 나온다(잠3:5~8).
"예수께서 가라사대 네 마음을 다하고 목숨을 다하고 뜻을 다하여 주 너의 하나님을 사랑하라 하셨으니 이것이 크고 첫째 되는 계명이요"(마22:37~38).

빼앗는 주체는 늘 사탄이고 잃어버리는 것은 우리 혼이기 때문이다. 스마트폰 중독은 있을 수 있는 습관이 아니라 건강한 삶과 영혼 관리를 위해 경계하고 고쳐야 할 질병이다. 스마트폰뿐 아니라 문명의 이기(利器)는 그것에 몰두할수록 점점 더 빠져들고 의존이 심해지면서 인간성을 잃게 하는 속성이 있다. 기계의 노예가 되지 말고 이를 제어할 수 있는 지혜로움과 품성을 갖추어야 한다.

(2017-04-03)

대선(大選), 하나님의 백성은 신앙 양심을 기준으로 선택해야

선택은 인간에게 주신 하나님 선물
선택에 따라 고통도 따르지만 남에게 선택 맡기는 태도 지양해야
다가오는 대선은 대한민국 운명을 좌우할 선택
사회 분위기가 아닌 분명한 신앙 양심을 기준으로 현명한 선택 내려야

인생은 선택의 연속이라고 누군가 말했다. 심리학 연구에 따르면 인간은 크고 작은 선택을 하루에 200번 이상 한다. 큰 스케줄과 할 일은 정해져 있지만, 소소한 것은 각자 결정해야 하는 경우가 많다. 당장 아침에 출근할 때 무슨 옷을 입어야 할지부터, 점심에는 누구와 무엇을 먹어야 할지, 저녁에 여유가 생기면 무엇을 하며 시간을 보낼지 매사가 선택의 연속이다. 또 장기적으로 여름휴가 기간에 무슨 일을 할지, 특정한 필요가 있을 때 물건을 살지 말지, 산다면 어떤 것을 살지 등 날마다 선택에 직면한다.

따지고 보면 인간은 에덴동산에서 풍요로움을 마음껏 누리다가 하나님께서 먹지 말라 한 선악과를 따 먹고 쫓겨난 이후 반복되는 선택의 어려움에 부닥치면서 자유의지 때문에 고통을 당한다고 할 수도 있다. 선택한다는 것은 괴로운 일이지만 동물과 다른 인간다움의 징표이기도 하다. 동물은 본능을 따르고 주어진 자연의 순리

대로 살기에 선택할 것도 없고 변화도 없지만, 인간은 자연에 맞서며 운명을 개척하는 능동적 존재이기 때문이다. 철학자들이 오랫동안 자유의 문제를 탐구한 것도 그 때문이다. 자유의지가 있다는 것은 하나님이 자신의 형상대로 인간을 만들면서 주신 축복이기에 잘 누려야 한다.

하지만 선택이 늘 좋은 것은 아니며, 어쩔 수 없이 하나만 선택해야 하는 상황이 되면 고통을 겪기도 한다. 선택지가 많을수록 선택이 어렵다. 예를 들어, 사람들에게 초콜릿을 6가지 정도 주고 선택하라고 할 때와 30가지 넘게 주면서 선택하라고 할 때, 어느 쪽이 더 만족도가 높을까? 6가지일 때가 훨씬 만족도가 높다고 한다. 언뜻 생각하면 선택의 폭이 넓을수록 더 자유도 많고 만족도도 클 것 같지만 선택지가 6가지를 넘으면 혼란함과 고민이 그만큼 커진다. 어떤 것을 선택할 때 동시에 다른 것을 손해 본다는 감정이 비례해서 커지기 때문이다.

그래서 요즘은 선택을 아예 남들에게 맡기는 경우도 많다. 예를 들어, 휴대전화를 바꿀 때 휴대전화 가게에 가서 점원 설명을 들으면서 그저 추천을 해 주는 모델을 선택하는 경우가 많다. 내가 일일이 상품을 비교하면서 가격이나 성능, 그리고 통신사를 따져 합리적 소비를 하는 일이 시간이 오래 걸리고 힘들기 때문이다. 또 내가 알아보는 것보다 그 분야의 전문가에게 의뢰하는 편이 더 효율적인 경우도 많다. 입시전략이나 취업이 대표적이다. 예전에는 혼자 모든 것을 준비하고 처리하는 경우가 많았지만 지금은 세상이 너무 빠르게 변하고 복잡해져서 전문 상담을 받아 결정하는 것이 대세다. 그러다 보니 각종 컨설팅 업무가 점점 늘고 있고, 인터넷처럼 정보 매체가 확대되어도 여전히 정보가 부족하다고 느낀다. 정보화 시대에 오히려 정보를 전문적으로 다루는 사람과 그렇지 못하는 사람의 양극화가 커지고, 선택 장애로 고통받는 사람이 많아진다.

이번 대통령 선거처럼 한나라의 운명을 좌우하는 중요하고 집단적인 선택도 있다. 유럽연합에서 탈퇴한 영국의 브렉시트(Brexit)나 미국 중심주의를 채택한 트럼프의 등장도 다 대중 선택이 가져온 결과다. 우리의 선택에 따라 대한민국의 운명이 달라진다. 혹자는 투표할 사람이 없어 기권한다고 말하지만, 기권도 정치적 효력을 발생시키는 엄연한 선택이다. 선택해야 한다면 피하지 말고 능동적으로 차선이라도 고를 필요가 있다. 다만 내가 선택한 결과에 책임을 지기 위해 합리적 원칙과 윤리의식, 그리고 신앙적 양심이 분명해야 한다. 휴대전화나 초콜릿을 고르듯 기분대로 해서는 안 되며, 다른 사람이나 사회 분위기에 휩쓸리지 말고 현명한 시민이자, 하나님의 백성으로 투표라는 공적 선택을 즐겁게 감당하자.

(2017-05-09)

안보 문제, 여야 떠나 모든 국민이 함께 가야

새 정부 들어서도 계속되는 북 도발
연속성 원칙 위에 안보정책 세우고 야당도 대승적 차원에서 협조해야
소모적인 보수·진보 논쟁 넘어 생산적이고 냉철한 정책 필요해
무엇보다 하나님이 지키실 만한 거룩함을 한국교회가 회복해야

이번 대선에서 큰 쟁점이 되지는 않았지만, 국가안보는 국민이 민감하게 반응하는 이슈이고 경제나 복지 못지않게 중요성이 크다. 사전적 의미로 국가안보는 외부로부터의 군사적·비군사적 위협이나 침략을 억제함으로써 국가의 평화와 독립을 수호하고 안전을 보장하는 일이다.

대한민국 국민으로 생존의 필수조건인 국가안보의 중요성을 누가 부정하겠는가마는 그간 안보를 둘러싼 논쟁이 끊임없이 대두했으며, 안보에 대한 편견이나 고정관념도 존재한다. 예컨대 보수는 안보를, 진보는 민주주의만 중시한다며 이분법적으로 바라보거나, 안보를 주변국가와의 관계 속에서 생각하기보다 북한과의 문제로 바라보면서 근시안적이고 국내적인 관점에서 정책을 펴는 것이 그것이다. 그러면서 안보에 대한 논쟁이 상당부분 북한에 대한 태도나 이념 문제로 변질된 경우가 많으며, 국익이라는 공통분모가 아니라 서로를 비난하는 소모적 논쟁으로 끝난 경우가 다반사였다.

이제 정치적 견해를 떠나 안보에 대해 좀 더 생산적이고 전향적인 태도를 가질 필요가 있다. 새 정부가 들어서면서 외교 문제나 남북관계를 풀 수 있으리라는 기대도 있지만, 우리 장래를 어둡게 하는 불길한 징조들이 최근 더 많아졌기 때문이다. 문재인 정부에 대한 국민적 기대가 크지만, 그간의 평화 노선이나 향후 정책에 대한 일각의 우려도 있는 만큼 안보에 대한 청사진을 제시할 필요가 있다.

먼저 안보를 특정 세력의 전유물로 생각하거나 지나치게 경직된 이념적 태도나 감정적으로 다루려는 태도를 경계해야 한다. 국가 미래나 번영을 위해 남북관계뿐 아니라 주변 강대국과 문제를 잘 풀어야 하는 만큼 초당적인 협력과 집권세력의 현명한 전략이 필요하다. 설사 과거 정부와 통치 철학이 다르더라도 국정을 책임진 이상 연속성의 원칙 위에서 안보정책을 세우려는 여당다운 자세와 당파성을 떠나 대승적 견지에서 협조하는 야당의 태도가 중요하다. 진보진영은 안보에 지나치게 관념적으로 대하거나 무시하는 태도를 반성할 필요가 있으며, 보수진영도 보다 순수한 마음으로 안보정책이 범국민적 지지를 받을 수 있도록 노력해야 한다.

다음으로 북한의 도발에 효과적으로 대응하고 외교적으로도 고립되지 않으려면 국제 공조를 유지하면서 더욱 현명한 전략적 대응을 세워야 한다. 북한은 미국과의 협상에서 우월한 위치를 차지하려고 하는 기본 목적을 가지고 핵 개발을 하고 있기 때문에 남한이 유화책을 쓴다고 해서 자신들의 정책을 수정하지는 않을 것이다. 대화를 주장하는 새 정부가 출범하자마자 탄도미사일을 4

차례나 발사하는 것을 보면 짐작할 수 있으며, 앞으로도 여러 형태로 남한과 미국을 자극할 가능성이 많다.

이런 상황에서 남한 혼자 문제를 해결하려고 하다 보면 제대로 된 해법을 제시하지 못하고 북한에 끌려다니기 쉽다. 미국이나 중국이 실질적인 해법을 찾으려고 할 때 함께 힘을 모으면서 국제공조로 북핵 문제를 해결하려고 하는 것이 현명하다.

마지막으로 안보 강화를 위해서는 고질적인 방산비리를 적발해 근절시켜야 하며 내부에서 국방력을 갉아먹는 세력을 엄벌하면서 정예 강군을 만들어야 한다. 무조건 군비를 늘리기보다 국방비를 균형 있게 배분하고 낙후된 부분에 집중해야 하며 첨단 장비를 늘리면서 군을 현대화할 필요가 있다.

또 안보 강화는 군사력뿐 아니라 총체적인 국가 경제력이 뒷받침되어야 한다는 사실을 알아야 한다. 경제가 안정되고 정치가 선진화되어야 안보가 강화될 수 있다. 우리 현실을 냉정하게 평가하면서 국익 수호의 관점에서 치밀하고 장기적으로 안보정책을 짜야 한다. 무엇보다 하나님이 지켜 주실 만한 나라를 만들어야 한다.

(2017-06-08)

인성(人性) 상실의 시대

젊은 세대 도덕의식 부재 현상 갈수록 심화
내면 가치보다 스펙과 성공만 중시하는 잘못된 사회분위기와 교육 탓
하나님 말씀과 가정교육으로 인성과 예의 갖춘 건강한 미래 세대 가르칠 때

필자는 2005년 유학을 마치고 귀국해 줄곧 대학에서 학생들을 가르치고 있다. 계절이 바뀌는 것처럼, 해마다 학생들이 학사 과정을 마치고 떠나면 새로운 얼굴이 그 자리를 채운다. 분위기는 조금씩 바뀌지만 신선한 분위기와 젊음은 늘 한결같다.

패기 있고 순수한 20대 젊은이들과 호흡하고 어울리는 것은 대학교수가 누리는 특권이지만 불쾌한 경험도 종종 한다. 최근 많이 느끼고 주변 교수들도 공감하는 점은 인성(人性)과 예의(禮儀)에 문제 있는 학생이 점점 많아지고, 친구 관계에서도 이해타산을 따지는 학생이 늘고 있다는 것이다. 사람의 정(情)보다 이익만 따지는 개인주의 세태가 뿌리내리면서 서로 무관심하거나 적대시하고, 대학교육을 돈 주고 누리는 서비스로 인식하는 경향도 늘고 있다. 학내 선거나 학생회 운영에서 기성세대 뺨치는 부정을 벌이기도 하고, 성 범죄 같은 강력 범죄를 저질러 사법당국을 개입시키기도 한다. 교수에게조차 인간적 도리를 무시하고 상식에 어긋나게 행동한다. 필자와 같은 과(科) 교수 한 분은 수업 시간에 습관적으로 화장을 고치는 학생을 나무랐는데 그 후로는 마주쳐도 인사를 하지 않아 씁쓸해했다. 학생에게 야단을 치거나 성적을 나쁘게 주면 강의평가에 막말을 남기기도 한다.

대학만의 문제가 아니라 우리 사회의 젊은 세대에게 많이 볼 수 있는 공통된 문제다. 청소년들이 흡연을 단속하는 경찰관에게 난동을 부리고, 일탈을 나무라는 어른들에게 욕하거나 폭력을 가하는 사건도 많다 보니 십대의 흡연이나 음주를 보고도 못 본 척하게 된다. 최근 대전의 한 중학교에서는 1학년 학생 9명이 여교사가 수업하는 도중 음란행위를 하다 발각되어 큰 충격을 주기도 했다. 범죄 행동도 문제지만 전혀 반성할 줄 모르고 심각성을 느끼지 못하는 잘못된 도덕의식에 더 충격 받았다. 청소년 범죄야 예전에도 있었지만, 요즘은 그 정도가 흉포화하고, 공부 잘하고 가정에 문제 없는 학생들이 말썽을 부리는 경우도 많아져서 심각성이 크다. 청소년들의 정서가 삭막해지고 인성에 문제가 생기면 우리나라의 미래는 더욱 더 암울해질 것이다.

사회 전반의 윤리의식이 추락하고 끈끈한 공동체 문화가 파괴된 것도 이런 현상의 원인이지만, 사회를 탓하지 말고 이제 인성과 예의의 중요성을 모두 주지하고 적극적으로 대처해야 한다. 인성과 예의는 가부장적이고 위계적인 전통 사회에만 필요한 낡은 덕(德)이 아니다. 영화 <킹스맨>에 나오는 '매너가 사람을 만든다'는 유명한 대사처럼 사회적 존재인 인간이 함께 살기 위해 필요한 것이고 소통을 원활하게 하는 윤활유 역할을 한다. 고대 그리스 사회에서는 책임 있는 시민 역할을 다하려고 학문, 예술, 체육은 물론 대인관계를 교육했다. 품성과 태도의 중요성은 중세의 에티켓 문화로 이어졌고, 귀족주의의 바탕을 이루기도 한다. 동양에서도 예(禮)의 중요성을 강조해 교육했고, 양반일수록 몸가짐과 처신에 엄격하고 자기 자신을 갈고 닦아 윤리적 책임을 다하는 선비 문화를 실천했다.

우리 사회가 핵가족화 하고, 경쟁주의 구도가 심화 하면서 인성이나 예의보다는 각종 스펙(spec, 경력과 자격)과 능력만 강조하고 출세를 부추기는 잘못된 교육 세태가 아이들을 괴물로 만들고 있다. 남에게 피해를 주거나 상처를 주고도 대수롭지 않게 생각하는 것은 사이코 패스(Psychopath, 반사회적 인격장애) 심리다. 우리 사회가 회복 불가능하게 망가지기 전에 인성과 예의의 중요성을 강조하면서 상생과 존중의 공동체를 만들어야 한다.

"마땅히 행할 길을 아이에게 가르치라 그리하면 늙어도 그것을 떠나지 아니하리라"(잠22:6). 교회부터 시작하자.

(2017-07-04)

갑질이 만연한 사회
- 한국사회 갑질 세태, 시급히 근절해야

갑질은 사람을 인격체가 아닌 도구로 대해 인간 소외 현상을 낳는 심각한 죄악
돈·직업·권력이 주는 특권의식 버리고
섬김받기보다 예수님처럼 섬기려는 태도 우리 사회에 넘쳐 나기를

대한민국 육군 사령관 부부가 사령관 공관에서 근무하는 현역 병사를 노예처럼 부리며 인격적으로 모독하고 괴롭힌 게 폭로되어 큰 물의를 일으키고 있다. 보도에 따르면, 사령관의 부인은 현역으로 공관(公館)에 배치된 병사에게 집안 빨래와 청소는 물론, 아들의 야식을 준비하게 하고 종처럼 부렸다. 또 요리병이 마음에 안 든다고 칼로 위협하거나 폭언을 하고 공관병에게 호출 벨을 채우고 비상 대기하게 해 온갖 잡무를 시켰다고 한다. 국방부가 조사에 착수했으니 진상이 드러나겠지만 신성한 국방의 의무를 담당하는 젊은이를 개인 몸종처럼 부리고 학대한 것이 국민의 공분을 사고 있다.

우월한 지위를 이용해 아랫사람을 과하게 부려먹고 부당하게 대우하는 '갑질 세태'는 군대뿐 아니라 한국 사회 곳곳에서 목격되고 있다. 모 대기업 총수는 툭하면 운전기사에게 상욕을 내뱉고 외모를 비하하거나 부모까지 거론하며 폭언을 해 운전기사가 녹음해 고발하기도 했다. 대기업이나 가맹점 본사가 하청업체나 가맹점에 부당하게 손실을 전가하거나 단가를 후려치는 등 기업의 갑질도 많다. 특권층뿐 아니라 일반인도 '갑질'의 주인공이 된다. 마트나 식당 같은 서비스 업체 종업원에게 반말이나 희롱하는 표현을 쓰고 서비스가 마음에 들지 않는다고 무릎을 꿇리고 빌라고 요구한 일도 있었다. 대학에서도 교수들이 논문지도를 핑계로 대학원생에게 과도하게 사적인 일을 시키거나 급여를 빼돌리고 심지어 성추행하기도 해 물의를 빚었다. 갑질이 너무 일반화해 이제 어지간한 사례는 충격을 주지도 않는다.

갑과 을은 민법에서 계약 체결의 쌍방을 일컫는 말이다. 거래 관계에서 우월한 지위에 있는 갑이 자신의 지위를 이용해 계약에 명시된 한도를 넘어 무리하게 공정하지 못한 행위를 저지르는 것을 '갑질'이라 부른다. 갑질이 우리 사회에 만연하다 보니 이 단어도 '재벌'이나 '김치'처럼 한국어 그대로 영어사전에 등재돼 나라 망신시키지 않을까 우려하는 목소리도 나온다. 왜 유독 우리 사회에 갑질 논란이 많을까?

학자들이 많이 지적하는 것은 우리 사회가 너무 초고속 압축 성장하고 물질적 성장만 중요하게 여겨 사회윤리나 평등의식 같은 인간적 가치가 제대로 자리를 잡지 못한 탓이다. 원래 자본주의의 가장 큰 병폐는 인격적 관계가 물건과 물건의 관계로 변질해 인간소외가 발생하는 것이다. 이것은 세계적 현상이다. 그런데 한국은 여기에 전통적인 가부장문화, 특유의 경쟁구도와 서열 세태가 결합하면서 갑질이 더 심하게 횡횡한다고 할 수 있다. 갑질은 우리 사회처럼 돈과 권력을 숭상하는 승자독식(勝者獨食) 세태에서 그릇된 특권의식처럼 작용하며, 갑질을 당한 사람은 자기보다 못한 사람에게 이를 되풀이해 스트레스를 전가하는 고질적 병폐를 낳는다.

갑질은 사람을 인격체가 아닌 한갓 도구처럼 대하는 그릇된 사고방식과 물질만능주의가 만드는 아주 잘못된 죄악이다. 직업과 지위는 일종의 역할이지 서열이 아닌데, 우리나라 사람들은 무의식적으로 직업의 귀천을 나누고 허드렛일에 종사하는 사람을 깔보는 경향이 있다. 좋은 차나 명품을 선호하는 현상을 뒤집어 보면 가난하거나 직업이 보잘것없으면 다른 사람들에게 무시당한다는 두려움이 있는 것이다. 개인을 직업, 돈, 권력에 따라 나누는 사고방식이 고쳐지지 않으면 사회적 결속이 무너지고 인간이 인간을 착취하고 괴롭히는 적대적 공동체가 된다.

성경은 "약한 자를 약하다고 탈취하지 말며 곤고한 자를 성문에서 압제하지 말라"(잠22:22)고 경계한다. 또 예수께서는 인자가 온 것은 섬김을 받으려 함이 아니라 도리어 섬기려 하고 자기 목숨을 많은 사람의 대속물로 주려 함이라고 하셨다(막10:45). 우리 사회의 갑질 세태, 시급히 근절해야 한다.

(2017-08-07)

막말이 난무하는 세상

수해로 고통받는 지역주민을 외면하고 관광성 외유를 떠난 도의원이 이를 비판하는 국민을 '설치류(들쥐, 레밍)'에 빗대 비난하면서 큰 파문이 인 적이 있다. 또 모 국회의원은 학교 급식 종사자를 '밥하는 동네 아줌마'라 폄하하고, 파업 중인 사람들을 '미친X'이라고 원색적으로 욕을 해 사퇴 압력을 받기도 했다.

막말이나 말실수 때문에 회복 불가능한 타격을 받는 유명인이 계속 나오지만, 교훈을 얻지는 못한다. 이것을 보면 왜 인격이 저 정도밖에 안 되고, 또 기자들 앞에서 막말을 해서 화(禍)를 자초할까 의문이 들지만, 우리도 일상에서 비슷한 모습을 보인다. 철학자들은 인간이 언어적 존재라고 말하는데 인간의 말은 동물과 차원이 다르다. 인간은 말을 통해 의미뿐 아니라 감정을 전달하고, 말로 사람을 얻거나 말 때문에 사이가 틀어지고 원한을 사기도 한다. '말 한마디로 천 냥 빚을 갚는다'라거나 '세 치 혀가 사람을 죽인다'는 속담도 있다. 말은 행동 못지않게 중요하며, 저주와 축복의 도구이자 심판의 대상이다. 성경은 "네 말로 의롭다 함을 받고 네 말로 정죄함을 받으리라"(마12:37)고 말을 경계한다. 그럼 막말이나 설화(舌禍)가 발생하는 원인은 무엇이고, 그것을 예방하려면 어떻게 해야 할까.

첫째, 말실수가 있다. 의도하지 않았지만 말로 상처를 주거나 치명적 재앙을 부르기도 한다. 말실수는 깊이 생각하지 않거나 무심코 내뱉는 말이라 대수롭지 않아 보이지만 인간관계를 망가뜨리거나 엄청난 화(禍)를 부르기도 한다.

솔로몬이 왕위에 오르자 왕좌를 다투던 이복형 아도니야는 솔로몬에게 순복하면서도 보답으로 아버지 다윗의 시중을 들던 여인 아비삭을 달라고 요청했다. 형으로서 할 만한 요구처럼 보이지만, 이 말에 깔린 아도니야의 불순함을 간파한 솔로몬은 그를 죽인다.

말실수가 사람을 난처하게 만들기도 한다. 유학 시절 친하게 지내던 여자 후배가 있었는데 좀 덜렁거리는 점이 흠이었다. 어느 날 나들이를 갔는데 그날 그 친구는 준비해 오기로 한 중요한 도구를 깜박했다. 미안해하는 후배에게 "네가 하는 일이 늘 그렇지 뭐"라고 무심코 말했는데 순식간에 얼굴이 빨개지더니 눈물을 줄줄 흘려 몹시 당황한 적이 있다. 난 가볍게 면박을 주려고 했지만, 부지불식간에 근본적인 자존감을 건드린 것이다. 모두 이런 경험이 있을 것이다. 그런데 말실수는 숨겨진 무의식적 욕망이나 사고의 표현이기에 진실을 반영하기도 한다. 우리 의식은 체면이나 겉치레 때문에 절제하지만 말실수는 의식의 틈을 뚫고 감추고 싶은 본심을 드러낸다. 말실수를 피하려면 마음 자체를 경계해야 한다. 필자의 말실수도 우연처럼 보이지만 실은 후배의 덜렁거리는 점을 못마땅하게 여긴 평소 감정이 슬며시 드러난 결과다.

잘못된 말이 생기는 둘째 원인은 습관이다. 편한 사이나 가족, 교회 같은 친밀한 공동체에서는 조심하지 않고 평소 습관에 따라 말을 하다가 오해가 생기기도 한다. 무뚝뚝하고 예의 없는 말투나 직설적 농담, 좋지 않은 태도 등은 의도를 반감하거나 불쾌감을 주기도 한다. 필자가 아는 교수 한 분은 말투가 분명하지 않고 늘 반말 비슷하게 말을 끝내는 습관이 있는데 이런 말투 때문에 여러 번 곤경에 처했다. 대학원 수업에서 학생들에게 경상도 억양이 잔뜩 섞인 반말 투로 강의를 진행하다 항의를 받기도 했다. 또 우연히 엘리베이터에서 마주친 같은 과 여학생에게 '졸업하고 뭐 할 일 있나?' 하고 별생각 없이 질문했는데 이 학생이 자기가 여자라 교수가 깎아내린다고 성희롱으로 해석해 소동이 난 적도 있다.

말이 지나치게 많거나 남의 말을 가로채는 습관도 상대에게 불쾌감을 줄 수 있다. 습관은 제2의 천성이다. 대부분 사람이 말 습관에 신경을 쓰지 않지만, 낭패를 당하지 않으려면 잘못된 습관을 고쳐야 한다.

마지막으로 제일 중요한 것은 무지(無知)다. 자기가 하는 말이 어떤 의미가 있는지, 어떤 파문을 낳을지 잘 생각하지 않거나 특정한 장소나 시기에 어울리는 예의나 예절을 잘 알지 못하면 본의 아니게 실수를 한다. 그런데 무지도 자세히 보면 태만이나 평상시의 잘못된 믿음을 고치지 못하는 고집에서 비롯된다. 선악과를 따 먹은 죄를 질책하시는 하나님께 아담은 "하나님이 주셔서 나와 함께하게 하신 여자 그가 그 나무 실과를 내게 주므로 내가 먹었나이다"(창3:12) 하고 핑계를 댄다. 죄를 지은 후 전형적으로 보이는 책임회피나 임기응변적 뻔뻔함이 아담의 말대답에 있다. 하지만 이 말에서 자신의 죄를 창조주의 탓으로 돌리는 악한 모반의 마음과 핑계가 전혀 소용없음에도 그것에 의존하는 인간의 어리석음을 볼 수 있다. 무지는 실수나 책임을 정당화할 수 없고 오히려 원죄를 더욱 심각하게 만든다. 무지를 피하려면 끊임없이 성경과 책을 보고 자신을 반추(反芻)해 보아야 한다.

이 외에도 무심코 내뱉는 비속어, 부정적 표현, 비난, 조롱 같은 잘못된 말로 인한 설화(舌禍)가 많다. 사람에게 말로 상처를 주면 평생 그것을 잊지 못하게 되며, 때로 물리적 폭력보다 더 심한 고통을 줄 수 있다. 행동도 중요하지만, 무엇보다 말에 더 조심하고 좋은 습관을 들여야 한다. 우리의 혀가 분쟁과 저주를 나르는 칼이 아닌 화목의 도구가 되게 하자.

(2017-08-22)

변화를 원한다면 회개로 잘못된 과거부터 청산해야

진정한 회개는 죄 사함뿐 아니라 혁명적 변화 이끌어낼 수 있어
개인뿐 아니라 집단 구원에 있어서도 회개로 과거 청산하는 것이 중요해
회개와 청산은 고통스럽지만 병든 우리 사회를 치유하기 위해 반드시 필요한 과정

기독교와 다른 종교의 가장 큰 차이점은 '회개'를 강조하는 데 있다. 회개는 단순한 후회, 자책 그리고 태도 변화가 아니라 인간이 가지고 있는 죄의 속성을 깨달으면서 죄에서 완전히 돌아서는 근본적 변화를 말한다. 대속과 구원은 회개를 전제로 하기에 기독교에서 '회개'는 가장 중요한 덕목일 수밖에 없다.

예수는 회개가 천국에 가기 위한 필수 조건이라고 가르치면서(마3:2) 공생애의 출발을 '회개하라'는 외침으로 시작했다. 다른 종교는 오랜 수행이나 선행을 통해, 혹은 깨달음을 통해 자신의 힘으로 구원을 얻을 수 있다고 주장하는, 인간 종교의 면모를 버리지 못한다. 하지만 기독교는 절대자의 공의와 인류를 향한 대속의 사랑을 동시에 인정하면서 회개해야 구원받는다고 주장하는 초월적 종교다.

진정한 회개는 죄를 씻는 것뿐 아니라 사람 자체를 혁

명적으로 바꾸어 놓는데, 예수의 핍박자 사울이 회개하고 바울이 되어 사도로 순교까지 한 것이 대표적 예다. 물론 인간은 나약해서 회개하고 돌이킨 후에도 죄를 짓지만, 살아 있는 동안 계속 회개하고 그것을 통해 다시 하나님과 관계를 회복할 수 있다는 사실이야말로 인간에게만 부여된 특권이다. 회개가 없다면 기독교도 여타 종교와 차별성이 전혀 없을 것이다.

회개는 개인뿐 아니라 집단의 구원에도 중요하다. 선지자 요나의 외침을 듣고 금식을 선포하며 굵은 베옷을 입고 회개해 신의 심판을 피한 니느웨 백성 이야기가 대표적이다(욘3:4~10). 구약 시대에는 국가적 위기가 닥치면 왕에서 일반 백성에 이르기까지 옷을 찢으면서 회개하는 경우가 많았다. 블레셋의 거듭된 침략에 고통을 받던 이스라엘 백성이 사무엘의 외침을 듣고 미스바에 모여 회개하자 여호와께서 블레셋 사람에게 우레를 발해 전쟁에서 이긴 '에벤에셀'이 유명하다. 왕정 시대에도 히스기야나 요시야처럼 우상 제단을 허물고 국가적인 회개를 앞장서 추진해 국가를 부흥시킨 예가 많다. 개인이나 공동체나 회개를 통해 신과 인간, 인간과 인간이 새롭게 관계를 설정하고 부흥을 이룰 수 있다는 것은 병든 사회를 치유하는 원리로서 시사하는 바가 크다.

무언가 근본적인 변화와 소생이 있으려면 악에서 돌이켜야 하지만 선행되어야 할 점은 그간 쌓인 죄와 병폐를 회개해서 청산하는 것이다. 가룟 유다처럼 제대로 죄를 고백하지 않고 죄책에 빠져 자살하는 것은 회개가 아닌 저주에 불과하다. 자신의 잘못을 철저하게 절대자에게 고해야 할 뿐 아니라 회개에 따르는 변화를 보여 주어야 한다. 한 집단이 건강해지고 성장하기 위해서도 마찬가지다. 민족적 구원이 회개를 통해 가능하다면 비슷한 맥락으로 사회의 건강함도 제대로 된 과거 청산과 변화를 통해 가능할 것이다.

돌이켜 보면, 우리 사회에는 알게 모르게 온정주의가 강하게 남아 있어 제대로 과거를 청산하지 못하고 늘 찌꺼기처럼 뭔가를 남긴다. 해방을 맞았을 때 친일 잔재 청산을 제대로 하지 못하고 일제에 부역했던 친일파가 득세한 것이 대표적 예다. 한국의 친일 청산은 나치 부역자를 철저하게 엄단한 프랑스와 비교된다. 우리 시대만 보아도 큰 범죄를 저지르고 구속되지만 시간이 지나면 유야무야 슬며시 복귀하는 관행이 여전하다.

언제부터 사회 곳곳에서 사람을 놀라게 만드는 잔인하고 패륜적인 범죄가 많이 발생하고, 물질적 이익을 위해서 희생도 당연시하는 물신적 태도가 만연한 것은 우리 사회가 병들었다는 증거다. 사회적으로 이루어지는 과거 청산은 정치 영역뿐 아니라 잘못된 공동체의 도덕의식과 사회적 가치관까지 겨냥해야 한다. 회개와 청산은 고통스럽지만 구원과 생존을 위해 꼭 필요한 작업이다.

(2017-09-05)

삶의 의미를 찾아 헤매는 이들에게

예수 믿는 것은 내세 구원은 물론
현재 삶에서도 희망을 품게 하는 든든한 기초

빅터 프랑클은 유대인 정신과 의사이며, 현대 정신치료 이론의 하나인 로고테라피(logotherapie)의 창시자로 유명하다. 로고테라피는 우울증 같은 정신장애에서 환자 스스로 삶의 의미를 발견하고 어려움을 극복하면서 이를 통해 장애를 극복하도록 돕는 인문적 치료법이다.

빅터 프랑클은 그 자신이 아우슈비츠 수용소에 수감되어 극한의 강제노역과 죽음의 위협에 시달리면서도 살아남았는데 이때의 경험을 토대로 로고테라피를 주창했다. 강제노역도 하고 의사로서 동료 수용자도 돌보던 프랑클은 1944년 성탄절부터 1945년 새해까지 수용자 사망률이 급증하는 것을 보고 왜 그럴까 의문을 품었다. 특별히 수용 조건이 악화되었거나 질병이 발생한 것도 아닌데 한 주 정도에 많은 수감자가 죽은 이유는 뭘까? 그것은 특별한 근거 없이 성탄이나 새해에는 집에 돌아갈 것이라는 희망을 품었다가 좌절되면서 희망만큼 깊게 닥쳐온 절망을 이기지 못했기 때문이다.

프랑클이 수용소에서 목격한 것은 육체적으로 강하고 건강한 사람이 살아남는 게 아니라 죽음의 위협에 굴하지 않고 삶의 의미와 의지를 놓지 않는 사람들이 생존한다는 평범하면서도 놀라운 사실이다. 빅터 프랑클은 수용소에서 겪은 일을 기록하고 정리해 <한 심리학자의 강제수용소 체험기>를 출판했는데 이 책의 영어 제목이 '인간의 의미 탐구'였다. 로고테라피의 원리와 지향점을 압축하여 보여 주는 제목이다.

빅터 프랑클의 경험과 충고에는 일상적인 스트레스와 점점 가중되는 위험이라는 아우슈비츠 속에 살아가는 현대인이 되새겨 볼 만한 유용함이 있다. 한국이 여전히 OECD 자살률 1위이고, 여러 형태의 정신장애 비율이 갈수록 증가하는 것도 따지고 보면 많은 사람이 삶의 의미를 찾지 못하고 자신의 태도와 삶을 영위할 의지를 잃었기 때문이라고도 할 수 있다.

우리는 보통 외적 상황이나 물질적 조건이 자아실현이나 행복의 추구에서 중요한 토대라고 생각한다. 이 말이 틀린 것은 아니지만 프랑클은 인간이 어떤 상황에 처하든 그 상황에서 나름대로 삶의 의미를 찾고 자신의 삶을 만들어 가려는 의지가 더 본질적이라는 것을 강조한다. 우리가 고통을 당하는 것은 실제 고통을 주는 요인보다는 그것을 고통스럽게 생각하기 때문이다. 똑같은 재난이나 불행에 처해도 사람마다 반응이 다르고 받는 충격이 다른 것도 우리가 그것을 어떻게 생각하고 대처하느냐가 다르기 때문이다.

하나님을 믿는 것은 내세의 구원을 위함이지만 그에 못지않게 현재의 삶에 의미를 부여하고 삶의 희망을 가질 수 있는 든든한 기초라는 이득도 크다. 세리, 창기, 문둥병자, 천민, 귀신들린 자 등 예수 당시 저주와 절망 속에 하루하루를 연명하는 사람들에게 예수가 준 것이 바로 새로운 삶이다. 이들의 죄를 씻어 주고, 병을 고쳐 주고, 빵을 주기도 했지만, 이들이 예수에게 얻은 가장 큰 것은 바로 자신들이 이제 살아가야할 삶의 이유와 구원이라는 소망이었다. 삶의 의미를 찾으면 자신이 처한 어려운 상황에서 얼마든지 일어설 수 있다.

미국의 얼 쇼리스라는 철학자는 노숙자나 빈민들에게 인문학을 가르치면서 재활을 돕는 '클레멘트' 과정을 만들어 화제가 되기도 했다. 얼 쇼리스는 가난한 이들에게 물질적 후원을 하거나 직업훈련을 하는 것보다 중요한 것이 잃어버린 자존감을 회복시켜 주는 것이라고 생각했다. 희망의 인문학을 통해 많은 사람이 삶을 새롭게 돌아보면서 절망에서 벗어날 수 있었다.

성경은 희망의 인문학이나 로고테라피보다 더 영원하고 절대적인 자유와 사랑을 가르쳐 준다. 지금 당신은 삶의 의미를 제대로 찾고 있는가?

(2017-09-25)

생각의 감옥에서 탈출하기

인간이 자유로이 사고하는 것 같지만
경험으로 체화된 '도식'의 영향을 크게 받아
거대한 장벽 앞에서도 '긍정의 도식' 가진 사람은
믿음으로 어떠한 위기도 거뜬히 헤쳐 나갈 수 있어

인간이 동물과 결정적으로 다른 점은 '생각한다'는 것이다. 육체적으로 보면 인간은 호랑이나 치타 같은 맹수에 비해 약하고 힘도 없지만, 생각하는 능력 덕분에 만물의 영장이 될 수 있었다. 철학자 파스칼은 "인간은 생각하는 갈대"라고 말하기도 했다. 성경은 "하나님이 가라사대 우리의 형상을 따라 우리의 모양대로 우리가 사람을 만들고"(창1:26)라고 기록했는데 하나님이 준 선물이 '생각하면서 자신의 의지대로 움직이는 능력'이다. '생각하는 인간'은 불을 이용해 문명을 일으키고, 언어를 사용해 사회와 공동체를 만들면서 자연을 정복하고 다스렸다. 생각한다는 것은 지식을 통해 세계를 다루고 변형시키고 자신의 운명도 고민하는 특별하고 신성한 능력이다. 동물이 아무리 영리해도 생각한다고 말하지는 않는다.

인간이 자유롭게 객관적으로 생각하는 것처럼 보이지만, 많은 심리학 연구는 인간이 수동적으로 반응하고 무의식적으로 사고한다는 사실을 보여 준다. 모 방송국에서 심리 실험을 했다. 피실험자를 두 그룹으로 나누어 동일한 사람을 면접하게 했다. A그룹은 차가운 커피를 손에 들고 면접을 하고, B그룹은 뜨거운 커피를 들고 면접을 진행했다. 실험 결과 A그룹은 면접대상자에게 주로 부정적 판단을 내린 반면, B그룹은 동일한 면접대상자에게 주로 긍정적인 인상을 받았다. 찬 커피와 뜨거운 커피가 동일한 사람에 대한 판단을 서로 반대로 하도록 유도한 것이다.

이렇게 몸이 느끼는 자극이 생각을 결정하는 것을 '체화된 인지이론'이라고 한다. 또 인간은 사고하고 정보를 판단할 때 특정한 틀을 가지고 분석하는데 이것을 '도식(schema)'이라고 한다. 인지심리학은 도식이 삶에서 결정적 역할을 한다고 주장한다. 긍정적 도식을 가진 사람은 주어진 정보를 주로 긍정적으로 해석하고 판단하지만, 부정적 도식을 가진 사람은 매사 부정적으로 대하는 경향이 있다. 다시 말해, 인지심리학은 인간이 객관적으로 사태를 보기보다 도식에 따라 인식한다고 주장한다.

도식이라는 것은 인간이 어렸을 적부터 성장하면서 경험한 사건이나 교육에 의해 만들어지는데 특정 도식이 형성되면 좀처럼 바뀌지 않고 사고와 태도에 큰 영향을 미친다. 도식은 어떤 일을 판단하고 결정할 때 결정적으로 작용한다. 민수기를 보면 유명한 열두 정탐꾼 이야기가 나온다. 가나안 땅을 똑같이 정찰하고 돌아왔지만, 정탐꾼 열 명은 가나안 백성이 강하고 성읍이 견고해 절대 이길 수 없다고 부정적 보고를 했다. 반면 하나님의 약속을 믿은 여호수아와 갈렙은 가나안이 젖과 꿀이 흐르는 비옥한 선물이며, 그 족속이 이스라엘의 밥이라고 자신 있게 청중을 설득한다. 이 사건은 믿음에 대한 이야기이면서 긍정적 도식을 가진 사람과 부정적 도식을 가진 사람이 어떻게 다른지 보여 주는 일화이기도 하다.

살다 보면 우리는 시련이나 고통을 당하기도 하고 가나안 땅처럼 거대한 장벽에 부딪힐 때가 종종 있다. 이럴 때 참믿음이 있다면 모든 상황을 긍정적으로 생각하면서 위기에서도 벗어나게 된다는 자신감을 잃지 않을 것이다. 반면 부정적 도식을 가진 사람은 매사에 불만이 생기고, 불안감이 커져서 일을 해보기도 전에 주저앉는다. 이런 도식에 갇히면 문자 그대로 자기 생각의 포로가 되어 절대 헤어 나오지 못한다. 세상에는 긍정 도식을 가진 야곱이나 요셉 같은 낙관적 인간, 부정 도식을 가진 광야의 이스라엘 백성 같은 비관적 인간 등 두 부류가 있다. 성경은 늘 감사와 소망을 당부하며 원망하지 말고 불평하지 말라고 경계한다. 자신을 생각의 감옥에 가두지 마라.

(2017-10-24)

언제까지 돈의 노예로 살 것인가

돈 모으려고 전전긍긍하며
현재의 가치 있는 삶을 모두 포기해 버린 사람이 바로
'돈의 노예'
돈은 수단일 뿐 궁극적 목적 아냐
가치 있게 쓸 때만 행복할 수 있어

전에 라디오에서 짧지만 많은 것을 생각게 하는 이야기를 들은 적 있다. 예전에 시골에 가면 수확한 옥수수, 고구마, 감자 등을 골방에 쌓아 두고 겨우내 먹는 경우가 있다. 그런데 주인은 좋은 수확물을 남겨 두고 상태가 좋지 않은 것을 먼저 먹는다. 그러다 보면 시간이 흐르면서 싱싱한 것도 변질돼 결국 겨우내 작황 상태가 나쁜 것만 먹는다. 처음부터 좋은 것만 골라 먹었으면 최고의 맛을 봤을 텐데 내일 먹으려고 아끼다가 결국 찌꺼기 처리만 하고 산다.

좋은 것을 아끼다가 전혀 사용하지 못하고 애물단지가 되어 버린 경험을 누구나 해 봤을 터다. 그 얘기를 들은 후부터 나는 선물이건 먹을 것이건 좋은 것이 생기면 의식적으로 먼저 사용하려고 노력한다.

돈은 우리를 미래의 노예로 만드는 대표적 물건이다. 예전에 음식업으로 엄청나게 성공한 어느 여사장님의 성공담을 들을 기회가 있었다. 교육장에서 인생 성공담을 듣는 자리였다. 이분은 환갑이 훨씬 넘었지만 늘 새벽같이 시장에 가 본인이 재료를 고르고, 기본 양념과 국물도 직접 만든다. 음식점이 아주 커졌지만 주방 모든 일을 본인이 관리하고 앞으로도 그럴 것이라 했다. 다른 사람은 그런 맛을 낼 수도 없거니와 정성도 부족하다고 생각하기 때문이다.

그러다 보니 돈은 모았지만 자신은 그 돈을 전혀 쓰지 못하고 평생 일만 하며 산다. 음식업으로 크게 성공해 이름을 날리고 부자가 되었다고 자랑했지만, 나는 그분이 불쌍하게 보였다. 이분이 사는 방식은 처음 음식점을 시작했던 가난한 30년 전과 전혀 달라지지 않았고, 사생활도 여가도 없고 결국 자식들 좋은 일(?)만 하고 언젠가 떠날 것이기 때문이다.

이렇게 돈의 노예가 된 사람들이 은근히 많다. 필자가 전해 들은 어떤 분도 남편 월급이 많지 않지만 젊은 시절부터 악착같이 모아 부동산을 사서 파는 방식으로 돈을 불렸다. 결국 현재는 집을 몇 채 소유하고 있고, 최근에는 자식들에게까지 한 채씩 물려주었다. 그러나 본인은 좋은 옷 한 벌 사 입지 않을 뿐 아니라 심지어 몸이 아파도 병원조차 가지 않는다. 남에게 인색한 것은 물론이다. 처음 보면 너무 남루해 아주 가난해 보인다. 그분은 외국에 자주 나가는 친구를 몹시 부러워했지만, 돈도 많은데 여행도 다니시라고 하니까 절대 그럴 수 없다고 손사래를 쳤다고 한다.

이 정도면 왜 돈을 벌고 모으는지 알 수 없다. 돈은 수단이고 행복을 위해서는 돈을 지혜롭게 쓰는 게 중요한데, 나중에는 돈을 버는 것 자체가 삶의 목적이 되어 버린다. 길지 않은 인생에 보람 있게 돈을 쓰지 못하고 모으기만 하다가 결국 본인이 아닌 다른 사람에게 그것을 남기고 떠날 것이다.

미래는 생각하는 인간이 지닌 특권이다. 현재가 어려워도 미래의 희망이 확실하면 지금의 고통은 위로가 될 수도 있다. 하지만 돈 같은 것을 위해 현재를 포기한다면, 겨우내 상한 작물만 먹는 농부나 주방에서 평생 일만 하는 음식점 사장처럼 미래의 노예가 된다. 또 다가올 미래에 대한 두려움 때문에 사서 걱정하느라 현재의 삶을 망친다면 그것도 어리석은 일이다. 중요한 것은 주어진 순간이 축복이라는 생각으로 최선을 다하면서 마땅히 해야 할 일을 하는 자세다.

고대 로마의 시인 호라티우스는 "현재를 잡아라. 가급적 내일이란 말은 최소한만 믿어라"라는 경구를 남겼다. 성경도 "그러므로 내일 일을 위하여 염려하지 말라 내일 일은 내일 염려할 것이요 한 날 괴로움은 그날에 족하니라"(마6:34)라며 현재에 만족할 것을 권한다. 지금 이 순간을 소중히 하라.

(2017-11-06)

온 국민 마음 훔친 평창 롱패딩

현대사회는 '소비사회'
상품의 사용가치와 무관하게
미디어가 만들어낸 '기호'에 따라 소비자가 이리저리 끌려다녀
평창 롱패딩 열기도 식을 것
변하지 않는 신령하고 영원한 가치에 줄 서는 삶 살아야

평창 동계올림픽을 기념하기 위해 한 중소업체가 제작해 공급한 일명 '평창 롱패딩(거위 털로 제작한 구스다운 패딩점퍼)' 구매 열기가 뜨겁다 못해 난리다. 11월 30일 마지막 물량을 푼 백화점에는 며칠 전부터 이를 구입하려고 줄을 선 사람들이 북새통을 이뤘고 경찰까지 출동했다고 한다. 소비자들이 열광하는 것은 가성비(가격 대비 성능)가 아주 뛰어나고 올림픽 기념품으로 한정 제작되었다는 희소성 때문이다. 하지만 이 상품이 출시 초기에 전혀 인기를 끌지 못한 상황이나 비슷한 가성비의 옷이 많음을 고려할 때, 평창 롱패딩이 갑자기 최고 인기품이 된 것은 다른 요인에서 찾아야 한다.

프랑스 사회학자 장 보드리야르는 현대사회를 '소비사회'라고 규정했다. 소비사회는 단순히 소비를 많이 하는 사회가 아니라 상품이 특정 의미를 담은 '기호'가 되고, 그 기호가 구매욕을 자극하면서 소비가 주된 삶의 양상이 되는 사회다. 예를 들어 소비사회에서 자동차는 유용한 교통수단의 의미보다는 차주(車主)의 신분과 취향을 보여 주는 '기호'로 인식되기에 특정 모델이나 마크가 자동차 성능보다 더 중요성을 띤다. 벤츠가 성공한 사업가의 상징이 되고, 페라리가 젊고 세련된 부자들의 선호 모델이 된 것이 전형적인 예다.

상품이 기호로 변질되면 필요에 상관없이 단지 기호를 위해 많은 돈을 지불하려고 한다. 기호화가 심해질수록 그 상품의 사용가치나 애초 용도는 사라지고 해당 상품의 가치만 비정상적으로 커진다. 평창 롱패딩도 특별한 사람들만 소장하는 물건처럼 회자되면서 갑작스럽게 젊은 사람들의 소비 욕구를 불러일으킨 특권기호가 되었다. 만약 진짜 실속을 찾는 영리한 소비자라면 요즘 같은 정보시대에 비슷한 가격과 성능을 가진 유사품을 찾아 구매하는 것이 현명할 텐데 '평창 롱패딩'이 아니면 도통 흥미가 생기지 않는다. 이것은 상품의 사용가치보다 기호에 더 끌리는 소비사회의 심리가 아니면 설명이 어렵다.

해마다 유행하는 상품이 바뀌고, 특정 연예인이 사용한 상품이 느닷없이 구매 욕구를 자극하는 것도 '기호의 소비'와 그것이 불러일으키는 모방적 욕망 때문이다. 내게 필요 없어도 주변에서 뭔가에 사활을 걸면 그 물건을 소유하고 싶은 모방적 욕망이 커진다. 기업들은 이런 대중의 심리를 이용해 더 많은 물건을 더 비싸게 팔고 유행을 조장하는 마케팅에 활용하면서 쉽게 배를 불린다. 그런데 모방적 욕망이나 기호의 소비는 그 유효기간이 길지 않고 금방 싫증이 나는 것이 특징이다.

예전에 등골 브레이커라고 부른 특정 상품이 청소년들

에게 엄청나게 유행하다가 시들해지면서 부모들이 아이들이 팽개친 그 옷을 입고 다닌다는 웃픈(웃기고 슬픈) 기사를 본 적이 있다. 지금 유행하는 평창 롱패딩도 올림픽이 끝나면 지금처럼 인기를 끌지 장담할 수 없다. 기호의 가치는 내가 아니라 사회와 미디어(광고)가 창조하기 때문에 우리를 소외시키고, 소비자의 판단을 교묘하게 미혹하면서 소비가 더 큰 소비를 부르는 악순환을 반복한다.

정말 중요한 것은 물질적인 것이나 사회가 집착하는 그런 기호를 좇는 것이 아니라 내 삶에 진정 무엇이 필요한지 분별하는 지혜를 갖는 것이다. 소비를 하더라도 맹목적으로 유행을 따르지 말고 내게 꼭 필요한 것을 제한적으로 구입해야 한다. 그리고 육체가 아니라 내 영혼의 때를 위해 투자하면서 삶을 가꾸어 나가야 한다. 믿는 자들은 평창 롱패딩 같은 것이 아니라 영원한 것을 위해 줄을 서야 한다.

“자기의 육체를 위하여 심는 자는 육체로부터 썩어진 것을 거두고 성령을 위하여 심는 자는 성령으로부터 영생을 거두리라”(갈6:8).

(2017-12-04)

신앙생활 프로는 디테일에 강하다

예술 작품 완성도가 디테일에 달린 것처럼
새해 무리한 목표 세워 작심삼일 하기보다
작은 습관, 태도 고치며 꾸준함 유지하는 것이 훨씬 지혜로운 자세
교회에서도 성도 간 무관심한 태도 버리고 세심하게 서로 섬기고 사랑할 때
2018년 새해에도 주님이 사용하셔서 수많은 영혼 구원 이룰 수 있어

"악마는 디테일에 있다"는 유명한 말이 있다. 협상 등을 할 때 큰 것에는 합의가 다 이루어졌으나 작은 것 때문에 예상치 못한 어려움을 겪을 때 하는 말이다. 원래는 "신은 디테일에 있다"에서 파생된 말이다. 독일의 유명한 건축가 루드비히 미스 반 데어 로에(Ludwig Mies van der Rohe, 1886~1969)가 건축가로 성공한 비결에 관해 질문받을 때마다 이 답변을 했다고 한다. 설계, 건축방법, 재료도 중요하지만 아주 작은 것에 섬세해야 전체 건축물의 완성도와 가치가 높아진다는 뜻이다.

예술 작품에서는 아주 작은 부분 때문에 전체가 살거나 망치는 경우가 종종 있다. 그런데 디테일은 삶의 태도에서도 중요하다. 새해가 되면 많은 사람이 새로운 결심을 하고, 새로운 계획을 세운다. 믿는 사람들도 새해엔 지난날의 잘못을 회개하면서 새롭게 신앙 결의를 다진다. 특히 신년성회나 말씀에 감동을 받으면 눈물을 흘리면서 이전과 달리 더 열심히 살겠다고 다짐한다. 하지만 시간이 흐르면 다시 원점으로 돌아가거나 오히려 더 안 좋아지는 경우도 많다.

크게 바꾸고, 완전히 새로워지려고 하기보다는 오히려 작은 습관이나 태도를 고치고 꾸준히 바꾸면서 좋은 습관을 들이는 것이 더 지혜로운 자세다. 말씀을 듣거나 특별 기도를 하면서 크게 회개하고 큰 은혜를 받는 것도 필요하지만 작은 것 때문에 망가지거나 어렵게 받은 은혜를 쏟아버리는 모습을 종종 보기 때문이다.

남다른 신앙체험을 했어도 좋지 않은 습관이나 태도를 고치지 못하면 본인이 시험에 들거나 주변을 시험에 들게 한다. 곰곰이 생각해 보라. 삶에서 아주 작은 것 때문에 문제가 생기거나 반대로 작은 것 때문에 좋아지는 경우가 참 많다.

필자가 신년에 결심한 것 중 하나는, 일을 시작할 때 뜸을 많이 들이느라 시작을 미루는 태도를 고치는 일이다. 예를 들어 지금처럼 글을 쓸 때 영감을 얻는다고 이것저것 뒤적거리며 잡생각 하다 엉뚱하게 시간을 낭비한 경우가 자주 있었다. 올해부터는 할 일이 생기면 일단 시작하고 끝마칠 때까지 그것에만 집중하기로 하고 1월 1일부터 실천하고 있다. 작업하다가 휴대전화에 한눈을 팔지 않는 것은 물론이다. 기도도 규칙적으로 하려고 노력하겠지만 날마다 거르지 않는 습관을 우선 들이려고 한다. 이런 작은 노력이 쌓이면 그것이 다음의 또 다른 긍정적 변화를 가져올 수 있다.

개인뿐 아니라 조직도 마찬가지다. 돌이켜 보면 조직이나 집단에서도 사소하지만 고쳐야 할 부분이 적지 않다. 특히 영혼 구원의 전진기지인 교회에서 좋지 않은 분위기나 태도는 사람을 실족시키거나 불화를 조성하며 조직의 힘을 떨어뜨릴 수 있다. 언젠가 이 코너에서 말한 것이 생각난다.

큰 교회에서는 도시처럼 익명성이 강하고 성도 간에 서로 무관심하거나 잘 모를 수 있다. 그러다 보면 내 옆자리에 앉은 사람에게 같은 교인이라고 따뜻하게 대하지 못하고 결례하거나 냉담하게 대해 기분을 상하게 하는 경우가 있다. 예컨대 자리 때문에 다툼이 생길 때 인상을 쓰거나 안 좋은 말을 하는 경우를 들 수 있다. 같은 기관 회원이나 지역원은 서로 챙기지만 소속이 바뀌면 무관심해져서 상처를 주는 경우도 있다. 모든 것이 '주님처럼 섬기겠습니다'는 구호를 무색하게 하는 틈새며, 마귀는 거기에 자리를 잡는다.

2018년 교회 표어와 믿음의 스케줄을 제대로 실천하려면 작은 일에 충실하고, 작은 습관부터 바꿔 나가야 한다. 성경은 "지극히 작은 것에 충성된 자는 큰 것에도 충성되고 지극히 작은 것에 불의한 자는 큰 것에도 불의하니라"(눅16:10)라고 했다. 바로 디테일에 신경을 쓰라는 가르침이다.

(2018-01-08)

결과보다 원칙이 바로 서는 사회

검찰 간부 검찰 내 성추행 의혹
그릇된 조직문화에 경종
'진실공방'우리 사회 부끄러운 민낯
건전한 윤리 회복하려면
결과보다 원칙과 과정 중시하는 의무론적 태도 절실
우리 신앙생활도 '좋은 게 좋은 거지' 하는 태도 버리고 하나님 말씀의 원칙에 입각해 주님이 인정하시는 믿음 가져야

최근 한 여성 검사가 상사에게 성추행당한 사실을 언론에 폭로하면서 온 나라가 벌집 쑤셔놓은 듯 난리가 났다. 최고 권력 기관이자 엘리트 집단인 검찰에서 동료 여검사를 성추행했을 뿐 아니라 피해자가 합당한 조치를 여러 경로로 요청했으나 유야무야 되었고 오히려 좌천 인사를 당했다고 한다. 현직 검사가 성추행을 당했다는 것을 8시 뉴스에 나와 폭로해서 파장이 커진 것이지 이런 사태가 낯설지는 않다. 피해자에 따르면 심지어 더 심한 성폭력도 많았지만 권위적인 검찰 조직 내에서 문제를 제기할 수 없었다고 한다. 이번 폭로를 계기로 미국에서 번지고 있는 미투(me-too 캠페인, 나도 비슷한 경험이 있다는 성폭력 근절 운동) 운동이 한국에서 확산되고 있다.

예전과 달리 최근 성교육도 강화하고, 성 문제에 대해

엄격히 대응하는 추세지만 여전히 성 문제가 불거지는 것은 무엇 때문일까? 성 윤리에 대한 민감도가 높아진 것은 사실이지만 성 문제를 바라보는 비뚤어진 관점과 우리 사회 특유의 온정주의 문화가 이런 사단을 조장한다. 아이 엄마이고, 현직 검사인 여성이 수치심과 혹시 있을지 모르는 불이익을 무릅쓰고, 자신이 당한 일을 내부에서 제기했지만 언론이 주목하기 전까지 쉬쉬했다고 한다. 성 문제를 있을 수 있는 사소한(?) 일탈이나 개인의 도덕성 문제로 치부하거나 문제가 생겨도 조직을 위해 개인을 희생할 수 있다는 그릇된 조직 문화도 자주 거론된다. 성에 관련된 문제가 발생하면 조직을 보호한답시고 범죄를 은폐하고 피해자에게 문제의 원인을 돌리거나 내치는 경우가 많다. 이러다 보니 억울한 일을 당하고도 본인이 참거나 아니면 조직을 떠나 평생 상처를 혼자 감당하는 일이 많은 것이다.

좀 더 근본적으로 봤을 때 성 문제가 터지는 것은 우리 가치관을 암암리에 지배하는 변질된 공리주의적 사고의 폐해에서 비롯된다. 공리주의(公理主義)는 어떤 행동의 결과가 얼마나 유용하며, 쾌락과 이익을 가져다줄 수 있느냐를 윤리적 판단과 사고의 기준으로 삼는 태도를 말한다. 쉽게 말해 어떤 행동을 할 때 원칙이나 의무보다는 그것이 가져올 결과를 중심으로 윤리적 가치를 따지는 입장이다. 이것이 우리 사회의 물질주의와 결합하면서 여러 형태로 잘못 변질된 것이 작금의 문제다. 성 문제뿐 아니라 잊을만하면 터지는 여러 사건과 사고, 온갖 비리와 범죄는 결국 결과와 이익만 중시하는 목적론적 태도 때문이다.

성 문제를 비롯해 여러 사회 문제를 해결하고 건전한 윤리를 회복하기 위해 우리에게 필요한 도덕적 방향은 원칙과 과정에 보다 철저해지려는 의무론적 태도다. 공리주의 관점에서 결과나 어떤 행동이 가져올 유용성을 따지지 말고 의무와 원칙 자체에 충실하려는 근본적인 태도 변화가 필요하다. 예컨대 어떤 조직에서 성폭행처럼 있어서는 안 될 일이 발생하면 엄청난 파장이나 손실을 감수하고라도 원칙대로 처리하고 단죄해야 한다. 우리나라 사람들은 도덕의 중요성을 강조하다가도 무슨 일이 생기면 좋은 게 좋은 것이라는 식의 절충적 태도를 취하면서 넘어가려는 경향이 있다. 해방 이후 친일파가 제대로 청산되지 못한 것이나 성범죄나 비리를 저지른 사람이 국회의원 등에 당선되는 것이 단적인 예다. 이런 결과중심주의는 사회의 도덕성을 무디게 하면서 계속해서 문제를 일으키는 원인이 된다.

하나님께 제사를 지낸다는 명목으로 명령을 어기고 노획한 짐승을 보존한 사울에게 하나님은 "순종이 제사보다 낫고 듣는 것이 수양의 기름보다 나으니(삼상15:22)" 라고 질타하셨다. 결과보다 원칙을 강조하는 것이 우리 사회에 필요하다.

(2018-02-06)

평창 올림픽이 알려준 인생 교훈 세 가지

찰나의 기록으로 승부 갈리지만
그 순간 위해 수년 쌓은 '인내'가 감동 주는 핵심 요인
패배 깨끗하게 '인정'하고 상대를 존중하는 태도와
경기를 치르며 모든 선수가 하나 되는 '인화' 모습도 감동적

우려와 기대가 뒤섞인 채 2월 9일 시작된 평창 동계올림픽이 2월 25일 화려하게 막을 내렸다. 경기 내내 일체의 테러나 외국인을 상대로 한 범죄가 없는 안전한 올림픽이었고, 역대 최대 92개국 선수단이 참가하고, 100만 명 이상의 관중이 몰려 흥행에도 성공했다. 급작스런 남북단일팀 구성과 공동입장을 둘러싼 논쟁과 정치적 갈등이 있었지만, 토마스 바흐 IOC위원장이 말한 것처럼 스포츠를 넘어선 강력한 평화 메시지를 전 세계에 전했으며 많은 감동과 화제를 불러일으켰다. 외신도 이번 올림픽은 안전, 시설, 운영, 흥행, 감동 등 거의 모든 면에서 최고였다고 찬사를 보냈다.

올림픽을 지켜보면서 스포츠야말로 인간이 펼칠 수 있는 가장 감동적인 드라마 중 하나이며, 여러 가지면에서 인생과 비슷하다는 생각이 들었다. 필자는 대략 세 가지 정도에 주목하고 싶다.

첫째 인내다. 스포츠 경기는 찰나의 기록과 기량을 겨루기 때문에 승부 자체가 관심이지만 선수들이 경기 후 눈물을 흘리고, 인터뷰 하는 모습을 보면 인내야말로 감동을 주는 핵심 요인이라는 것을 알 수 있다. 평창 올림픽 총 4경기에 참가해 매스스타트 금메달을 딴 이승훈 선수는 하루 8시간 이상 연습을 하는 연습벌레라 한다. 필자도 건강을 위해 스쿼트 등 실내운동을 종종 하는데 운동을 오래 하면 지루하고 힘들어 참기 어렵다. 그런데 평소 선수들이 그렇게 많은 땀과 눈물을 감내하며 잠깐의 경기를 준비하는 모습 자체가 대단하기에 그들에게 박수를 보내는 것이다.

둘째 인정이다. 선수들은 최선을 다해 경기에 임해 이기려고 하지만 패했을 때 깨끗하게 인정하고 또 승부와 상관없이 존경할 만한 상대에게 경의를 표한다. 올림픽 3연패에 도전한 이상화 선수가 출전해 관심을 끈 여자 500m 경기에서 이상화는 일본의 고다이라에게 져서 은메달을 땄다. 경기 직후 고다이라는 이상화에게 다가가 한국어로 '잘했어'라고 인사하며 그녀를 안고 격려했고, 이상화도 라이벌을 존중한다고 말했다. 국경을 떠난 승부와 인정 어린 우정이 사람들에게 감동을 주었다. 반대로 술수를 쓰거나 반칙을 범하면 실격판정을 받고 사후에라도 부정이 드러나면 메달이 박탈된다. 올림픽위원회는 도핑조작 스캔들로 물의를 빚은 러시아에 출전을 금지해 선수들은 개인자격으로 참여했으며 우승을 해도 국기대신 오륜기가 게양되었다.

셋째 인화다. 올림픽 경기는 개인종목이 다수지만 2인·4인 봅슬레이, 팀 추월 경기, 아이스하키처럼 단합해서 승부를 내는 경기가 많아 더 큰 재미와 화제를 만든다. 남북 아이스하키팀은 구성 때부터 문제가 많았고 전 경기에서 패배했지만 남북 선수들이 경기를 치르면서 하나가 되는 모습 자체가 사람들에게 감동을 주었다. 애초 비인기 종목이었지만 경기 내내 최고의 관심을 끈 여자 컬링 팀도 오랜 기간 서로 알고 지내며 연습을 같이한 팀이다. 개인기량보다 팀워크가 승부를 가르기에 예기치 못한 결과가 나온다.

경기는 끝났지만 우리는 각자의 인생에서 목표를 향해 계속해서 달음질해야 한다. 성경은 복음을 전하는 것을 달음질에 비유(갈2:2)하기도 한다. 보통 경기에서 이기는 것을 강조하지만 위에서 본 것처럼 다른 면을 볼 필요가 있다. 인기종목과 비인기 종목이 있을지언정 가치 있는 경기와 가치 없는 경기가 따로 없고 자신만의 경기에 몰두하듯 우리도 각자 인생의 사명을 감당하기 위해 최선을 다해야 한다. 또 경기 승부는 혼자 내지만 준비 과정에서 보이지 않는 많은 사람의 도움을 받아야 하며 단체 경기에서는 자신을 희생할 수도 있다. 우리의 달음질이 헛되지 않도록 아름답게 최선을 다하자.

(2018-03-07)

'파레토 법칙'과 한국 교회

조직 내에서 상위 20%가 80% 몫을
감당하는 현상이 '파레토 법칙'
사람 많을수록 방관자 많아지기 때문
교회도 출석에만 만족하는 방관자 많아
성경은 "차든지 더웁든지 하라" 했으니
방관자적 태도 버리고 섬기고 충성해야

어떤 조직이나 공동체를 봐도 안에서 적극적으로 활동하고 주인처럼 활동하는 그룹이 있고, 대충 일하거나 방관하면서 적당한 때 이득만 챙기는 사람들이 있다. 근면의 상징처럼 알려진 개미도 관찰해보면 20%만 땀 흘려 일하고 나머지는 건성건성 시간을 보낸다고 한다. 재미있는 것은 열심히 일하는 개미들만 따로 모아 놓아도 시간이 지나면 2:8 법칙이 적용된다는 것이다.

이탈리아 경제학자 파레토는 이런 현상을 자국 경제에 적용해 통계 조사한 결과 인구 20%가 땅 80%를 소유한 사실을 발견했다. 이때부터 상위 20%가 생산하거나 성과를 독점하는 현상을 '파레토 법칙'이라고 부르게 되었다.

파레토 법칙에 따르면 대체로 20%가 80%의 일을 하고 대다수는 조금만 기여한다. 생산뿐 아니라 소비나 지출도 소비자 20%가 80%의 몫을 감당한다고 한다. 파레토 법칙은 상위 20%가 대다수를 대신하는 현상을 지칭하는 일반법칙으로 통용된다.

그런데 파레토 법칙은 대형 교회에서도 종종 볼 수 있다. 큰 교회에 가보면 직분을 열심히 하는 사람이 몇 가지를 동시에 하는 경우가 많고, 충성하지 않거나 예배만 참가하는 사람이 더 많다. 특히 오래된 교회일수록 방관자나 교회 출석에만 만족하는 사람이 80%까지는 아니어도 꽤 많다는 것은 주지의 사실이다.

열심히 충성하고 시간과 재물을 아끼지 않는 사람들 덕분에 전체 조직이 무리 없이 굴러가지만 무임승차하면서 편하게 지내는 사람들 때문에 더 많은 일을 감당하지 못하기도 한다.

구원의 은혜로 모인 신앙결사체 교회에서 이해타산과 계산적 관계가 지배하는 세상과 똑같이 '파레토 법칙'이 관철된다면 무언가 문제가 있는 것이다. 다 같은 지체처럼 보이지만 80%는 1달란트를 땅에 묻어두고 아무 일도 안 한 무익한 종 같은 사람이며, 결국 천국에서 쫓겨날 사람이기 때문이다.

파레토 법칙의 심리적 근거를 설명해주는 이론이 유명한 '방관자 효과'다. 1968년에 미국 사회 심리학자 존 달리와 빕 라테인이 도움 실험을 해보니 주변에 사람이 많을수록 책임이 분산돼 수수방관하는 일이 많았다.

예컨대 누군가 고립된 공간에 단둘이 있을 때 쓰러지면 상대가 즉각 도와주지만, 사람이 많아지면 이에 반비례해 점점 도움받기 힘들다. 세 사람 있을 때보다 여섯 사람, 여섯보다는 열 사람 있을 때 방관자는 그만큼 많아진다. 사람이 많아지면 내가 아니더라도 누군가 할 거라며 책임을 떠넘겨 별다른 행동을 하지 않아도 큰 부담을 느끼지 못하기 때문이다.

만약 한겨울에 명동처럼 사람이 많이 다니는 길에 쓰러지면 자칫 도움받지 못하고 죽을 수도 있다. 존 달리와 빕 라테인의 실험은 대도시에서 범죄나 긴급한 상황이 발생할 때 사람들이 아무 것도 안 하고 구경만 하는 냉정한 집단 심리를 잘 설명해준다. 사람들 자체가 정이 없는 게 아니라 상황이 그렇게 만든다는 것이다.

교회에 방관자가 많거나 대다수가 구경꾼처럼 다니는 것도 파레토 법칙이나 방관자 효과라고 말할 수 있다. 그러나 신앙은 보편적인 사회심리나 이기심을 초월할 힘이 있어야 한다. 구원받은 은혜에 감사해서 교회에 나오고 충성하는 것이지, 사람들 눈치나 이해관계 때문에 충성을 하는 것이 아니기 때문이다.

교회에서 내가 80% 방관자에 속한다면 위험하다. 성경은 “네가 차지도 아니하고 더웁지도 아니하도다 네가 차든지 더웁든지 하기를 원하노라(계3:15)” 하면서 하나님의 입에서 토해내고 내친다고 경고하고 있다.

세상 이치로 보면 방관자나 눈치꾼이 더 편하고 영리해 보이지만 성경은 늘 먼저 섬기고 충성하라고 가르친다.

(2018-04-10)

역사를 주관하시는 하나님의 섭리

역사는 하나님의 섭리에 달려있기에
인간이 아무리 치밀하게 계획해도 의도한대로 흘러가지 않아
급변하는 남북관계 바라보며 하나님 섭리 깨닫기를 겸손하게 기도

독일 철학자 헤겔은 인간이 역사의 주인공 같지만 실은 '절대 이성(理性)'이 자신의 목적을 실현하기 위해 인간을 동원한다고 말하면서 이를 '이성의 간지(奸智, List der Vernunft)'라 불렀다. 간지는 '교활한 이성'이란 뜻이지만, 부정적 의미가 아니라 인간의 정열과 활동을 수단으로 동원해 종국에는 자유를 실현하는 이성의 오묘한 작용을 지칭 한다. 헤겔에 따르면 세계사는 마치 이성이 교묘하게 인간의 행위를 동원하고, 다양한 관심과 정열을 불러일으키고 충돌하게 하면서 그것을 수단 삼아 자기를 실현해 가는 과정이기에 이를 '이성의 간지'라 불렀다. 실제 세계사에 숱한 영웅이 있지만 따지고 보면 역사는 인간의 의지보다 엉뚱한 사건이나 예기치 못한 인물들에 따라 진행되기도 한다. 제1차 세계대전도 오스트리아 황태자 페르디난트 대공(大公)이 사라예보에서 세르비아의 한 청년에게 암살당한 일을 계기로 발생했다.

철학자가 말하는 이성의 간지를 영의 눈으로 보면 하나님의 섭리이자 개입으로 해석할 수 있다. 최근 한반도에서 벌어지는 남북 대화와 북·미 접촉도 마찬가지다. 불과 몇 달 전까지 전 세계 사람들이 전쟁이 터질까 불안하게 주시하던 곳이 한반도였다. 자고 일어나면 북한의 탄도미사일 발사 소식이 들리고, 정부는 대책 회의로 부산하고, 미국이 강경한 목소리로 경고하는 등 일련의 사태를 보면서 '우리는 끝나지 않은 전쟁 상태에 살고 있구나'라고 불안감을 느꼈다. 마트에서는 비상용품과 야전 식량이 구비된 '생존배낭'을 팔고, 핵전쟁을 대비한 대피 훈련까지 했다. 전쟁이 갑자기 터질 수 있겠다는 위기감이 서서히 고조되며 지구촌에서 가장 위태롭게 보인 곳이 한반도였다.

그러다 갑자기 남북 정상이 판문점에서 영화처럼 만나고, 북한을 비난하고 한바탕 폭격이라도 퍼부을 듯 으르렁대던 미국까지 호응하면서 한반도 정세가 완전히 바뀌고 있다. 물론 아직은 앞으로 진행될 북·미 회담 결과를 주의 깊게 지켜봐야 하지만 적어도 화해 분위기가 형성된 것은 사실이다. 그런 까닭에 비핵화를 골자로 한 판문점선언을 국민 다수가 환영하고 있다. 이렇게 사태가 180도 급변하는 것을 보면서 필자는 '역사는 정말 예측 불가능하고, 때로 우연한 사건에 따라 진행되기도 하는구나' 하는 느낌을 받는다.

미국 대통령으로 트럼프가 당선되었을 때 적지 않은 세계의 오피니언 리더들이 앞으로 세계 질서가 엉뚱하게 재편되거나 무력충돌이 곳곳에서 이어지지 않을까 우려한 것도 사실이다. 트럼프 자신이 '미국 제일'을 외치면서 기존 정치권과는 완전히 다른 목소리를 냈고, 독불장군처럼 톡톡 튀는 성격이나 언행이 역대 미국 대통령과 완전히 달랐기 때문이다. 그런데 어떻게 보면 예견 불가능한 강성 트럼프가 미국의 대통령이었기에 지금처럼 화해 무드가 가능했다고 말할 수 있다.

역사는 인간이 치밀하게 계획하고 설계한 목적대로 움직이는 것이 아니라 보이지 않게 역사하시는 하나님의 섭리에 따라 진행된다. 인간의 눈으로 보면 부정적이고 안 좋은 일들이 지나 보면 더 좋은 포석처럼 작용하는 경우가 많다. 그렇기에 역사에 대해 우리가 가져야 할 태도는 겸손함이고, 하나님의 선한 의지가 실현되는 데 우리가 제대로 쓰임받을 수 있도록 기도하고 따르는 것이다.

한반도에 진정한 평화가 정착되고, 핵이 완전히 폐기되며, 남한 주도로 통일을 향한 과정이 진행될 수 있기 위해 우리에게 필요한 것은 기도와 섭리를 이해하는 현명함이다. 미래에 대해 내 생각만 옳다고 큰 목소리를 내면서 논쟁할 필요는 없다. 개인의 삶도 마찬가지다. “사람이 마음으로 자기의 길을 계획할지라도 그 걸음을 인도하는 자는 여호와시니라”(잠16:9).

(2018-05-14)

신앙생활도 아는 만큼 보인다

최근 뇌·인지·심리학 연구 결과
경험 많다고 지식 얻는 것 아냐
인간의 생각으로 보면 때로는
어리석은 것이 진리인 경우 많아
신앙인은 하나님이란 인지 도식으로
모든 것을 해석하고 바라보는 사람
하나님 인지 도식이 자리 잡을수록
더 지혜로운 인생 살 수 있어

'견문(見聞)'이란 말의 뜻은 '보거나 듣거나 하여 깨달아 얻은 지식'이다. 그런데 무조건 견문을 넓히면 지식이 커지고 지적으로 성장할까? 근대 어느 철학자는 인간의 지식과 관념은 오직 경험에서 비롯한다고 말하면서 '빈 서판(書板)' 이론을 주장하기도 했다. 그런데 최근에 나오는 뇌 과학, 인지 과학, 심리학 연구 성과는 이런 생각과 반대인 경우가 많다. 인간은 텅 빈 도화지에 그림을 그리는 방식으로 백지 상태에서 지식을 얻는 것이 아니라는 의미다. 언어를 배울 수 있고 감정과 행동을 모방하고 직관적으로 무언가를 알고 추론할 수 있는 선천적 능력이 인간에게만 있다는 사실이 점점 밝혀지고 있다. 지능이 인간과 비슷하게 높은 침팬지에게 아무리 인간의 말을 가르쳐도 인간처럼 언어를 구사하지 못하고 기껏 몇 가지 단어만 구별하는 것도 그 때문이다. 또 우리가 같은 경험을 해도 받아들이는 바가 다 다르고 수준 차이도 나는 것도 경험을 해석하고 그것에서 새로운 지식을 끌어내는 인지 도식이 서로 다르기 때문이다.

무조건 경험을 많이 한다고 지식이 생기는 것이 아니라 오히려 인간은 자기가 아는 만큼 보는 것이 더 맞다. 하나의 예를 들어 보자. 고대 상형문자가 새겨진 유물은 고고학자에게는 많은 새로운 지식과 정보를 주는 귀중한 자료가 되고 그것을 통해 더 새로운 발견을 할 수 있다. 하지만 원시 부족에게는 고대 유물이 돌덩어리에 불과하다. 같은 문화권 사람도 배움과 관심사에 따라 세상을 보는 범위가 다르다. 문화해설사와 동행해 낯선 곳에 방문해 그곳 역사와 문화에 대해 한 번이라도 설명을 들어 보라. 그다음에는 평범한 그 장소가 전혀 다르게 보인다. 대학에서 학생들을 가르치는 일을 업으로 삼는 필자가 학생들에게 자주 하는 말이 있다. 내가 학생들을 가르칠 수 있는 것은 학생보다 지식이 많아서가 아니라 새로운 지식을 정리하고 해석하는 능력이 학생과 다르기 때문이다. 다시 말해, 같은 책을 읽어도 전문 연구자의 이해와 학생의 그것은 폭과 깊이가 다르다. 이는 오랜 기간 학문 연구와 훈련을 했기 때문에 가능하지 짧은 지식 습득으로는 불가능하다.

현대사회는 정보사회라 누구나 약간의 웹서핑만 하면 여러 자료나 학술 데이터를 쉽게 접할 수 있다. 하다못해 네이버 같은 포털에서 정보를 검색해도 수많은 정보를 힘들이지 않고 모을 수 있다. 옛날에는 학자들이 정보를 독점함으로써 일반인보다 우월한 위치에 섰다면, 정보화 사회에서는 정보 독점이 큰 의미가 없다. 그런데도 여전히 전문가가 권위를 갖고 일반인을 가르칠 수 있는 것은 정보를 분류하고 해석하고 새로운 지식을 끌어내는 능력이 탁월하기 때문이다.

신앙 세계도 이와 마찬가지다. 신앙인은 하나님이라는 인지 도식으로 모든 것을 해석하고 바라보는 사람이다. 이 도식은 세상의 지식이나 진리와는 전혀 다르게 작동한다. 인간의 생각으로 보면 어리석은 것이 진리인 경우가 많다. 예컨대 아주 불행하고 고통스러운 일을 당할 때 그곳에서 역사하시는 이의 섭리를 안다면 절망하지 않고 감사할 수 있다. 지나고 보면 화(禍)가 변해 복(福)이 되거나, 어리석어 보였던 것이 더 현명한 선택이었음을 느끼는 경우가 많다. 능력 있는 주의 종을 통해 하나님의 말씀을 들을 때 감동하는 것도 새로운 지식을 얻어서가 아니라 우리가 익히 알던 것을 신앙의 눈으로 전혀 새롭게 보는 도식을 심어 주기 때문이다. 하나님의 인지 도식이 자리 잡을수록 더 지혜로운 인생을 살 수 있다. 그래서 성경은 “여호와를 경외하는 것이 지혜의 근본이요 거룩하신 자를 아는 것이 명철이니라”(잠9:10)라고 하면서 하나님을 먼저 알아야 한다고 말한다.

(2018-06-07)

비극을 부르는 오해와 의심

셰익스피어 4대 비극 <오셀로>
오해 때문에 사랑하는 아내 죽이고
진실 밝혀지자 죄책감에 목숨 끊어
이스라엘 초대 왕 사울도 다윗 의심
하나님보다 사람을 두려워하다
뿌리박힌 신앙 교만에 처참한 최후
한 번 오해 생기면 의심 더 깊어져
믿고 싶은 것만 믿는 '확증편향' 태도
오해하고 있다면 자신 먼저 돌아봐야

오해(誤解)라는 말을 사전에서 찾아보면 '그릇되게 해석하거나 뜻을 잘못 앎 또는 그런 해석이나 이해'라고 나온다. 살다 보면 오해 때문에 벌어지는 크고 작은 비극을 경험할 때가 있다. 셰익스피어의 비극인 <오셀로>는 오해 때문에 사랑하는 부인을 죽이고 나중에 모든 사실이 밝혀지자 죄책감에 스스로 목숨을 끊은 흑인 장군 오셀로의 슬픈 파멸을 다룬다. 오셀로의 부하 이아고는 부관이 되지 못하자 앙심을 품고 오셀로의 부인 데스데모나의 손수건을 훔쳐서 오셀로의 부관 캐시오의 방에 떨어뜨리고 둘이 밀통을 나눈다고 거짓 고변을 한다. 사랑하는 부인의 말을 믿지 않고 불륜의 증거라고 가져온 손수건만 보고 오셀로는 분노로 길길이 뛰다 성급하게 부인을 죽인다. <오셀로>는 의심과 오해가 어떻게 사람 사이를 갈라놓을 뿐 아니라 파멸시키는지 복잡 미묘한 인간의 심리를 생생하게 묘사한 비극이다.

이스라엘의 초대 왕 사울이 다윗을 미워하기 시작한 것은 블레셋과의 전쟁 후 백성 사이에 다윗의 인기가 높아지면서부터다. 사무엘상 18장 8절을 보면 "사울이 이 말에 불쾌하여 심히 노하여 가로되 다윗에게는 만만을 돌리고 내게는 천천만 돌리니 그의 더 얻을 것이 나라밖에 무엇이냐" 하면서 다윗에게 나라를 빼앗기지 않을까 두려워한다. 사실 다윗은 왕좌를 넘보지 않았고 충성심도 변함없었으나 한 번 시작된 사울의 오해는 풀리지 않았고 결국 죽을 때까지 다윗을 죽이려고 시도했다.

그런데 흔히 오해는 오해받을 만한 일이 있어서 생기는 것 같지만 실상은 반대다. 대개의 경우 문제가 있기보다는 오해하는 사람 속에 숨은 의심이나 열등감 같은 부정적 정서가 촉발점이 되는 경우가 많다. 한 번 오해가 생기면 의심은 더 깊어지고 자기 신념과 판단에 부합되는 자료만 믿는 경향이 점점 굳어지는데, 심리학에서는 이를 '확증편향(confirmation bias)'이라고 한다. 쉽게 말해, 자신의 믿음에 부합되는 증거는 받아들이지만 자신의 신념에 반하는 자료나 사실은 무시하면서 자신의 판단을 바꾸지 않는 태도다.

오해가 생기면 쉽게 벗어나지 못하는 것은 확증편향이 일단 자리 잡으면 애초 신념을 더 굳어지게 해서 증오나 불신으로 눈을 멀게 만들기 때문이다. 이렇게 되면 이제 오해가 풀리기는 거의 불가능하다. 오셀로의 사례에서도 간교한 이아고의 꼬드김이 불화를 일으킨 것 같지만 실은 오셀로가 자신이 흑인이고 아내는 베니스의 손꼽히는 백인 미녀라는 점에 대한 근본적 열등감을 가지고 있었기에 오해가 생긴 것이다. 이아고는 이 열등감을 파고들어 틈을 벌려 오셀로의 질투심에 불을 붙인 것뿐이다. 사울은 왕이었지만 하나님의 영이 자신을 떠났다는 두려움이 있었기에 백성이 다윗을 칭찬하자 그가 왕위를 노린다고 단정했다.

정서적으로 건강하고 긍정적인 사람은 오해할 상황이 돼도 이를 다시 확인해 보려고 하며 잘 미혹되지 않는다. 사울의 아들 요나단이 끝까지 다윗을 믿고 도와준 것은 그가 선한 사람일 뿐 아니라 다윗에 대한 우정이 컸기 때문이다. 교회에서 같이 일을 하다 보면 크고 작은 일로 오해가 생기거나 서운함이 생기기도 한다. 그런데 오해가 풀리지 않는 것은 서로에 대한 불만이나 부정적 정서를 바로잡지 못하고 그 상태에 머물러 있으면서 자신의 오해를 정당화하기 때문이다. 결국 오해하는 사람의 심리구조가 더 큰 문제다. 이런 이유로 성경은 먼저 형제와 화해한 후 예물을 드리라(마5:24)고 말한다. 오해와 불신은 죄악이고 건강하지 못한 심리의 파산물이다. 내가 누군가를 오해하고 있다면 자신을 먼저 돌아봐야 한다. 오해였다고 핑계 대지 마라. 오해도 죄악이다.

(2018-07-12)

창조 섭리 거스른 인간의 탐욕과 숨 막히는 지구

지구촌 덮친 사상 최악의 폭염·가뭄
가장 큰 원인은 바로 지구온난화
다른 사람과 후손 생각하지 않고
'나만 편하게 살면 된다'는 탐욕이
자연재해와 재앙 일으키는 주범
창세기 "땅을 정복하고 다스리라"
하나님 창조물 잘 보살피라는 명령

사람들의 안부 인사가 "언제까지 날씨가 이렇게 더울까?" 하는 탄식이 된 지 오래다. 길에서 일하는 사람은 말할 것 없거니와 잠시 걸어 다니기조차 쉽지 않을 정도로 찌는 날씨가 이어지고 있다. 8월 1일에는 홍천이 41도, 서울이 39.6도를 기록하는 등 111년 만에 최강의 폭염이 한반도를 덮치고 있다. 한국뿐 아니라 유럽이나 미국도 가뭄이나 더위가 기승을 부린다고 한다. 문제는 올해만 유독 이상기온이 생긴 게 아니라 점점 더 심해진다는 전문가들의 비관적 예측이다. 최근 국립기상과학원의 한 연구원이 논문을 발표했는데 2030년대는 5월부터 9월까지 한 5개월 동안 여름이 오고, 그 여름 더위도 재앙 수준이 될 것이라는 게 핵심 내용이다.

무더위 원인이 무엇인지는 여러 설명이 있지만 그중 하나로 지구온난화를 꼽는 데는 이견이 없다. 지구온난화란 대기 중 온실가스가 너무 많아져 온도가 상승하면서 평균기온이 높아지는 현상이다. 온실효과는 지표면 온도를 적절하게 유지하게 해주어 생명 활동에 도움을 주지만, 이것이 지나치면 극지방 빙하가 녹고, 이에 따라 해류(海流) 변화에 이상이 생기면서 여러 기상 이변을 일으킬 수 있다. 20세기에 들어서 해수면은 약 10~25㎝ 상승하였고, 1950년 이후 북반구에 있는 빙산은 10~15% 감소하였다고 한다. TV에서 빙하가 무더기로 녹아내리고, 북극곰이 조각난 빙산 위에 위태롭게 몸을 의지하는 영상을 본 적 있을 것이다.

지구온난화가 가속되면 가뭄, 홍수 그리고 더위와 사막화를 초래하면서 생태계 파괴뿐 아니라 인간 생존 자체를 위협할 수 있다. 지구온난화의 주범은 이산화탄소인데, 이산화탄소는 석탄, 석유 등 화석연료와 자동차 배기가스 등에서 나온다. 올여름 무더위가 극심해지고 비가 내리지 않는 것은 지구온난화와 연관성이 깊다. 이제 환경 문제는 일반인들도 피부로 느낄 정도로 점점 심각성이 커지고 있다. 하나님은 하나뿐인 지구를 주면서 생육하고 번성하여 땅에 충만하라 했는데, 인간의 과도한 욕심과 편익 추구가 지구를 망가뜨리면서 재앙을 부르고 있다. 물론 지구온난화를 막기 위한 범지구적 노력도 계속되고 있기는 하다.

1992년 세계 각국 지도자들이 브라질 리우에 모여 지구온난화와 기상이변의 원인은 인류의 에너지 과소비로 인한 대기 중 이산화탄소 농도 증가라고 규정하고 더 큰 재앙을 막기 위해 기후변화협약을 체결했다. 1995년에는 온실가스 감축 목표를 설정하는 교토의정서를 채택했고, 교토의정서의 한계가 너무 많아 다시 이를 보완한 파리기후협약을 2015년에 채택하는 등 인류 공동체의 노력이 계속되기는 한다. 하지만 더 중요한 것은 지구를 지키고 환경오염과 피해를 방지하려는 발상의 전환과 우리 모두의 실천이다. 환경윤리의 필요성 중에 미래세대에 대한 의무 준수가 있다. 현재 우리가 삶을 위해 누리는 지구의 자원과 풍요는 우리 세대만을 위한 것이 아니라 미래세대를 위해서도 보존해야 할 자산이라는 것이다.

성경에는 말세 징조로 "처처에 큰 지진과 기근과 온역이 있겠고 또 무서운 일과 하늘로서 큰 징조들이 있으리라"(눅21:11) 경고하기도 한다. 아마 말세는 이런 기상재해와 함께 올지 모른다. 그런데 중요한 것은 이런 자연재해와 환경재앙을 일으키는 주범이 하나님이 아니라는 점이다. 인간이 생태계에서 살면서 인간만 그리고 지금 세대만, 우리나라만, 나만 생각하고 우리만 좀 더 편하게 살려는 탐욕을 포기하지 못해 결국 지구를 멍들게 하면서 종말의 징후들을 생산하는 원흉이 되는 것이다. 다가올 종말을 우리 손으로 앞당기는 어리석음을 이제라도 멈추어야 한다.

(2018-08-07)

외국인 200만 명 시대, 마음 문 닫은 한국인들

2017년 국내 체류 외국인 218만 명 돌파
근거 없는 미움과 배타적 시각 버리고
열린 마음으로 포용하는 정책 필요해
세계 각지 선교사 파송도 중요하지만
한국 사회 정착 어려움 겪는 외국인들
한국교회가 잘 섬겨 복음 받아들이면
고국 돌아가 훌륭한 선교사 될 수 있어

대한민국에 거주하는 외국인 수가 2016년 200만 명을 넘은 후 꾸준히 증가하고 있다. 법무부 출입국 통계연보에 따르면 2017년 대한민국 체류 외국인은 이미 218만 명을 넘었으며, 그중 90일 이상 장기체류자가 150만 명이다. 이제 관광 등 단기 체류는 물론 취업, 유학, 결혼 등을 이유로 한국에 장기 거주하거나 귀화하는 외국인을 주변에서 쉽게 볼 수 있다. 2007년에 국내 체류 외국인이 100만 명을 넘었으니 대책이 필요하다고 떠들썩했는데 격세지감이다. 필자가 몸담은 대학에도 외국인 학생이 종종 눈에 띄며, 중국 등 아시아계 일변에서 유럽이나 미국 등으로 구성이 다양화하는 추세다. 외국인이 많아지면서 올해 제주도 예멘 난민신청 사건처럼 이민정책을 둘러싼 갈등이 우리 사회에도 불거지고 있다.
필자는 프랑스에서 유학하면서 외국인으로 산다는 게 쉽지 않음을 많이 체험했다. 가끔 억울하기도 했지만, 학생 신분이라 상대적으로 많은 혜택을 누릴 수 있었고, 큰 차별이나 봉변도 다행스럽게 경험하지 못했다.

하지만 우리나라에서 외국인 문제는 부정적으로 전개되는 양상이다. 한국에 거주하는 외국인 다수가 여전히 중국이나 동남아 출신이고 취업이나 농촌 결혼 이민 등 경제적 이유가 많다 보니 우리나라 사람들이 외국인을 보는 시각은 그리 좋지 못하다. 많이 줄었지만 여전히 우리나라에는 한민족이라는 순혈주의 정서가 지배하고 있고, 최근에는 이슬람 쪽 유입도 많아지면서 한국이 이슬람화될까 우려하는 공포와 혐오도 확산되고 있다.

하지만 한국 사회는 출산율이 점점 떨어지고 노인 인구가 늘어나면서 이미 전체 인구 14%가 65세 이상 노인인 고령사회로 진입한 상태다. 노인 인구는 늘고 생산 종사 인구가 점점 줄어들면서 경제 활성화와 일손이 모자란 농어촌의 원활한 인력 공급을 위해서 외국인 노동자가 많이 필요한 상태다. 중소 공장 노동이나 간병인 등 기피 업종에는 조선족 등 많은 외국인이 일하고 있어서 법무부도 융통성 있게 불법 체류자 문제를 다룰 정도다. 최근에는 한류 등이 인기를 끌면서 문화나 학문적 이유로 한국을 찾아오는 외국인도 늘고 있다. 이제 문자 그대로 한국도 국제화 시대로 접어들고 있기에 외국인 문제를 열린 자세로 고민할 필요가 있다. 더 적극적인 외국인 포용 정책을 펴고 이들이 한국 사회의 구성원으로 기여할 수 있도록 배려하면서 품어야 한다. 세계 각지에 선교사를 파견하는 일도 중요하지만, 우리나라에 온 외국인들을 각 교회나 지역사회가 끌어안아 우리 공동체에 정착하도록 돕는 것도 중요한 사명이다.

교회의 주일 2부예배엔 헤드폰을 끼고 예배에 참석하는 외국인을 심심찮게 볼 수 있다. 이미 영어, 중국어, 일본어로 실시간 통역 서비스를 시작한 지 오래고, 노동자로 한국에 왔다가 교회에서 크게 은혜받고 변화돼 자국 선교사로 파송돼 영혼 구원에 전념하는 경우도 다수다. 지금은 시작 단계지만 외국인 수가 늘어나고 외국인 공동체가 다양해지면, 이들을 위한 특별 조직과 선교 사업이 필요할 것이다. 다른 한국교회도 적극적일 필요가 있다. 외국인 체류자는 갈수록 증가할 것이기 때문이다. 이민자 문제는 우리 사회의 여러 상황을 고려해 신중하게 접근하는 것이 맞지만, 그것은 입법이나 정책적 차원에서 다루면 된다. 우리에게 필요한 자세는 이들을 불안하게 보면서 근거 없이 미워하고 배타적으로 대하는 게 아니라 적극적으로 우리 사회의 일원으로 인정하는 성숙한 태도를 보이는 것이다. "너는 이방 나그네를 압제하지 말라 너희가 애굽 땅에서 나그네 되었었은즉 나그네의 정경을 아느니라"(출23:9).

(2018-08-28)

욕망 싣고 달리는 부동산 열차, 어디까지 가나?

부동산 때문에 사회적 갈등의 골 깊어져
투기 막으려는 고강도 정부 대책 나왔지만
한몫 잡으려는 인간의 욕망 멈출지 미지수
욕망은 아무리 채우려 해도 만족함 없어
영혼의 때 위해 살아가는 그리스도인들
헛된 욕망이 나를 지배하게 해서는 안 돼

서울과 수도권을 중심으로 아파트값이 천정부지로 뛰면서 대한민국이 온통 야단법석이다. 그간 정부 대책을 믿으며 묵묵히 살아온 서민은 상대적 박탈감에 울분을 토하고, 집 가진 부자들은 이 기회에 한몫 챙기려고 눈에 핏발을 세우고 뛰어다닌다. 보도에 따르면 일부 지역은 아파트 부녀회를 중심으로 가격 담합과 가격 띄우기 작전도 기승을 부리는 모양이다. 민심이반에 놀란 정부가 13일 종합부동산세 인상과 대출 규제 등 집값 안정을 위한 고강도 대책을 내놓아 향후 투기 열풍이 잦아들지 봐야 하겠지만, 참 씁쓸하다. 사람들 관심과 화제가 온통 부동산이기 때문이다.

원론적 얘기지만 집이란 거주를 위한 것이기에 실수요자의 필요와 적절한 시장가에 부합되게 공급과 매매가 이루어지고, 내 집이 아니어도 전·월세로 사는 게 가능하다면 큰 문제가 아니다. 하지만 언제부터 부동산 불패 신화가 새로운 신앙(?)이 되고 아파트가 가장 확실한 투기 대상이 되면서 실수요자들이 높은 집값 때문에 외곽으로 밀려나거나 열심히 일해 봐야 소용없다는 허무주의와 분노가 확대되는 것이 큰 문제다. 부동산 열풍은 인간의 욕망이 어떻게 작동하고 부작용을 일으키는지 잘 보여 준다.

욕망은 결핍과 이를 채우려는 필요 때문에 생기는 것 같지만 실은 사회가 인위적으로 욕망을 만들고 확대한다. 프랑스의 철학자 르네 지라르에 따르면 인간은 타인의 욕망을 모방하면서 욕망에 눈을 뜬다. 사람들이 특정 대상을 욕망하면 나머지 사람들은 그것을 모방하면서 욕망을 배우게 되고, 한정된 자원을 두고 상호 갈등과 폭력성이 커진다. 갈등이 극에 달하면 사회는 위기를 해소하기 위해 합법적 방식으로 폭력을 발산하도록 유도하며 이런 가운데 희생제의 형태로 문화가 발달한다는 게 지라르의 설명이다. 아이들을 보면 쉽게 이해가 된다. 필요가 없어도 많은 아이가 좋아하는 장난감이 유행하면 기를 쓰고 가지려고 하며 떼를 쓴다. 기업은 이런 심리를 이용해 유명인을 모델로 쓰고 일부러 특정 제품의 수량을 제한하고 가격을 높여 희소성을 부여하면서 모방적 욕망을 부추긴다.

아파트 열풍도 비슷하다. 한국 사회에서 집값 상승으로 하루아침에 부자가 된 전설(?)이 부풀려지고 부러움의 대상이 되자 너도나도 부동산 투기로 한몫 잡지 못하면 바보가 된다는 경쟁심리가 부동산 욕망을 부추긴다. 한 부동산 중개업자의 인터뷰를 들으니 집값 폭등을 주도하는 사람들은 온종일 아파트 시세만 비교하면서 서로 정보를 주고받고 호가를 높이기 위해 움직이는데, 전문

업자보다 그 열심이 대단하단다. 물론 지금의 부동산 열기를 단순히 모방적 욕망으로만 설명할 수는 없지만 투기 열풍이 강남을 벗어나 전국으로 확대되고 부동산 때문에 사회 갈등의 골이 깊어지는 것은 분명하다.

비판 없이 타인의 욕망을 따라 하다 보면 정작 나에게 필요한 것을 놓치게 되고 하나의 욕망이 채워지면 더 큰 욕망을 탐닉하면서 욕망의 노예가 되기 쉽다. 욕망이 사회로부터 오는 것이기에 나를 소외시키기 쉬우며 절대로 만족하지 못하고 계속 이를 추구하는 속성이 있다. 돈도, 집도, 명예도 필요하지만 이것이 삶의 목적 자체가 되어서는 안 된다. 특히 육신의 때가 아닌 영혼의 때를 위해 살아야 하는 믿는 자들이 세상 재화에 눈이 멀면 재화의 종이 되어 창조주를 부인하기 마련이다. "곧 허탄과 거짓말을 내게서 멀리 하옵시며 나로 가난하게도 마옵시고 부하게도 마옵시고 오직 필요한 양식으로 내게 먹이시옵소서"(잠30:8). 과잉 물욕은 필연적으로 우리 삶을 왜곡시킨다. 욕망이 나를 지배하게 하지 말고 내가 욕망의 주인이 되어야 한다.

(2018-09-20)

세대 간 갈등, 소통(疏通)이 답이다

급격한 사회 변화 맞이한 대한민국
노인과 젊은 층 세대 갈등 심각해
가부장적 논리로는 문제 해결 요원
상대방 일방적 희생 강요하지 말고
서로 존중하며 대화하려는 노력 필요
가족 사이에 발생하는 세대 간 갈등도
특별한 대화의 장 마련하면 도움 돼

우리 집은 요즘 드물게 삼대가 함께 살기 때문에 세대 간 차이나 가족 상호 간에 벌어지는 에피소드가 많다. 해방 전 태어나 6.25 전쟁과 보릿고개로 상징되는 가난의 시대를 경험한 어머니. 87 민주화 투쟁으로 상징되는 격변의 청년 시절을 보내고 한국경제의 성장과 IMF 위기를 경험한 중간 세대 나와 아내, 그리고 개인주의 문화와 첨단 디지털 문화가 몸에 밴 고등학생 딸아이. 삼대가 한집에 있으면 위로와 힘이 되고 즐거운 일도 많지만 크고 작은 갈등도 자주 경험한다. 우리 집을 보면서 한국 사회의 세대 문제를 생각할 때가 많다.

작금의 한국 사회의 큰 문제 중 하나가 세대 갈등과 반목이다. 사회 변화가 기하급수적으로 빨라지고 가족, 이웃 같은 전통적 인간관계가 해체되면서 세대 간 충돌과 배척도 자주 발생한다. 노인들은 충분히 존경받지 못하는 것에 분노와 소외감을 느끼며, 젊은 세대는 노인들이 무조건 대접만 받으려 한다고 미워한다. 사회 갈등이 폭력적으로 발전하면서, 자살, 고독사, 우울증, 범죄 증가는 가파르다. 이런 가운데 사회적 약자인 노인이 더 크게 고통을 받는다.

최근 국가인권위가 공개한 '노인인권종합보고서'에 따르면 우리나라 노인이 겪는 가장 큰 문제는 경제적 빈곤, 고독, 젊은 세대와의 소통 어려움이다. 노인의 44.3%가 젊은 세대와 갈등이 심하다고 답했으며, 청장년 10명 중 9명도 그들 편에서 아예 노인과 소통이 어렵다고 생각한다. 이미 고령사회로 접어들었고 경제성장도 둔화되면서 미래 전망이 암울해지는 가운데 불안감은 더 커진다. 어떻게 할 것인가?

세대 갈등의 원인에서 경제·사회적 요인 못지않게 그간 세대 간 소통의 방법과 지혜를 제대로 배우지 못하고 사소한 것을 슬기롭게 풀지 못하는 것도 요인이다. 우리를 봐도 갈등은 늘 사소한 데서 시작되고, 사소한 것이 스트레스를 주는 경우가 많다. 예를 들어 아내는 음식을 조금씩 해서 먹는 것을 좋아하지만, 어머니는 가난한 시절의 트라우마 때문인지 풍성하게 차려서 먹고, 당장 필요 없어도 많이 사서 냉장고에 꽉 채우는 습관을 못 고치신다. 또 오래된 잡동사니를 버리지 못하고 나중을 위해 여기저기 쌓아 두기 때문에 불필요한 것은 무조건 버리려고 하는 아내와 충돌한다. 아이는 아이대로 부모의 충고를 잔소리처럼 생각하고 제 습관을 고집하면서 지적을 하면 짜증을 내기도 한다. 이런 상황에서 무조건 희생을 강요하거나 가부장 논리로 문제를 푸는 것은 합리적 해결책이 아니다.

그보다 서로를 존중하면서 세대 간 차이나 개인적 불만이 서로에게 상처가 되지 않도록 해소할 수 있는 지혜로운 대안과 변화 의지가 중요하다. 신앙이 돈독하여도 인간관계를 푸는 방법을 알지 못하면 계속해서 갈등을 일으킨다. 우리 가족의 노하우는 특별한 대화의 장을 갖는 것이다. 일상적으로 부딪히다 보면 그때그때 문제를 해결하지 못하고 쌓이는 경우가 많은데 그것을 솔직하게 얘기하고 이해할 목적으로 위해 가끔 가족끼리, 형제들끼리 어머니를 모시고 1박 정도 여행을 한다. 진로처럼 중요한 문제를 아이와 얘기 할 때도 집이 아니라 1박 정도 분위기 좋은 곳에서 대화하려고 노력한다.

소통은 결국 서로를 이해하고 상대에 맞추는 대화법이다. 목적이 좋아도 일방적으로 훈계하거나 전통적 방식의 인간관계를 고집하는 것은 소통이 아니다. 세대 간 증오와 몰이해로 망하지 않기 위해 소통 방법을 지혜롭게 개발할 필요가 있다. “만일 나라가 스스로 분쟁하면 그 나라가 설 수 없고…집이 스스로 분쟁하면 그 집이 설 수 없다”(막24~25). 가정의 화목이 사회 공동체로 이어진다.

(2018-10-10)

'묻지 마 살인' 앞에 우리 모두가 죄인

PC방 살인사건 보면서 사람들 경악과 분노
성경은 '말세에 세태·도덕성 악해진다' 예언
범죄자에 모든 책임 돌리기보다 범죄 일으키는
우리 사회 구조적 문제점 냉정히 되돌아봐야
이른바 '루시퍼 효과' 싹 자르기 위해서라도
사람들 악하게 만드는 세태와 맞서 싸워야

얼마 전 서울 강서구의 한 피시방에서 발생한 살인 사건이 엄청난 사회적 공분을 불러일으켰다. 심층 보도를 보니 이 사람은 피시방 아르바이트생과 시비가 붙자 집에서 칼을 가져와 무려 30군데 넘게 얼굴을 찔러 죽였다. 우발적 시비가 종종 살인으로 이어지기도 하지만, 이 정도 행동은 보통 사람의 성정으로는 도저히 이해하기 힘든 잔혹 행위다. 범인이 평소 우울증 치료를 받은 사람이라는 것이 알려지자 심신미약을 이유로 관대한 처분이 내려질까 봐 청와대 게시판에 강력한 처벌을 요구하는 청원서가 올라갔고, 참여 인원이 110만이 넘은 상태다. 또 경남 거제에서는 폐지를 줍던 50대 여성을 20대 청년이 이유 없이 무차별 폭행해 살인한 사건이 발생하기도 했다. 경찰 조사 결과 범인은 술에 취해 집으로 가다 범행을 저질렀으며, "만취 상태라 전혀 기억이 나지 않는다"고 진술을 거부했다고 한다. 이것은 전형적인 묻지 마 범죄다.

우발적으로 벌어지는 강력범죄와 살인, 폭행 사건이 자

주 보도되면서 사람들의 불안감이 커지고 술에 만취해 폭력을 행사하거나 정신질환이나 우울증을 구실로 선처를 호소하는 사람들을 강력히 처벌해야 한다는 여론이 높아지고 있다. 정신장애나 술이 범죄의 구실이 되거나 감형 사유가 돼서는 안 된다. 죗값을 마땅히 치러야 하고, 사회 안전을 위한 치안 강화 등에도 힘써야 한다. 하지만 행위 당사자에게 너무 비난의 화살을 돌리면 자칫 범죄를 낳은 사회 원인을 등한시하거나 정신장애에 잘못된 선입견을 품을 수도 있다. 어떤 사회나 시대이건 강력범죄는 늘 있으며, 통계적으로 보면 최근 인구가 줄어들면서 범죄 건수는 오히려 줄어들고 있다고 한다. 요즈음 문제는 일부 강력범죄가 너무 잔인하고 범죄 동기가 어처구니없는 경우가 많아 충격과 공포가 더 큰 것이다. 누구나 범죄의 잠정적 피해자가 될 수 있다는 것이 사람들을 분노하게 한다.

범죄를 저지른 사람에게 모든 책임을 돌리기보다 또 다른 피해를 막기 위해서라도 범죄를 일으키게 하는 우리 사회의 구조적 문제점을 냉정히 되돌아보아야 한다. 유명한 심리학자 필립 짐바르도는 싱싱한 사과라 하더라도 더러운 상자에 넣어 두면 썩을 수밖에 없다고 하면서 이른바 '루시퍼 효과'(Lucifer effect) 이론을 주장했다. 사람을 악하게 만드는 환경이 있다는 것이다. 우리 사회의 루시퍼는 무엇인가? 언젠가부터 '혐오' 담론이 기승을 부리면서 미움과 증오를 거리낌 없이 표출하고 정당화하는 현상이 늘고 있다. 물질만능주의가 확산하면서 돈이 최고이며, 돈을 위해 사람을 착취하거나 도구처럼 다뤄도 된다는 비뚤어진 가치관도 대세가 되고 있다. 약자에게 위세와 행패를 부리는 '갑질' 세태, 공적 가치와 사회적 상식을 조롱하고 거짓말하고도 태연한 비양심적 사회 분위기가 윤리 의식을 실종시킨다. 이 모든 것이 사랑을 식게 하고 증오를 뿌리며 잔혹 범죄를 양산한 환경이다.

종기(腫氣)가 있는데 썩은 뿌리를 도려내지 않고 떼어내기만 하면 그곳에서 또 다른 종기가 생기고 더 고약해지는 게 의학 상식이다. 성경은 말세에 세태와 도덕성이 악해지리라는 것을 정확히 예언하고 있다. "말세에 고통하는 때가 이르리니, 사람들은 자기를 사랑하며 돈을 사랑하며 자긍하며 교만하며 훼방하며 부모를 거역하며 감사치 아니하며 거룩하지 아니하며 무정하며 원통함을 풀지 아니하며 참소하며 절제하지 못하며 사나우며 선한 것을 좋아 아니하며"(딤후3:1~3). 근신하고 깨어 기도하는 가운데 사단의 궤계를 바로 보아야 한다. 세태가 더 악해지겠지만 이럴수록 루시퍼의 싹을 자르기 위해 싸워야 한다.

(2018-11-14)

2019년 더욱 크게 쓰임받을 수 있게 준비할 때

'콜럼버스의 달걀'은 발상 전환과 모험 상징
佛 예술가 뒤샹도 남자소변기 <샘>으로 파격
하나님 일꾼에겐 믿음·사명·충성심 중요하지만
그에 못지않게 타성과 편견에 안주하지 않고
스스로를 변화시키려는 열정과 지혜가 필요

'콜럼버스의 달걀'은 고정관념을 깬 발상의 전환이나 창조적 모험을 상징한다. 콜럼버스가 신대륙을 발견해 유명해지자 그를 시기한 사람들은 "그런 일은 누구나 할 수 있는 일"이라고 비아냥대며 업적을 깎아내렸다. 그러자 콜럼버스는 그들에게 달걀을 세워 보라고 했고, 아무도 성공하는 사람이 없자 달걀 끝부분을 깨뜨려 세웠다. 그리고 뭐든지 처음 해결책을 찾는 것이 어렵지 성공한 사람을 따라 하는 것은 별것 아니라고 말했다고 한다.
실제로 당시 많은 사람은 '지구가 평평하기 때문에 바다 끝까지 가면 지옥으로 떨어진다'고 믿는 시기에 콜럼버스는 '지구는 둥글고 서쪽으로 항해를 계속하면 인도에 닿을 수 있다'고 생각했다. 그리고 많은 반대에도 자신의 계획을 실천했기에 마침내 아메리카 신대륙을 발견하고 모험가로 성공한 것이다.

보통 사람들은 관습적으로 세상을 보거나 자신의 지식과 세상이 믿는 상식에 따라 행동하는 경우가 많다. 또 불확실한 일에 뛰어들기보다 다른 사람들이 하는 것을 지켜보고 안전하면 뒤따라 하는 경우가 많다. 그러다 보니 위험을 겪거나 망하지 않지만 업적을 이루거나 남다른 성공을 하지도 못한다.
위대한 위인은 아닐지라도 하다못해 어떤 사업에 성공하려면 남들이 가지 않은 길을 가거나 엉뚱함을 무릅쓰고 괴짜처럼 사고할 필요가 있다. 인류 역사에 길이 남을 위대한 발견이나 발명도 엉뚱한 시도나 사고의 전환에서 나온 것이 많다. 테크닉이 중요한 예술에서도 기발한 생각으로 길이 회자(膾炙)할 작품을 만든 경우가 있다.
예컨대, 프랑스 예술가 마르셀 뒤샹은 남성 소변기에 <샘>이라는 제목을 붙여 미술 전시회에 출품했다. 물론 곧 철거되었지만 나중에 이 작품은 아주 유명해졌다. 뒤샹은 예술품은 무조건 예술가가 만들어야 하는 게 아니라 기존의 생활용품으로도 얼마든지 새로운 예술이 가능함을 보여 줘 개념예술의 새로운 길을 열었다. 현대예술은 개념 예술로 일상과 예술의 경계를 허물고 창조적 시도를 하면서 사람들을 놀라게 하는 경우가 많은데 그런 장면에 항상 뒤샹의 <샘>이 선구적 예로 거론된다.
지식 정보화 사회에 창의성과 독창적 아이디어는 새로운 부가가치 생산의 원천이 된다. 만화 캐릭터가 인기상품으로 개발돼 엄청난 돈을 버는 것이 단적인 예다. 자본이나 물질적 기반이 있는 사람들이 오히려 무사안일 탓에 실패하는 경우가 많다. 후지필름, IBM 컴퓨터, 모토롤라처럼 한때 시장을 지배했던 큰 기업이 하루아침에 몰락하고 애플이나 구글 같은 신흥기업이 신데렐라처럼 등장하는 것이 현대 사회다.

지난달 25일 교회는 신임 서리집사를 비롯해 각 기관과 조직을 위해 수고할 일꾼을 대거 임명했다. 올 한 해 충성한 것처럼 영혼구원과 교회 사역을 위해 2019년에 수고할 청지기를 세운 것이다. 하나님의 일꾼에게 필요한 것은 일차적으로 믿음과 사명감 그리고 교회와 성도를 주님처럼 섬기겠다는 충성심이다. 하지만 그 못지않게 중요한 것이 '콜럼버스의 달걀' 같은 명민함과, 타성과 편견에 안주하지 않고 스스로 변화시키려는 열정과 지혜다. 사회가 빠르게 변하고 각 분야를 넘나드는 소통 능력이 점점 중요해지는 것처럼 효율적으로 선교사업과 구원 사역을 감당하기 위해서 그리스도의 군사들도 업그레이드될 필요가 있기 때문이다. 초대 교회도 성령과 지혜가 충만하여 칭찬 듣는 사람 7명을 집사로 뽑았다. 2019년 교회가 더욱 크게 쓰임받기 위해 각자 준비할 때다. "무릇 슬기로운 자는 지식으로 행하여도 미련한 자는 자기의 미련한 것을 나타내느니라"(잠13:16).

(2018-12-06)

성탄절 주인공은 산타 아닌 예수님

산타·선물·축제·캐럴로 성탄절 인식되는 건
모든 걸 상품으로 변질시키는 소비사회 작품
1931년 미 코카콜라 회사가 불황 타개 위해
상징 색인 빨간색 옷에 자루 든 산타 창조
들뜬 축제 아니라 나를 위해 죽으러 오신
예수 생각하고 죄 회개하는 성탄절 맞아야

프랑스 사회학자이자 철학자 장 보드리야르는 <소비의 사회>라는 저서로 유명하다. '피로사회' '정보사회' '위험사회' 등 현대 사회를 지칭하는 여러 단어가 있지만, '소비사회'처럼 자본주의 사회의 본질을 적확히 드러내는 말도 없다. 보드리야르에 따르면 소비사회는 소비를 많이 하는 사회가 아니다. 소비사회는 소비가 삶의 필수 존재방식이 되면서 사람들이 재화가 아니라 특정 기호(嗜好)를 소비하는 사회를 뜻한다.

예컨대 자동차는 교통수단이지만 현대 사회에서는 신분을 보여 주는 상징처럼 받아들여지는데 이것이 기호의 소비다. 갈수록 모든 상품은 새로운 의미와 상징을 띠고 유통되는데, 이것이 문화에 의해 교묘하게 포장되는 것이 소비사회의 특징이다. 현대 사회는 모든 것을 소비와 연결하는 상업주의가 일상을 지배하면서 상품이 되지 말아야 할 것도 상품화하는 현상이 심화되고 있다. 성(性)과 사랑, 문화와 예술, 오락과 여흥이 소비의 중요한 대상이 되고 있다.

소비사회에서 사람들은 '필요'가 아니라 '소비를 위한 소비'를 하면서 소비로 욕망을 표현한다. 그러면서 원래 그렇지 않았던 것이 그 의미를 상실하고 변질돼 엉뚱하게 바뀌는 일이 많다.

아마 소비사회에서 의미가 가장 심각하게 변질된 것이 바로 성탄절일 것이다. 12월이 되면 거리에 형형색색 장식등과 트리가 세워지고 성탄절과 관련한 여러 행사가 많아지면서 모두 들떠 지낸다. 하지만 정작 성탄절의 주인공은 예수가 아니다. 오늘날 사람들에게 성탄절의 의미는, 선물과 바겐세일 그리고 아이들에게 선물을 준다는 산타와 신나는 캐럴이 분위기를 돋우는 '화이트 축제'처럼 인식되고 있다.

그런데 이 현상은 우연히 만들어진 것이 아니라 모든 것을 기호화해서 상품으로 변질시키는 소비사회의 작품이다. 예수나 기독교와 아무 관계가 없는 산타는 원래 터키 지방의 가톨릭 성인 세인트 니콜라스에서 유래했다. 그런데 1931년 미국의 코카콜라 회사가 불황을 타개하기 위해 자사(自社) 상징 색인 빨간색 옷을 입히고 큰 자루를 든 산타클로스를 창조하면서 산타와 루돌프 사슴이 예수 대신 성탄절의 상징물로 자리를 잡았다. 코카콜라와 상업 자본주의가 요즘 크리스마스의 원조(元祖)인 셈이다.

성탄(聖誕)이 크리스마스로 바뀌면서 그 본래 취지가 퇴색하고 기독교 최대 명절이 세속화하는 경향이 심해진다. 성탄절은 원래 '예수'라는 이름이 뜻하듯 '자기 백성을 죄에서 구하기 위해 하나님이 친히 인간의 몸을 입고 오신 날'이다. 그런데 오늘날 성탄절은 인간을 위하고, 상품을 소비하기 위한 축제로 변질했고, 연말 분위기에 편승한 성적(性的) 타락도 극심해지고 있다. 그런데도 일부 기독인은 마치 교회 명절이 세상 전체로 확대한 것처럼 좋아하기도 한다.

그러나 지금이라도 성탄의 본래 의미를 되찾을 필요가 있다. 성탄이 뜻하는 사랑과 평화의 메시지를 사회에 전하는 것은 중요하지만, 사랑을 나눈다는 명목으로 선물을 나누고 즐기며 연휴 송년회의 절정처럼 술과 여흥으로 이 날을 보내는 것은 심각한 타락이기 때문이다.

소비사회는 교묘하게 인간의 의식과 문화를 소비 제일주의로 변질시킨다. 우리에게 익숙한 기호의 의미를 교묘하게 비틀고 왜곡해서 거기에 원래 존재하지 않는 새로운 소비문화를 트렌드처럼 주입해 나가는 의식화가 소비사회의 원동력이다. 소비사회는 광고와 미디어의 힘으로 만들어지고 확산하기 때문에 사람들이 소비사회의 논리에 익숙해지고 소외되면서도 무비판적이 된다. 올겨울에는 세속의 미디어가 만드는 들뜬 크리스마스가 아니라 나를 위해 죽으러 오신 예수를 생각하고 죄를 회개하는 뜻깊고 새로운 성탄절로 맞이하자.

(2018-12-28)

악은 평범한 사람들 속에서 싹튼다

유대인 학살자 아이히만 재판을 통해 본
한나 아렌트의 '악의 평범성'에 따르면
악이란 인간의 본성이나 일상에 대해
부지불식간 모르고 지은 죄도 죄
새해엔 삶 속의 사소한 죄악도 경계하고
마귀 궤계에 맞서 선한 싸움으로 승리하길

죄악이 하늘에 닿을 정도여서 불과 유황 비로 심판을 당한 소돔과 고모라 얘기(창19:24)는 너무 유명해서 신자가 아닌 사람도 어느 정도는 알 것이다. 기독교인이라면 거기에 더해 아브라함이 그 성(城)을 구하기 위해 필사적으로 기도했지만 결국 의인 10명이 없어 심판을 피하지 못한 사실도 알 것이다. 그런데 상상력을 조금 발휘해 보자. 소돔과 고모라 사람들이 전부 다 포악하고, 늘 범죄자나 깡패처럼 싸우고 서로에게 행패를 부리기만 했을까? 아마 거기에 사는 사람 중에서도 마음이 여리고 순진하거나, 적어도 가족이나 이웃에게 따뜻한 사람이 분명히 있었을 것이다. 그런데 왜 하나님은 이 성을 악의 소굴로 단죄하고, 불 심판을 단행해 모든 생명을 멸했을까? 정치 철학자이자 유대인 '한나 아렌트'가 남긴 '악의 평범성'이라는 말을 통해 답을 생각해 볼 수 있다.

2차 세계대전 당시 나치의 친위대(SS) 중령이자 유대인 학살의 실무 책임자인 '오토 아돌프 아이히만'은 종전 후 신분을 감추고 아르헨티나에 숨어 살다가 이스라엘 첩보대에 의해 예루살렘으로 압송돼 재판을 받는다. 이

때 아렌트는 미국의 잡지 특파원 자격으로 이 재판을 참관하고, 당시 목격한 기록을 『예루살렘의 아이히만』이라는 책으로 출판한다.
아이히만은 친위대 고위 장교로 있는 동안 교묘한 방법으로 유대인의 재산을 빼앗고, 좀 더 효율적인 방식으로 유대인을 학살할 방법을 연구해 집행한 사람이다. 사람들은 아이히만이 포악한 성정(性情)을 가졌고 악이 가득한 괴물 같은 인간일 것이라고 짐작했지만, 실제 그는 너무 평범했고 온순하기조차 했다. 아이히만의 정신 상태를 감정한 의사들도 그가 비정상적인 정신질환자가 아니고 오히려 준법정신이 투철한 모범 시민에 가깝다고 판단했다. 법원이 유대인 학살의 책임을 추궁하자 아이히만은 군인으로서 국가가 내린 명령을 성실하게 이행한 것밖에 없다면서 자신이 저지른 죄를 전혀 인정하지 않았다. 오히려 국가의 명령인 유대인 학살을 게을리할까 봐 조바심을 냈다고 한다.
아렌트는 살인 의무를 옹호하는 이 역설적 현상을 보면서 타인의 고통을 전혀 생각하지 않고, 자신의 행동이 가져올 결과도 도덕적으로 반성하지 않는 무능함과 맹목적 복종 태도가 아이히만의 문제라고 분석했다. 보통 악이나 죄를 너무 크게 생각하고 전형적으로 그리지만, 실은 아이히만처럼 평범한 사람들 속에 악이 깃든다는 것이 '악의 평범성(banality of evil)'이다. 예를 들어 아주 선량한 학생이 있다고 하자. 누구에게나 친절하지만 이 사람 주변에서 한 사람을 왕따 시키고 괴롭히는 것을 보고도 그는 안타까워만 할 뿐 아무런 제지를 하지 않았다. 그러다 왕따 당한 사람이 어느 날 괴롭힘을 견디다 못해 자살했다면, 그 죽음의 책임이 왕따를 가한 사람에게만 있겠는가?

악이란 이런 것이다. 우리가 인간의 본성이나 일상에 대해 별 고민하지 않고 아무 반성 없이 하는 행동이나, 부지불식간에 나 때문에 벌어진 비극적 일이 실은 더 심각하고 끔찍한 죄악일 수 있다. 소돔과 고모라의 일부 선량한 사람들도 의도치 않게 그 땅에 죄악이 창궐하는데 일조했을 것이고 악한 행동을 방관하면서 죄의 공범 역할을 한 것이다. 성경은 인간이 그 마음에 생각하는 것이 늘 악하고, 의인은 하나도 없다고 경고한다(롬 3:10). 살인, 사기, 강도 같은 큰 죄는 경계하고 두려워하지만 온순한 성품을 지녔고 성실한 사람들은 아이히만처럼 자신도 모르게 은밀히 죄악을 저지르기 쉽다. 새해에는 우리 삶에 숨어 있는 사소한 죄악을 경계하고, 악에 일조하지 않도록 기도하며, 교활한 마귀의 궤계에 맞서 선한 싸움을 할 필요가 있다. 모르고 지은 죄도 죄다.

(2019-01-09)

비뚤어진 나르시시즘 '자녀 사랑'

최근 종영 드라마 속 상류층 자녀교육
'계층 세습'의 통로로 전락한 교육 보여줘
자기에게 병적으로 집착하는 나르시시즘
자기과시욕 함정에 빠져 자녀 망칠 수도
"잘 태어나야 대학도 직장도 잘 간다"
상류·엘리트층 인성과 도덕의식도 문제
성공제일주의 아닌 주의 훈계 양육 절실

2월 1일 종영한 한 드라마가 요즘 큰 화제다. 우리나라 사람들이 가장 민감하게 반응하는 교육문제를 소재로 삼았을 뿐 아니라 최고 의대에 자식을 합격시키기 위해 수단 방법을 가리지 않는 상류층 사람들의 특권의식, 숨겨진 열등감, 파멸적 욕망을 적나라하게 묘사해 충격을 주었기 때문이다. 물론 드라마 속성상 실제 현실보다 과장되고 자극적으로 연출했지만 우리나라 부모들이 자녀를 명문대에 진학시키려고 사교육에 엄청난 돈을 쏟아붓고, 일부 엄마들이 매니저처럼 자녀입시에 올인 하는 것은 사실이다. 필자는 드라마를 빌어 부모가 본인 성공에 만족하지 않고, 부와 명예를 세습해주면서 자신들만의 성을 쌓으려고 발버둥치는 모습을 얘기하고자 한다.
드라마는 대한민국 1%에 속하는 최고 상류층의 욕망을 그린다. 이들은 명문대를 나와 의사나 로스쿨 교수로 근무하면서 자신들의 특권과 차별성을 지키기 위해 발버둥 친다. 하지만 이들의 인생목표는 자신이 아니라 자녀를 의대에 진학시키는 데 있으며, 이것을 자식사랑인 것처럼 신봉한다. 드라마에서는 부모의 과도한 욕심이 결국 자녀를 망가뜨리고, 마침내 최고 의대에 진학시키지만 자식에게 배신당해 자살하고 가정이 송두리째 붕괴되는 장면이 묘사된다. 나머지 인물들도 이를 목격해놓고도 내 자식은 다르다며 똑같은 전철을 밟고 부정한 짓을 마다하지 않으면서 피라미드 정점을 향해 질주한다. 드라마처럼은 아니지만 자식을 키우는 부모라면 어느 정도는 내 자식을 최고로 만들고 싶은 마음을 가진다. 그런데 이것이 과연 자식에 대한 사랑이고, 가족 모두를 행복하게 만들어 주는 길일까?

자녀를 번뜻하게 키우고 자랑하려는 부모들은 나르시시즘(Narcissism) 함정에 빠지기 쉽다. 정신분석학자 프로이트는 부모들이 어린 자녀에게 열광하면서 아이를 '작은 황제폐하'처럼 숭배하는 것이 사랑이 아니라 실은 부모의 나르시시즘이 투영된 결과라고 분석한다. 나르시시즘이란 자아를 사랑의 대상처럼 바라보면서 자기에게 병적으로 집착하는 자폐적 심리를 말한다. 어느 정도의 나르시시즘은 자존감을 주고 이상적인 것을 향해 긍정적인 힘을 발휘하게 해주지만 지나친 나르시시즘은 자기과시와 병적 집착으로 귀결되기 때문에 비극을 초래하는 경우가 많다. 나르시시즘의 유래가 된 그리스의 나르키소스는 우물에 비친 자기 모습을 황홀하게 바라보다 결국은 물에 빠져 죽는다. 자녀 인생을 그들 입장에서 보고 아이들이 자기 꿈을 펼칠 수 있도록 도와주는 것이 아니라, 부모의 잣대와 평가에 맞추어 자녀를 특정 목표로 가게 다그친다면 실은 자신의 면류관을 위해 자식을 희생시키는 것이다.

또 하나 이 드라마에서 생각할 수 있는 것은 실제 우리나라 상류층이나 소수 엘리트들이 지니고 있는 인성과 도덕의식이다. 사람에게 중요한 것은 능력, 학벌, 스펙이 아니라 다른 사람과 조화를 이룰 수 있는 소통능력과 공동체를 중시하는 도덕성이다. 인간은 관계적 존재이기 때문이다. 상류층일수록 이런 의무가 큰데 최상류층의 도덕적 의무를 뜻하는 '노블리스 오블리주'(nobless oblige)를 강조하는 것은 이런 공감대가 있기 때문이다. 그러나 언제부터 우리나라에서 재벌2세와 3세, 그리고 상류층 자녀들의 갑질이나 횡포가 계속되는 것은 우리 사회 엘리트들이 공동체의 지도자로서 책임감을 갖추고 솔선수범하기보다 특권계층으로서 자신들의 행복만 중시하도록 키워졌기 때문이다. 만약 내 자식이 엄청난 능력을 소유하고, 최고 학부를 나왔지만 자신의 행복만을 위해 산다면 자식을 잘 키웠다고 할 수 있을까? 자녀들을 성공제일주의가 아니라 주의 교양과 훈계로 양육해야 한다.

(2019-02-07)

젊은 세대의 서글픈 자화상 '소확행(小確幸)'

"행복은 미래에?…아니요, 지금 바로요
어차피 못 살건 데 지금이라도 즐기자"
선택지 없는 요즘 젊은이 세태를 반영
이로움·육신적 소욕만 좇다 삶 망칠 수도

작년에 회자된 유행어 순위를 우연히 보았는데 1위가 '소확행'(小確幸)이었다. 소확행이 그렇게 많이 회자되었는지 의구심도 있지만, 이 단어가 현재 한국사회의 유행이자 문화를 보여주는 것은 사실이다. 소확행은 '일상에서 느낄 수 있는, 작지만 확실한 행복'의 줄임말이다. 원래 일본의 유명 소설가 무라카미 하루키가 1986년 사용한 말인데, 언제부터 한국의 소비 트렌드와 문화를 대변하고 있다. 행복은 갓 구운 빵을 손으로 찢어 먹으면서 느끼는 사소한 만족감 같은 데 있다는 것이다.

소확행이 유행하면서 소비 양상도 바뀌고 있다. 예전에는 소득에 따라 소비가 이루어지는 게 보통인데, 요즘은 가난한 대학생이 알바를 통해 번 돈으로 수십만 원대 명품을 구입하거나 일류 호텔이나 여행에서 번 돈을 몽땅 쓰면서 자신을 즐겁게 한다. 예전 소비자가 '가성비', 즉 가격대비 기능이나 품질을 따지는 실용적 소비를 추구했다면, 요즘 세대는 가격과는 상관없이 심리적 만족감을 주는 '가심비' 소비를 하면서 행복해한다. 미래를 위해, 더 나은 삶을 위해 사는 게 아니라 기회가 닿을 때 쾌락을 누리면서 물질적 행복을 극대화하는 소확행이 대세적 문화가 되고 있다.

그러다 보니 '탕진잼'(돈을 탕진하면서 기분이 좋아짐),

'욜로' 같은 말이 덩달아 유행하면서 소비를 행복과 동일시하는 경향도 커진다. '욜로'(YOLO)는 '인생은 단 한 번 뿐이다'(You Only Live Once)의 줄임말이다. 한 번 뿐인 인생이니 보람 있게 살자가 아니라, 즐길 수 있을 때 즐기면서 살자는 마인드다. 기성세대 눈으로는 잘 이해가 되지 않지만 이런 현상이 젊은이들에게 만연하고 있는데 라면이나 빵으로 점심을 때우고 '스타벅스' 커피를 마시는 것도 소확행을 통해 설명할 수 있다. 백화점 명품판매는 점점 증가하는 반면, 중저가 상품이 고전을 면치 못하고 값싼 브랜드가 사라지는 것도 소확행 때문이다.
예전 세대가 공존을 위한 희생을 당연시하고, 당장의 물질적 쾌락에 빠지기보다 더 나은 미래를 위해 현재의 고통을 감내했다면, 지금 세대는 현재와 물질적인 것에 민감하고 이를 중시한다. 물론 그렇다고 젊은이들이 베짱이처럼 게으름을 부린다는 말이 아니라 요즘 시대정신이 그렇다는 말이다.

소확행은 언뜻 실용적이고 개성을 중시하는 젊은이들의 발랄함과 주체성을 보여주는 것 같지만, 사실 자세히 뜯어보면 미래에 대한 불안감과 공동체적 관계가 깨지고 있는 외로운 세태를 반영한다. 비전을 가지고 미래를 준비하기에는 경제를 포함한 사회 상황이 너무 불안정하고, 취업이나 사회 안전망이 미비하다 보니 내일을 위해 현재의 쾌락을 포기하는 것이 오히려 더 어리석다고 생각한다.

예전에는 열심히 노력하고 실력을 쌓으면 안정된 직업도 얻고 내 집도 마련하며, 내가 어려우면 누군가에게 도움을 받을 수 있다는 믿음이 있었다. 그런데 모든 것이 불확실해지면서 나를 기쁘게 할 수 있는 물질적 사치라도 누리자는 일회적 풍토가 확산되고 있는 것이다. 상류층처럼 어떤 부분은 분수에 넘게 사치를 부릴 수 있고 결혼을 포함해 남과 무엇을 나누기보다 내게 유익되는 것을 포기하지 않겠다는 이기적 속물주의 심리가 소확행에 깔려 있다.

물론 현재에 충실해야 하지만, 그것을 물질적 쾌락과 동일시하거나 더 나은 삶 대신 당장의 개인적 욕망에만 치중한다면 그것은 변형된 형태의 쾌락주의에 불과하다. 소확행의 확산은 자칫 물질만능주의, 개인주의, 쾌락주의를 조장하면서 현세의 감각적 행복만 좇는 물신숭배로 귀결될 수 있다. 현재의 이로움이나 육신적 소욕에 치중하다 보면 한 번뿐인 삶을 영원히 망칠 수도 있다.

(2019-03-06)

영화보다 더 영화 같은 현실

갑질, 성격적 파탄, 성적 타락, 마약 등
언젠가부터 영화에서나 있을법한
상류층 일탈행위가 현실에서 너무 잦아
이 땅에 소돔과 고모라 같은 불안감 엄습
악은 쉬쉬할 게 아니라 뿌리를 뽑아야

미국 액션물이나 갱 영화를 보다 보면 너무 폭력적이고 선정적인 장면이 자주 나온다. "실제 저런 일이 우리 주변에서 수시로 벌어진다면 어떻게 살 수 있을까"라는 질문을 해본 적 있다. 영화처럼 길에서 악당들이 사람을 쉽게 죽이고 도심에서 경찰과 총격전을 벌이고 끔찍한 범죄를 저지르고도 무사하게 돌아다닌다면 아마 일반 시민들은 불안감 때문에 하루도 살 수 없을 것이다. 언젠가 미국에 사는 지인에게 "정말 밤거리가 영화처럼 살벌하냐?"고 물어본 적 있는데, 대답은 실제로는 그렇지 않다는 것이었다.

영화가 묘사하는 현실이 엽기적이고 잔인하더라도 우리가 그것을 즐겁게 볼 수 있는 것은 순전히 오락을 위해 만들어진 장면이고, 허구(픽션)라는 것을 알기 때문이다. 영화는 영화고 현실은 현실이기에 극장 문을 나서는 순간 일상으로 복귀할 수 있다. 스트레스 해소를 위해 영화를 볼 기회가 있으면 필자는 <에일리언> 같은 SF영화나 정치적 음모나 커넥션을 소재로 삼은 영화를 선택한다. 이런 영화에는 잔혹하거나 양심도 눈물도 없는 인간 말종처럼 타락한 인물이 많이 등장하지만 잠깐 영화에 들어가 이를 즐길 수 있다. 하지만 만약 어떤 동영상이 실제 장면이라면 그것을 똑바로 보기 어렵다. 예전에 이라크에서 IS에게 참수(斬首)당한 기독교인 참수 영상이 인터넷상에 돌아다닌 적 있고 필자에게도 누군가 보내줬지만 끝내 보지 않았다. 보는 것 자체가 소름이 끼치고, 순교한 이들에게 예의가 아니라고 생각했기 때문이다.

철학자 칸트는 아무리 무섭고 끔찍한 것이라도 안전한 곳에서 스펙터클처럼 바라볼 수 있으면 오히려 숭고함이나 새로운 환희를 느낄 수 있다고 말한다. 숭고함을 느끼기 위해서는 위험이나 무서운 대상으로부터 적절한 거리와 보호막이 있으면 된다. 그런데 만약 이 경계가 허물어지고 우리를 두렵게 하는 것이 경계를 넘어 침투해 오면 엄청난 혼란과 두려움을 준다. 그런데 언젠가부터 영화에서나 있을 법한 일들이 대한민국 땅에서 실제로 벌어지고 있다. 공포 영화는 아니지만 수준이 B급쯤 되는 장면들이다. 예컨대 재벌 2세나 3세, 고위 공직자나 정치인들의 상식 이하의 갑질 행동과 성격 파탄적 모습을 대중이 목격하는 일이 너무 잦다. 최근에는 고위층 자녀와 연예인들의 성적 타락과 마약 중독, 이들이 향락을 위해 어울리는 클럽 문화 실태가 속속 보도되면서 우리나라 상류층의 도덕성과 악이 영화보다 더 심하다고 놀라는 사람들이 많다. 영화 <내부자들>이나 <아수라>처럼 재벌, 정치인, 언론인, 검경(檢警) 실세들의 유착과 특권 누리기가 실제 있는 일로 밝혀지면서 현실과 영화의 구분이 무너졌다고 사람들이 한탄하곤 한다. 미디어가 발달하면서 전에는 소문으로만 떠돌던 일들이 동영상 형태로 인터넷에 유포되고 사람들이 영화에서나 볼만한 일을 실제로 목격하면서 충격을 받는 것이다. 유명인뿐 아니라 중·고등학교 등에서 종종 벌어지는 학교 폭력, 어린이집 아동 학대, 일반 시민의 싸움 영상은 차마 보기 힘들게 잔인하다. 영화라면 좀 끔찍해도 딴 나라 얘기처럼 감상할 수 있지만, 날마다 뉴스와 유튜브에서 폭력적이고 선정적인 실제 동영상이 넘치는 것은 정말 참기 괴롭다. 내가 사는 대한민국이 소돔과 고모라처럼 변한다는 불안감이 엄습하기 때문이다.

더러운 쓰레기를 흙으로 덮는다고 해도 냄새가 진동하는 것처럼 악은 은폐하고 쉬쉬할 게 아니라 근본적으로 일소하고 단죄해야 한다. 영화와 현실의 구분이 생겨야 상식도 복원되고, 영화도 편하게 볼 수 있다. 현실이 영화보다 더 영화 같은 사회는 제정신으로 살 수 없는 곳이다.

(2019-04-11)

정신장애에 대한 편견과 낙인

잇단 조현병 살인 사회적 단절이 공통점
무조건 감금과 강제치료는 해결책 아냐
재발 막으려면 이야기 들어줄 이웃 필요
위기는 누구에게나 찾아올 수 있는 만큼
긍정적인 삶의 태도와 영적 경건함 절실

최근 일부 정신질환자가 저지른 강력 사건 때문에 조현병에 대한 우려가 커지고 있다. 4월 17일 새벽 경남 진주의 한 아파트에서 조현병 증상을 앓던 남자가 불을 지르고 피신하는 사람들에게 흉기를 휘둘러 10여 명이 죽거나 다쳤다. 그 뒤로 유사한 사건이 계속 발생해 충격을 줬다. 5월 1일 부산에서는 또 다른 조현병 환자가 자신을 오랫동안 돌보던 친누나를 끔찍하게 살해했다. 예전에도 비슷한 일이 있었지만 갑자기 빈도수가 높아지다 보니 온 사회가 불안해하고 있다.

이런 사건의 공통점은 환자들이 사회와 단절되어 혼자 지내면서 키워 온 극단적인 망상 때문에 엉뚱하게 이웃이나 가족이 박해자로 몰리면서 영문도 모르고 희생된 비극이라는 것이다. 누구나 우리 주변에 있는 정신질환자에 의해 희생될 수 있다는 생각이 퍼지면서 사람들은 모든 정신질환자가 범죄를 일으킬 것처럼 두려워하고 이들에게 특단의 조치를 취해야 한다고 목소리를 높이고 있다.

이런 우려를 이해하지 못하는 바는 아니지만 자칫 사회적 약자에게 억압을 줄 수 있고, 정신질환자에게 강경

일변으로 대응해 인권을 침해할까 걱정된다. 정신장애인을 치료하고 돌보는 일은 필요하지만, 무조건 이들을 제3자의 판단에 따라 감금하고 강제치료를 시행하는 것은 적절한 해결책이 아니다.

정신장애는 인류 역사 초기부터 있었고 그 층위도 다양하며, 치료 방법도 시대마다 달랐다. 예전에 정신분열증이라고 부르던 조현병은 그중에서도 정도가 심하다. 다양한 원인에서 비롯되는데 일반적 증상은 극심한 사고장애, 지각장애, 환청, 환시 등이다. 조현병 환자들은 장애 때문에 다른 사람과 잘 어울리지 못하고 사회와 단절되어 고립된 생활을 하는 경우가 많고 망상에 사로잡혀 주변에 극단적인 행동을 할 위험도 있다. 성경에 나오는 귀신 들린 사람이 전형적인 조현병 환자이다.

조현병은 횡설수설하고 비논리적이어서 쉽게 구별되는데 이보다는 약하지만 편집증도 특정한 망상이나 믿음에 휘둘리는 정신병의 일종이다. 과대망상, 질투망상, 피해망상 등이 여기에 속한다. 편집증을 앓는 이들은 외관상 멀쩡하고 사회생활도 잘하지만, 증상과 관련된 망상에서는 비현실적인 판단이나 감정에 휘둘리는 행동을 하는 경우가 많은데 의처증 같은 것이 단적인 예다. 조현병이나 편집증은 대략 인구의 1%가 걸린다고 한다.

정신장애 치료법으로 무조건적인 격리보다는 다양한 사회적 지원과 치료 방안이 모색되어야 하고, 가족이 아니라 국가적 차원에서 체계적으로 관리해야 한다. 정신병은 그대로 두면 증세가 점점 심해지면서 통제가 힘들기 때문이다.

중증 정신장애는 아니지만 우울증, 불안장애, 정서장애, 강박증 같은 정신장애는 전 연령대에서 늘고 있고 주변에서 쉽게 볼 수 있다. 그런데 많은 한국 사람이 정신장애에 편견을 갖고 있다. 정상과 비정상을 지나치게 나누고 심약한 사람이나 정신적으로 문제가 있는 사람들이 정신장애를 앓는다는 억견을 주장한다. 우울증이나 강박장애는 살면서 누구나 한 번쯤 겪을 수 있다. 신체 질병이나 정신적 장애는 영적으로 보면 궁극적으로 죄나 마귀역사와 관계가 있지만, 그 양상도 다양하고 누구나 대상이 될 수 있기 때문에 덮어놓고 일반화해서 단죄하는 것은 위험하다. 생리적 변화, 혹은 살면서 경험하는 다양한 위기나 좌절 때문에 건강한 사람도 우울증 같은 정신장애에 빠질 수 있고, 공황장애 같은 급격한 위기가 찾아올 수 있기 때문에 정신장애를 잘 이해하고 슬기롭게 대처해야 한다. 무엇보다 긍정적인 삶의 태도와 영적 경건함이 뒷받침돼야 하는데, 성경에서 항상 기뻐하고 감사하라고 하는 것도 그 때문이다.

(2019-05-08)

인지 편향 시대와 진리

어떤 사태 둘러싸고 논쟁 잦아지는 것은
내 가치관에 부합하는 것만 받아들이고
그렇지 않은 것은 안 믿는 인지 편향 때문
거짓말의 변형이자 악의 동조에 맞서
믿는 자들이라도 진리가 서도록 싸워야

요즘 우리 사회를 보면 총체적으로 불신이 난무해서 진리를 찾기 힘든 시대가 됐다. 똑같은 사태를 보고 서로 다른 얘기를 하면서 내 말이 맞고 상대는 거짓말을 하거나 잘못된 판단을 한다고 싸우는 일이 다반사로 일어나기 때문이다. '백문이 불여일견'이라고 사태를 직접 보고 들으면 참과 거짓을 밝힐 수 있는 것 같지만, 미디어 과잉 시대에는 같은 사건을 목격하고도 서로 다른 얘기를 하는 일이 많다.
예컨대 지난 5월 초 서울에서 발생한 사건으로 촉발된 여성 경찰 논쟁이 대표적이다. 음식점에서 난동을 부린 취객 때문에 출동한 여경이 취객의 폭력을 제압하지 못하고 주변 시민에게 도움을 청하는 모습을 보였다고 비난이 쏟아지면서 여경 폐지론이 인터넷을 달궜다. 여경이 예전보다 많이 늘었지만 과격한 업무에 여자 경찰이 무능하니 여경을 아예 뽑지 말라는 비난이 들끓은 것이다. 결국 진실을 가린다고 경찰청에서 CCTV 전체를 공개해 여경의 대처에 전혀 문제가 없다고 공식해명을 했다. 많은 전문가도 이를 확인해 주었지만, 사람들이 믿지 않는 일이 벌어졌다. 비슷한 일이 최근 잦은데 사건

현장을 찍은 비디오 영상을 공개해도 진실이 엇갈리는 경우가 언론에 자주 보도된다.

최근에는 우리 대통령과 미국 대통령의 전화 통화 기록이 유출되면서 한쪽에서는 국가기밀 누설로 국익에 큰 손해를 끼쳤다고 비판하고, 다른 한쪽에서는 굴욕외교를 폭로한 공익제보라고 맞서면서 정치권이 사납다. 이를 보는 국민도 정치적 입장이나 관점에 따라 사건 당사자를 비판하기도 하고 옹호하기도 한다. 국가 정무나 외교에는 정치적 입장이 작용하기 때문에 다른 얘기를 한다고 할 수 있지만, 문제는 일상에서 마주치는 중립적 사안에도 참과 거짓을 다투는 경우가 너무 많다는 점이다. 왜 그럴까? 불신 풍조가 커지고, 어떤 사태를 둘러싸고 논쟁이 잦아지는 것은 우리 사회에 인지 편향이 만연하고, 자기 이익과 방어를 위해 합리화를 쉽게 하고, 거짓에 대한 경계심과 비난이 무뎌졌기 때문이다. 인지 편향이란, 특정한 시각이나 관점에 경도돼 사태를 객관적으로 보지 못하고 비논리적으로 판단하는 경향이다. 인지 편향은 특수한 조건에서 대상을 잘못 파악하는 착각과 달리, 판단자의 신념이나 무의식적 동기가 작용한다. 예를 들어, 내 가치관에 부합하는 자료나 정보는 참으로 받아들여 믿지만, 그것에 위배되는 정보는 배척하는 인지 부조화나 내가 좋아하는 것만 보려고 하는 선택적 지각의 경향을 보인다. 따라서 인지 편향에 빠진 사람은 사태를 객관적으로 보지 못한다.

최근 유튜브가 널리 퍼지면서 사람들이 수동적으로 정보를 접하는 게 아니라 자신이 원하는 정보나 뉴스만 골라 접할 수 있는 미디어 환경이 조성된 것도 인지 편향을 부추긴다. 인지 편향 문제는 그릇된 판단을 초래할 뿐 아니라 진실은 불가능하다는 회의주의를 부추겨서 결국 사회 전체에 불신 풍조를 만연시키고 서로서로 적대시하게 만드는 폐해를 가져온다. 인지 편향 때문에 사회갈등도 커진다. 양치기 소년의 우화가 얘기해 주는 것처럼 가짜뉴스가 창궐하고 불신풍조가 만연하면, 최후에는 공적인 제도, 법, 도덕의 권위가 떨어지고 각자 자기 이익만 극한으로 추구하면서 싸우는 전쟁 상태가 되면서 사회 자체가 붕괴할 수 있다.

"진리에 서지 못하고 거짓을 말할 때마다 제 것으로 말하는 것"(요8:44)이 마귀의 특징이다. 인지 편향은 거짓말의 변형이자 악에 동조하는 행위다. 믿는 자들이라도 이런 사태를 경계하고 거짓에 맞서 진리가 설 수 있도록 싸워야 한다.

(2019-06-01)

남의 떡이 더 커 보인다

6살 유튜버가 번 돈으로 95억 빌딩 사자
"열심히 공부했는데…유튜버 보며 회의감"
최근 명문대생이 올린 하소연 글 화제
돈 잘 버는 것을 성공의 척도로 생각 말고
내 삶 가꾸면서 행복 누리는 지혜가 중요

최근 한 여섯 살 여자아이의 가족이 유튜브로 돈을 벌어 강남에 시가 95억 원 건물을 산 것이 큰 화제가 됐다. 보도를 보니 이 가족은 아이의 일상, 요리, 장난감 등에 관한 콘텐츠로 구독자 3000만 명 이상을 끌어들이면서 월 매출 수십억 원을 올린다고 한다. 이 가족처럼 유튜브로 큰돈을 벌면서 사회적 영향력을 행사하는 일반인 출신 인플루언서(influencer)가 새로운 스타로 뜨고 있다.

한 설문조사에서 우리나라 초등학생들의 장래 희망 1순위가 유튜브를 제작하는 유튜버로 나왔고, 1인 미디어 시장 매출 규모도 이미 2조 원을 넘었다고 한다. 이러다 보니 직장인이나 학생들이 취미가 아니라 전업으로 유튜브 시장에 너도나도 뛰어들고 있지만 엄청난 시간과 돈만 날린 채 포기하는 경우도 많다고 한다. 실제로 한 통계를 보면 유튜브 수입만으로 생계를 유지하는 사람은 전체 1%에도 미치지 못하고 유튜브 채널을 개설했다 얼마 못 가 문을 닫는 경우가 비일비재하다. 유튜브의 실질적 운영주인 구글은 채널 구독자 수가 1000명을 넘고, 연간 동영상 시청 시간도 4000시간 이상 되어야 파트너로 인정해 광고와 협찬을 제공한다. 그러나 이런 기준을 충족시키는 게 말처럼 쉽지는 않으며 실제 의미 있는 수익을 내려면 훨씬 많은 충성 구독자를 확보해야 한다.

몇 년 전 IT사업에 종사하던 젊은 사업가와 만난 적이 있는데, 그는 향후 유튜브가 첨단 플랫폼으로 뜰 것이라며 필자에게도 전문성을 살려 유튜브를 제작해 보라고 권했다. 그러나 실제 개인이 유튜브를 운영하려면 동영상 장비와 고도의 편집기술이 필요할 뿐 아니라 대중의 수요와 관심에 맞춰 콘텐츠를 꾸준히 생산해야 한다. 그러려면 보통 이상의 에너지와 재능이 있어야 한다. 단순히 돈 때문에 유튜브에 뛰어들었다간 낭패를 보기 쉽다.

그런데 유튜버 성공 스토리만이 아니라 최근 이런 성공 사례를 보면서 한 명문대학생이 자기 인생에 회의감이 든다는 글을 올려 또 다른 관심을 끌었다. 인터넷에 회자되는 대학생 글을 보면 본인은 열심히 공부해 꿈꾸었던 대학에 입학했고, 좋은 학점, 원만한 교우 관계, 대외 활동 등 어느 부분에도 부족함이 없었다. 그리고 지금까지 자신의 인생에 만족하며 살았다고 한다. 그런데 뉴스에 보도되는 인플루언서들의 성공담을 목격하면서 너무 스트레스를 받고, 대기업에 들어간다고 해도 수입이 그들의 절반에도 미치지 못할 것을 생각하면 의욕이 떨어진다고 털어놓았다.

이 대학생의 솔직한 이야기는 요즘 젊은이들의 욕망이 무엇이며, 왜 그렇게 우리 사회가 불공정한 사회라고 불만을 많이 갖는지 심리를 이해하게 해 준다. 사실 소수 인플루언서가 성공한 것은 시대적 요구에 부응한 그들 나름의 독창성이 있기 때문인데 이를 무조건 질투하는 것은 옳지 못하다. 더 중요한 것은 이 청년에게서 자신의 삶보다는 성공한 타인의 처지를 부러워하고, 돈 잘 버는 것을 성공의 척도처럼 생각하는 한국인 대다수의 모습을 볼 수 있다는 점이다. 돈과 물질은 더 나은 삶을 위한 조건임이 틀림없지만 그 자체가 행복을 보장하지는 못한다.

최근 국내의 한 외국인 교수가 OECD의 '더 나은 삶의 지수'와 유엔의 '세계행복보고서' 통계를 토대로 한국인의 삶을 분석한 후 한국인은 부유하지만 행복하지 않다는 결론을 내린 적이 있다. 행복에서 제일 중요한 것은 자기 삶에 대한 만족과 타인과의 관계나 신뢰를 보장해주는 사회적 환경이다. 물질적 부(富)는 어느 선(線)에 도달하면 더는 만족을 주지 못한다는 게 정설이다. 남의 떡을 부러워할 게 아니라 내 삶을 잘 가꾸면서 행복을 누리는 지혜가 중요하다.

(2019-07-30)

위기는 또 다른 기회다

한일 무역 분쟁으로 시름 깊어지지만
전문가 "한국 경제 근본적 체질을 바꾸고
자립성 키우면 재도약의 기회" 전망
위기의 순간에 우왕좌왕하지 말고
냉정히 자신을 들여다보는 현명함 필요

사람의 진면목은 위기에 처할 때 드러난다. 호화 여객선 침몰을 극화한 전설적 재난 영화 <포세이돈 어드벤쳐>는 극한 상황에서 볼 수 있는 다양한 인간 군상(群像)과 평소 문명이 감추는 인간의 악덕을 드라마틱하게 묘사한다. 남을 희생시키면서 자기만 살기 위해 발버둥치는 이기적인 인간도 있고, 절망에 빠지면 울부짖기만 해 주변을 낙담하게 하는 사람도 있지만, 침착하게 대처해서 다른 이들에게 용기를 주는 사람도 있다. 모든 것이 순조로울 때는 누구나 여유가 있지만 위기의 순간을 맞으면 숨겨 온 민낯이 드러난다. 위기는 어떻게 보면 우리를 보여 주는 거울이다. 삶이라는 긴 변주곡은 다양한 굴곡을 통해 만들어진다. 화(禍)가 복(福)이 되는 경우도 많고, 절망적 상황에서 평소 보지 못하던 진리를 발견할 때도 많다. 꿈꾸는 청년 요셉은 형제들에 의해 노예로 팔려간 이집트에서 하나님이 주신 지혜로 성실하고 지혜롭게 처신해 총리대신에 오른다. 그리고 위세 당당한 권력의 자리에서 기근에 허덕이다 식량을 구하러 온 자기 형제들이 얼마나 변했는지 시험해 본다. 역사(歷史)에 가정은 의미가 없지만, 만약 요셉이 부모 사랑을 받으며 평탄하게 살았다면 기근이 극심한 상황에서 아버지와 형제들 목숨을 보존하고 이스라엘의 또 다른 역사를 가능하게 한 역할을 하긴 힘들었을 것이다.
환난은 당하지 않는 편이 좋지만 오히려 그것이 새로운 계기가 될 수 있다. 오스트리아의 정신과 의사 빅토어 프랑클은 우울증 치료사로 명성을 날린 인물이다. 그는 나치가 오스트리아를 점령하자 유대인 수용소로 끌려간다. 강제 노역에 시달리면서 시시각각 죽음의 위협에 시달렸지만 깨진 유리 조각으로 면도를 하고 건강한 모습을 유지하면서 인간적 존엄성을 잃지 않으려 노력했다. 그가 수용소 생활에서 깨달은 것은 '내가 왜 사는지 아는 사람은 어떤 상황도 이길 수 있다'는 것이고, 이 경험을 토대로 '로고테라피'라는 새로운 영역을 개척한다. 로고테라피는 인간의 자유의지와 삶의 이유를 강조하여 어려운 상황이나 장애를 극복하고 내 삶의 주인이 되게 돕는 정신치료법이다.
필자도 몇 년 전 힘든 시련을 경험했고 처음에는 낙담했다. 하지만 어려움과 맞서면서 내가 살아온 모습을 돌아보며, 왜 살아야 하는지에 대해 많은 생각을 했다. 위기에 처해 보니 내 허물과 약한 모습이 보였고, 주어진 모든 것이 얼마나 소중했는지, 그리고 평소 나를 대하는 사람들의 본마음도 알게 되었다. 그 후부터 어려운 일이 생겨도 믿는 사람답게 소망을 잃지 않으려고 노력했고, 어느 순간부터 삶을 주관하는 하나님 섭리에 따라 문제도 극복되고 있음을 알게 되었다. 지금은 모든 것이 감사하다.
국가도 마찬가지다. 위기에 처하면 나라의 문제점이 드러나고 적과 친구가 분명해진다. 7월부터 시작된 한일 무역 분쟁 때문에 시름이 깊지만 이 과정에서 대한민국의 현주소와 중장기적 해결 과제도 분명해지고 있다. 예를 들면, 일본의 수출규제 조치 후 핵심 기술력이나 선진 노하우를 갖추지 않고 외국에 의존해 성장하는 경제가 얼마나 취약해질 수 있는지 드러나고 있다. 또 우리가 힘을 갖지 못하면 구한말처럼 다시 강대국의 위협이나 여러 형태의 침탈이 발생할 수 있기에 감히 넘보지 못하게 힘을 키워야 하는 이유도 분명해지고 있다. 그래서 몇몇 전문가는 "하기에 따라 이번 사태가 완제품 수출 위주로 성장해 온 한국 경제의 기본 체질을 근본적으로 변화시켜 자립성을 키우면서 한 단계 도약하는 계기가 될 수 있다"고 말한다. 평가가 어떠하든 위기의 순간에 우왕좌왕하지 말고 냉정하게 우리 자신을 들여다보면서 문제를 해결하는 현명함이 필요하다. 위기는 또 다른 기회다.

(2019-08-05)

일본 내 혐한·극우 형태 심각성 우려한다

과거사에 대해 진정한 반성과 사과는커녕
한일 갈등 격화 속 아베 지지율 높아
혐한 콘텐츠 범람·도쿄올림픽 욱일기 게양 등
극우세력 커지며 평화헌법 개정 움직임도
감정적 반일보다 미래 평화 위해 싸워야

필자는 대학원에서 박사과정을 수학하다 서른에 프랑스로 유학을 떠났다. 석사 때까지 독일 철학을 공부했기에 프랑스어를 전혀 못 했지만, 프랑스 철학에 관심이 생기면서 본토에 가서 공부해야 한다는 생각으로 무작정 떠났고, 2년을 꼬박 어학 과정에 쏟았다. 늦게 시작한 어학 공부였지만 전공 공부에 대한 부담 없이 편하게 유학생활을 만끽했다. 극장에 가도 어학 공부를 한다는 뿌듯함이 있었고, 원어민이나 외국인 친구들과 어울려 놀면서도 공부의 연장이라 생각하면 부담이 없었다. 초급반에서 공부했는데 당시 20명 조금 넘는 외국인 학생이 있었다. 시간이 지나면서 많이 친해져서 거의 2주에 한 번가량 파티를 열곤 했다. 파티래야 자기 나라 음식을 해서 큰 집에 사는 친구 집에 모여 음악도 듣고 음식도 먹으며 잡담하거나 춤을 추는 것이 전부였다. 특이하게 10명 가까이가 일본 학생들이어서 처음에는 데면데면했지만 이웃 나라이고, 외모와 문화가 비슷해 점점 친해졌다. 일본 친구들과 요리도 같이 해 먹고, 얘기도 나누며 서로에 관해 알 수 있었다. 당시 내가 느낀 것은 일본 학생들이 지나칠 정도로 순진하고, 얌전하며 순응적이라는 것이었다. 여러 명 있어도 별로 티가 나지 않는 게 일본인이었다. 그런데 얘기를 나누다 보면 대부분 역사에 관해 거의 무지하거나 관심이 없었다. 청춘의 피가 뜨겁게 끓고(?) 사명감도 있는 나는 임진왜란에 관해 얘기해 주고 김치 담그는 법도 알려 주면서 민간사절단 노릇(?)을 했다. 아내가 갑작스러운 사고로 식물인간 상태에 빠졌을 때 세 친구가 종이학 천 마리를 접어 상자에 담아서 문병을 왔다. 일본에서는 종이학 천 마리를 접으면 소원이 이루어지니 꼭 쾌차하길 바란다며 우린 친구라고 했다. 그 말을 듣고 정말 눈물 나게 고맙고 감동했다. 당시 일본 친구들은 다양한 배경과 연령대여서 구성이 천차만별이고 체류 인원도 많았지만, 한국 학생은 소수였고, 유학생이 대부분이었다. 나중에 일본에 놀러 오면 꼭 연락하라며 주소를 주고받았지만, 결국 이들을 다시 보지는 못했다.

새삼 옛날 얘기를 꺼낸 것은 당시 의문이 많았기 때문이다. 개개인으로 보면 예의 바르고 선량한 일본인인데 어떻게 이들이 침략 전쟁을 일으키고, 우리나라 사람과 아시아인에게 그렇게 악한 행동을 했는지 궁금했다. 식민통치는 원래 폭압적이지만, 독립투사들과 기독교인들에게 자행한 악명 높은 고문에서 보듯 일제 통치 방식은 유례가 없을 정도다. 창씨개명과 신사참배 강요, 잔인한 처벌, 우리말 사용 금지 등 민족혼 말살 정책은 비교할 수 없을 만큼 잔혹하며, 패전 후에도 이를 반성하는 기미가 없다. 최근 한국과 일본 두 나라 사이에 무역전쟁이 격화하면서 우리뿐 아니라 일본도 관광산업 등에 타격을 받고 있지만, 일본에서는 아베 지지도나 한국 응징 찬성 여론이 아주 높다. 방송에서도 혐한 콘텐츠가 범람하고 과거를 송두리째 부정하는 극우 세력이 커지고 있다. 이런 가운데 2차 대전 후 유지되어 온 평화헌법을 개정해 일본을 전쟁이 가능한 나라로 만들려는 퇴행적 움직임이 두드러지는 지금 현상은 우려할 만한 일이다. 일본은 문화 수준도 높고, 개개인은 선량할지 모르지만, 한마디로 역사의식이 없기 때문에 지금처럼 간다면 아시아 국가에 좋은 이웃이기보다는 위협이 될 수 있다. 독일처럼 유럽의 리더로 인정받기 위해서는 과거를 철저히 반성하고 극복 의지가 있어야 한다. 2020도쿄올림픽 기간에 제국주의의 상징인 욱일승천기를 경기장 안팎에서 사용하겠다고 하는데, 일본의 지향점을 보여 주는 것 같아 불길하다. 우린 미래를 보며 감정적 반일(反日)이 아니라 평화를 위해 싸워야 한다.

(2019-09-10)

악은 평범함 속에서 시작된다

화성 연쇄살인범 같은 유형이 사이코패스
언젠가 숨김없이 본색 드러내는 이들보다
일탈 반복하거나 수단·방법 가리지 않고
비정상으로 특혜 누리는 사람들이 더 문제

화성 연쇄살인사건 용의자 이 아무개가 마침내 자신의 범행을 시인했다고 한다. 그는 1994년 1월 처제를 성폭행하고 살해해 유기한 혐의로 구속기소 돼 현재 교도소에서 무기수로 복역 중이다. 영구 미제로 남을 뻔한 사건이 첨단 DNA 수사에 의해 해결되고, 자백까지 받아낸 단계에 왔으니 천만다행이다. 공소시효 만료로 법적으로 단죄하거나 추가 처벌을 할 수는 없지만 범죄 진실이라도 온전히 밝혀내어 피해자 가족을 위로하고 범죄자들에게 교훈을 주기를 기대한다. 언론에 보도된 사건의 주요 장면을 보면 그가 얼마나 잔인하고, 짐승 같은 범죄를 저질렀는지 입에 담기 힘들 정도로 끔찍하다. 심리학자들은 이 아무개 같은 유형을 보통 사이코패스(psychopath)로 정의한다. 사이코패스는 생물학적 요인이나 환경적 원인에 의해 강한 공격성과 잔혹함을 드러내고, 타인의 고통이나 슬픔에 공감하지 못해 범죄 행동을 주저 없이 저지를 수 있는 반사회적 인격 장애증을 앓고 있는 사람을 뜻한다. 이들은 때로 치밀하게 자신을 위장하고 계산적으로 행동하면서 목적을 위해 사람을 수시로 속이거나 재미로 악을 저지를 수 있는 무서운 자들이다.

인격 장애라고 해서 깡패처럼 행동하는 사람을 연상하면 안 되며, 정치인이나 학자, 고위직 엘리트 중에서도 사이코패스 성향을 가진 사람이 많은데, 히틀러가 전형이다. 일반인처럼 위장한 채 지능적으로 범죄 행각을 벌이는 자들을 소시오패스(sociopath)라고 구분하기도 하지만 본질에는 크게 차이가 없다. 이들은 힘의 역학 관계에 따라 행동하기 때문에 자신보다 약하거나 처벌 위험이 없으면 잔인한 행동을 서슴지 않고 저지르는데 사이코패스에게는 범죄도 일종의 게임처럼 흥분을 준다. 이런 성향 때문에 범죄 행동을 절대 멈출 수 없는 게 특징이다. 예수님은 자신을 집요하게 따라다니면서 트집을 잡고 온갖 논쟁으로 복음을 방해하는 바리새인들을 "너희는 너희 아비 마귀에게서 났으니 너희 아비의 욕심을 너희도 행하고자 하느니라 저는 처음부터 살인한 자요 진리가 그 속에 없으므로 진리에 서지 못하고 거짓을 말할 때마다 제 것으로 말하나니"(요8:44)라고 단죄한다. 지금 용어로 보면 바리새인들은 사이코패스라고 할 수 있다. 사이코패스는 우리 주변에 숨어 선량한(?) 이웃처럼 살기 때문에 구분이 어렵다. 실제로 화성 살인범의 경우도 이웃이나 가족조차 그가 범인임을 뒤늦게 알고 큰 충격을 받았다고 한다.

하지만 오늘날 더 문제가 되는 것은 이런 사이코패스 성향 행동이 점점 늘어나고 있으며, 그것이 은연중 우리 주변에서 치명적인 문제를 일으킨다는 것이다. 연쇄살인 같은 극단적 범죄엔 사람들이 주의를 기울이지만, 일상에서 교묘히 악을 행하거나 도덕성을 짓밟으면서 사회를 병들게 하는 문제아는 잘 보이지 않는다. 조심할 것은 마치 사이코패스를 정상인과 전혀 다른 인간처럼 구분하면서 우리 주변의 소소한 악은 무시하는 것이다.

필자가 보기엔 자신의 본색을 언젠가 숨김없이 드러내는 사이코패스보다 작은 부분에서 일탈을 반복하거나 거짓과 기만을 통해 특정 목적을 달성하는 데 수단과 방법을 가리지 않는 사람들이 더 심각하다. 사회지도층으로 행세하면서 온갖 부정을 저지르고 비정상적으로 특혜를 누리는 사람들, 거리낌 없이 갑질을 하거나 약자를 짓밟는 기업인들, 필요하면 거짓말이나 연기를 주저없이 하면서 자신의 편의를 도모하는 사람들, 거짓 선동이나 사이버 폭력을 장난처럼 하면서 재미있어하는 네티즌들, 지하철에서 죄책감 없이 성적 일탈을 즐기는 보통 직장인들의 악행이 결국 화성 연쇄살인범 같은 악마를 낳는 원천이다. 악은 늘 평범함 속에서 시작된다.

(2019-10-08)

초연결사회를 사는 현명한 자세

인터넷과 스마트폰 같은 매체가 지배
편리해지는 만큼 잃어버리는 것도 많아
현실 세계의 삶과 만남 회복하면서
지혜롭게 이용하는 현명한 태도 절실

우리가 사는 세상은 네트워크와 즉각적인 상호작용, 그리고 이것을 가능하게 하는 인터넷과 스마트폰 같은 매체가 지배하는 초(超)연결사회다. 지구 반대편에 사는 지인에게 점심을 먹으며 사진을 찍어 보내거나 답을 받고, 근황을 알리고 뭔가를 공유하고 싶으면 카톡 같은 SNS로 글과 사진을 올리면 된다.

초연결시대는 강의와 글쓰기를 직업으로 하는 사람에게도 편리한데, 인터넷으로 원하는 정보를 쉽게 검색하고, 도서관에 가지 않아도 어지간한 논문이나 전자 자료를 쉽게 이용할 수 있다. 영화나 동영상도 유튜브에 많기 때문에 출·퇴근길에 즐기거나 여가를 보내기 쉬워졌다. 밤에 음식을 시켜 먹을 때도 일일이 찾지 않고 배달 앱을 이용하면 원하는 음식을 좋은 가격에 먹을 수 있다. 호텔 찾기 등 여행 관련한 앱 기능도 날마다 진화하고 있다. 그런데 모든 것이 편리해지는 만큼 잃어버리는 것도 많다.

<호모 사피엔스>와 <호모 데우스>로 유명한 이스라엘 역사학자 유발 하라리 교수는 정보화시대에 인간이 사

이버 세계에 너무 몰입하기 때문에 자기 몸과 감각을 잃어버려서 심각한 정신적 문제를 겪는다고 비판한다. 실제로 길을 걷다 보면 많은 사람이 스마트폰의 무아경에 빠진 것을 자주 목격한다. 뭔가를 기다리거나 쉴 때도 가만히 앉아 있는 사람을 보기 힘들고, 스마트폰에 얼굴과 손을 바짝 붙이고 사이버 탐사에 빠져 있다.

친구나 심지어 연인들도 카페에 앉아 상대가 아니라 폰만 보는 경우를 자주 목격한다. 이러다 보니 몸의 감각뿐 아니라 나 자신을 잃어버리고 사이버 세계에서 잠시라도 단절되면 불안해하는 스마트폰·인터넷 중독자가 갈수록 늘고 있다. 하라리는 현대인이 자살을 하는 것도 이런 현상으로 설명하는데, 좀 과장은 있지만 초연결사회가 자기 정체성에 균열을 가져오고 정신적 균형을 파괴할 수 있다는 것은 사실이다.

현대인들은 물질적으로 풍요로워지고 손쉽게 지적 호기심이나 쾌락을 즐기게 됐지만 마음의 여유와 자기 성찰에 소홀해져서 영적으로는 빈곤해지고 있다. 기독교뿐 아니라 융 같은 심리학자나 푸코 같은 철학자들도 인간의 영성(spirituality)이 매우 중요하다는 점을 강조하는데, 갈수록 현대인의 영성은 메마르고, 고독과 불안은 커진다.

인터넷 인간관계는 어떠한가? 대부분 사람이 밴드나 톡을 하고 있을 것이다. 요즘은 친구들 모임뿐 아니라 공적 조직도 단톡방을 활용하는 경우가 많다. 예전에는 얼굴을 마주 보지 않으면 만남이 힘들었지만, 이제 전천후로 누구와 언제나 소통할 수 있게 되면서 오히려 인간

관계에 문제가 생기는 경우가 더 많아지고 있다. 단톡방에 남긴 말 때문에 상처를 받거나 분쟁이 생기는 경우가 단적인 예다.

직접 만나 얘기하다 보면 오해를 풀 수 있는데 SNS는 그 특성상 이것을 받아들이는 사람이 일방적으로 해석하기 쉽고, 자칫 표현이 부적절하면 심각한 불화나 정신적 상처를 줄 수도 있다. 예를 들어, 상대에 대한 문제의식이나 의견 차이를 단톡방에 바로 올리면 당사자는 이것을 모욕으로 받아들일 수도 있는 것이다. 청소년들이 톡방을 만들어 특정인을 불러 모욕을 주고 괴롭히는 사이버 왕따 같은 경우, 오프라인의 괴롭힘보다 더 견디기 힘든 상처를 주는 경우가 많다. 불특정 다수에게 금방 퍼질 수 있기 때문이다.

결국 초연결시대가 나 자신에 대한 관계는 물론 타인과 관계 맺기나 소통에도 적지 않은 폐해를 남긴다. 그런다고 인터넷이나 SNS를 끊고 살 수도 없다. 중요한 것은 살과 피를 가지고 이루어지는 현실 세계의 삶과 만남을 회복하면서 사이버 세계를 지혜롭고 적절하게 이용하는 현명한 태도다.

(2019-11-07)

핼러윈 데이, 무엇이 문제인가 ①

'죽은 이가 1년간 다른 사람 몸에 머문다'는
귀신 존재를 믿는 아일랜드 축제에서 유래
오늘날에는 오락적 성격이 더 강하지만
천국·지옥과 다른 사후 세계 전제가 문제

해마다 10월 마지막 주가 되면 서울 이태원이나 홍대 쪽에는 영화에서나 볼 수 있는 다양한 인물이 나타난다. 좀비나 귀신처럼 꾸미거나 마블 영화와 애니메이션 캐릭터 복장을 하고 몰려다니며 춤을 추고 공연을 보기도 한다. 가끔 호박 모양 등불을 들고 다니는 이들도 있다. 요즘 한국에서 퍼지고 있는 핼러윈 데이(Holloween Day) 모습이다. 얼마 전까지만 해도 크리스마스 때마다 떠들썩하게 연말 분위기를 냈는데, 갈수록 핼러윈이 새로운 유행처럼 그 자리를 대신하고 있다. 핼러윈은 미국 축제로 알려져 있는데 젊은이들 사이에서 점점 우리 축제처럼 자리를 잡으며 새로운 문화현상이 되고 있다. 이를 단순히 즐기는 문화현상으로 볼 수 있지만 유래와 기원을 자세히 살펴보면 사정이 좀 복잡하다.

핼러윈은 미국 전통 축제가 아니라, 아일랜드에 살던 켈트족의 전통 축제인 삼하인(samhain)에서 유래했다. 켈트족은 11월 1일부터 새해를 시작하는 독특한 달력을 사용했는데 새해 전날인 10월 31일이 가장 특별한 날이다. 사람이 죽으면 그 영혼이 1년 동안 다른 사람 몸에 머물다가 사후 세계로 간다고 믿었는데, 새해 전날 죽은 자들이 자신이 거주할 새로운 집(사람의 몸)을 찾는다고 생각했다. 귀신을 쫓아내고 오지 못하게 하기 위해 귀신처럼 분장하고 밤에 놀았는데, 이것이 삼하인 축제다.
로마가 켈트족을 정복하자 아일랜드 땅에도 로마 기독교가 들어왔다. 교황이 11월 1일을 '모든 성인(聖人)의 날'로 정하고 10월 31일을 '모든 성인의 날 전야(All Hallow' Even(ing)'로 지정해 축하했다. 성인을 뜻하는 'hallow'에서 핼러윈이 유래한것 이다. 이후 아일랜드인이 미국으로 이민해 축제를 즐기면서 자연스럽게 미국 명절처럼 정착하게 됐다. 이처럼 핼러윈의 기원을 보면 켈트족의 귀신사상과 가톨릭의 성인(聖人) 축성 문화가 교묘하게 어우러져 있다. 그렇다면 기독교인 입장에서 볼 때 핼러윈 데이의 문제점은 뭘까?

첫째, 켈트족 삼하인 축제에서 보듯 핼러윈은 죽은 자 혹은 귀신과 연관이 있다. 죽은 이가 1년 동안 이 세상에 머물면서 사람들을 괴롭힌다고 믿고 스스로 귀신처럼 꾸며서 귀신을 속이려는 축제가 핼러윈 복장의 유래다. 물론 오늘날에는 오락적 성격이 더 강하지만, 연원을 보면 귀신 존재를 믿으면서 '성경에서 말하는 천국이나 지옥'과 다른 사후 세계를 전제하고 있는 것이다. 중세까지 서양인들은 질병, 자연재해, 정신장애를 귀신 장난으로 간주하거나 귀신과 사귀는 마녀 탓으로 돌렸다.
귀신을 쫓아내는 의식은 우리나라에서도 행해졌는데, 나례(儺禮)라는 풍습이 그것이다. 섣달그믐에 탈을 쓰고 귀신을 쫓는 의식을 행했는데, 고려 시대에 중국에서 들여와 조선 시대까지 이어졌다고 한다. 동지(冬至)에 붉은 팥죽을 먹는 것도 이날 밤이 길어 귀신의 활동이 왕성하다고 생각해 귀신을 쫓으려는 목적이다. 붉은색이 음기(陰氣)을 누르는 양기(陽氣)를 낸다고 믿었기 때문이다. 우리네 옛날 사람들이 두려워한 귀신은 성경이 말하는 사탄이나 마귀가 아니라 막연하게 상상되고 인간에게 항상 영향을 미치는 초자연적 존재를 말한다.

핼러윈에 볼 수 있는, 기괴한 모양의 호박 등(燈)을 '잭-오-랜턴(Jack-o-lantern)'이라고 부르는데 이것도 귀신과 관련 있다. 아일랜드 전설에 따르면, 욕심쟁이 잭이 죽어 천국도 지옥도 못 가고 떠도는 신세가 되자, 악마에게 자신을 도와 달라고 요청했다고 한다. 악마가 지옥에 있는 불덩이를 던져 주었고 이것을 잭이 호박에 담아 들고 다니며 쉴 곳을 찾아다녔다고 한다. 떠도는 혼령의 길잡이가 바로 호박 등불인 셈이다.

(2019-12-19)

핼러윈 데이, 무엇이 문제인가 ②

한국엔 모르몬교가 교세 확장을 위해 전파
더 큰 문제점은 상업주의 소비문화와 결탁
사람들의 쾌락적 욕망을 부추기고 있는 것
성도들은 사회문화 현상의 본질 바로 봐야

핼러윈이 미국으로 건너오면서 죽은 자들을 기념하며 술 마시고 노는 특별한 날이 됐다가 점차 가족 단위로 즐기는 축제로 변한다. 처음에는 아이들 축제로 자리 잡았다. 마치 예전에 크리스마스 새벽 송을 돌 때처럼, 다양한 핼러윈 복장을 한 아이들이 집집이 돌아다니며 사탕을 얻었다. 아이들은 '잭'이라도 된 듯 '잭-오-랜턴(호박등불)'이 켜진 집에 들어가 사탕을 얻었고, 사탕을 많이 모으면 자부심을 느끼기도 했다.
또 한 가지 지적할 점은, 핼러윈이 우리나라에 도입되는 과정에서 모르몬교라 부르는 이단종파인 '예수 그리스도 후기 성도회'가 큰 역할을 했다는 것이다. 대략 1980년부터 이들은 교세 확장을 위한 문화 행사의 일환으로 핼러윈 축제를 개최해 사람들을 끌어들였다. 정통 기독교단과 사뭇 다른 자신들 교단에 대한 호감을 높이고, 신도를 늘리기 위해 모르몬교 선교사들이 주도해 핼러윈을 한국사회에 전파한 것이다. 미국 명절로 자리 잡은 핼러윈이 한국사회에 소개된 데는 이들의 역할이 컸는데 우리는 이런 배경을 잘 알 필요가 있다.
마지막으로 지적할 점은 핼러윈의 상업주의 폐단이다. 가족 단위 축제였던 핼러윈이 상업주의와 결합하면서 사회 전반으로 퍼지고 있다. 핼러윈의 가장 큰 문제점은, 상업주의 소비문화가 이를 주도하면서 문화라는 외피(外皮)를 씌운다는 것이다. 크리스마스처럼 정통적인 신앙기념일도 기업의 돈벌이 수단이 되면 흥청망청하는 소비주의로 금세 변질한다. 귀신숭배 사상과 관련되는 핼러윈은 상업주의가 부추긴 전형이다. 미국 전국소매연합이 2012년에 낸 통계에 따르면, 미국인 74%가 핼러윈에 특별한 쇼핑을 계획하고 있다고 응답했다. 실제로 핼러윈 쇼핑으로 벌어들이는 돈이 100억 달러를 훨씬 웃돈다고 한다.

우리나라에서도 기업들이 특별한 아이템이나 의상을 제작해 핼러윈 특수로 수익을 내려고 안달인데, 원래 축제일인 10월 31일 즈음이 아니라 10월 초부터 "핼러윈이 시작된다"며 요란을 떤다. 이런 분위기에 부합해 서울 번화가에 여러 캐릭터나 귀신의 분장을 한 사람들이 몰려들어 거리를 메우고 새벽까지 파티를 즐기는 것이 점차 유행하고 있다. 사람들의 쾌락적 욕망을 기업이 소비주의와 절묘하게 결합해 마치 핼러윈을 즐기는 것이 젊은이들의 새로운 놀이인 듯 부추기는 것이다.

오늘날 사회적 가치의 퇴락이나 방종에는 상업주의 소비문화가 큰 역할을 한다. 문화는 사상, 의상, 언어, 종교, 의례, 법, 도덕 등 가치관 전반을 포괄하는 사회 전반의 생활양식이다. 문화는 인간에 의해 만들어지기도 하지만, 거꾸로 인간의 의식과 삶의 방식을 규정하며 큰 영향을 미친다. 문화인류학자들은 문화가 독립변수이고, 인간은 기껏 종속변수에 불과하다고 분석하기도 한다.

신앙인으로 올바로 살고 경건함을 유지하기 위해서는 사회문화 현상의 본질을 직시해야 한다. 핼러윈처럼 애초부터 귀신사상과 연관돼 죽은 이들을 기념하는 축제로 시작한 명절은 예수를 믿는 기독교 신앙인의 영성을 은연중에 갉아먹어 흐리게 할 수 있다. “마귀가 우는 사자처럼 삼킬 자를 찾는다”고 성경은 경고하는데, 오늘날은 그것이 문화 형태로 강요하면서 젊은이들을 타락시키는 경우가 많다. 같이 모여 술 마시며 파티를 즐기다 보면, 좀 더 자극적인 욕구 충족을 추구하기 마련이고, 이것이 마약이나 성적(性的) 일탈로 변질할 수 있다. 신자유주의가 득세하면서 물질적인 욕망과 쾌락추구가 행복의 본질인 것처럼 인식되고 있으며, 유튜브 등에 의해 상업주의 본질은 감추어지고 새롭고 세련된 문화처럼 전파되고 있다.

“완전한 지혜와 근신을 지키고 이것들로 네 눈 앞에서 떠나지 않게 하라”(잠3:21).

(2019-12-24)

행동중독에서 벗어나자

유튜브, SNS, 돈…정신을 피폐하게 만들어
새사람 입는 것은 천지개벽의 변화 아냐
치명적인 중독과 안 좋은 습관에서 벗어나
선한 것 사모하게 만드는 마음가짐이 필요

새해가 되면 사람들은 관행처럼 새 소망과 새 결심을 말하지만 그리스도인들은 매일 새사람을 입기 위해 노력해야 한다. 육신의 성향과 주변 환경이 우리를 시험하고 정욕에 빠뜨리기 때문이다. 정신을 피폐하게 만드는 것 중 은근히 심각한 것이 행동중독이다. 상담학 사전에 따르면 행동중독은 '자신이나 타인에게 해가 될 수 있는 특정한 행위를 계속해서 반복적으로 시행함에 따라 스스로 그 행위의 빈도를 조절할 수 없게 되는 상태'를 말한다. 행동중독은 술이나 마약 같은 약물중독 못지않게 파괴적이다. 하지만 일상에서 부지불식간 끌려 들어가며 점점 빠져드는 경우가 많다.
첫째, 유튜브 중독이다. 유튜브는 현대인이 가장 친근하게 이용하는 매체지만 유튜브에 병적으로 매달리면서 그것만을 통해 현실을 보는 사람들이 늘고 있다. 유튜브는 활용하기에 따라 유용한 정보와 오락거리를 얻을 수 있지만, 과격한 유튜브는 사람들 의식을 특정 방향으로 편향시키고 정서적 발산을 극대화할 수도 있다. 이러한 현상은 진보·보수를 가리지 않는다. 유튜브를 접하는 빈도가 높아지면서 우리 사회의 갈등이 더 심화되고, 혐오와 인신공격, 과도한 성적 유혹 등 사회윤리에 미치는 영향이 심각하다. 혹자는 유튜브를 '21세기 아편'으로 부르기도 한다. 처음에 재미로 시작하지만 자꾸 보면 비슷한 내용을 찾게 되고, 나중에는 이를 공유하면서 자신과 생각이 다른 사람을 미워하고 편을 가르면서 공격적으로 되기 쉽다. 물론 유튜브를 여행 정보를 찾거나 외국어 같은 학습에 제한적으로 적절히 사용한다면 교양과 지식을 넓힐 수도 있다. 그러기 위해서는 맹목적으로 유튜브에 의존하는 태도에서 벗어나야 한다.
둘째, SNS(소셜미디어) 중독이다. 특히 여성, 젊은이들 사이에 영향력이 크다. 미국 사회학자 조너선 하이트는 『나쁜 교육』이라는 책에서 2000년 이후 아이폰과 함께 자라고 소셜미디어에 친숙한 인터넷 세대를 I세대로 소개한다. 이들의 특징은 물질적으로 안전하고 풍요로운 환경에서 성장했지만 정신적으로 나약하고 불안과 우울증이 심하다는 것이다. 소셜미디어의 특징은 24시간 무제한 소통과 다양한 연출이 가능하고, 특성상 자신을 과시하며 남과 비교하는 삶을 강요한다는 것이다. 일례로 좋은 곳에 여행을 가면 여행을 즐기기보다 사진을 찍고, 페이스북이나 카톡 같은 SNS에 이를 소개하면서 새로운 사이버 정체성과 남에게 인정받으려는 욕망이 강해진다. 그러다 보니 자신의 삶 자체에 만족하기보다 끊임없이 다른 사람에게 인정과 주목을 받으려고 하고 SNS를 통해 남과 자신을 늘 비교하면서 자존감에 상처를 입는 경우도 많다. SNS 역시 친교와 정보교환의 장으로 제한적으로 사용한다면 오프라인 만남을 보완하는 수단이 될 수도 있다.
셋째, 돈 중독이다. 우리 사회가 지나치게 돈을 통한 물질적 행복을 추구하면서 삶의 여유를 잃고 행복지수가 다른 선진국에 비해 떨어진다. 물론 돈에 집착하는 것을 행동중독으로 보는 것은 논쟁 여지가 있지만 우리 사회가 물질적 가치와 성공을 중시하면서 과도하게 이에 매달리는 것은 사실이다. 철학자 아리스토텔레스는 '행복은 자신만의 덕을 갈고닦아 충만한 경지에 이르는 것'이라 정의하면서 쾌락, 명예, 돈 세 가지 사이비 행복을 경계했다. 돈이 문제인 것은, 돈은 행복을 위한 수단일 뿐인데 그것 자체가 목적이 되면서 다른 가치들을 희생하게 만들고 우리를 노예처럼 만들기 때문이다.

새사람을 입는 것은 거창한 변신이나 천지개벽 같은 변화가 아니다. 사소해 보이지만 치명적인 중독과 안 좋은 습관에서 벗어나 선한 것을 사모하고, 자신을 선하게 만들려는 마음가짐이 필요하다. 새해엔 좌우로 갈라진 과격한 유튜브, 과시적 SNS, 돈 중독에서 벗어나자.

(2020-01-09)

전염병보다 무서운 혐오와 과잉반응

전염병보다 더 확산되는 중국 혐오 분위기
중국인·중국 동포 싸잡아 바라보는 시선
이는 사회 자체를 병들게 하는 암적 감정
위기 순간엔 감정보다 냉정한 해결책 절실

아침에 집을 나서는데 어머니가 마스크를 꼭 하고, 사람 많은 곳을 피하라고 걱정스레 말씀하신다. 지하철에도 많은 사람이 하얀 마스크를 쓰고 있다. 공공기관에서 개최하는 사업설명회에 참석할 예정이었는데 바이러스 확산을 우려해 취소되었다고 문자가 온다. 누군가 공공장소에서 심한 기침이라도 하면 눈살을 찌푸리고 도망간다는 기사까지 보고 나니 신종 전염병 공포가 심각한 수준에 이른 것 같다. 이런 것에 별로 신경을 쓰지 않던 나도 주변에서 관련 이야기를 들으니 괜히 신경이 쓰인다. 신종 코로나바이러스는 뾰족한 치료 수단이 없고 체력이 좋은 젊은이들도 걸리면 죽는다니 사람들 우려를 이해할 수는 있다.

인류 역사는 '전염병과 그 정복 역사'라 해도 과언이 아니고, 그에 얽힌 일화도 많다. 보카치오의 유명한 단편소설 『데카메론』도 창궐하는 페스트를 피해 교외로 피신한 남녀 10명이 하루 1개씩 돌아가며 구술한 이야기를 모아 놓은 작품이다. 잃어버린 수수께끼의 도시 마추픽추를 만든 잉카제국의 갑작스러운 멸망도 유럽인의 침략보다 실은 유럽인에 의해 전파된 신종 바이러스 감염이 결정타라는 설이 강력하다. 중세 때 흑사병은 너무 많은 사람을 몰살해 흉흉한 민심을 달래느라 마녀사냥이 벌어지기도 했다.

백신과 의학 발전으로 천연두, 콜레라 같은 많은 병이 정복되었지만 가까운 기억만 더듬어도 스페인 독감, 사스, 메르스 등이 주는 공포와 야단법석은 중세인들만큼 크다. 신종 코로나바이러스가 중국 '우한(武漢)'에서 건너왔다고 중국 당국은 인구 1000만 명이 넘는 도시를 완전히 봉쇄했고, 세계적으로 우한뿐 아니라 중국인들 자체를 꺼리고 혐오하는 편견 분위기가 확산되고 있다.

필자는 급성 전염병보다 정서적으로 확산하는 혐오와 과잉반응이 더 우려스럽다. 인간에게는 생존에 대한 절실함과 목숨을 위협하는 것에 대한 심리적, 육체적 방어기제가 발달했는데 낯선 외국인에 대한 경계심도 그와 연관된 현상이다. 하지만 호들갑이 지나치면 문제와 갈등을 일으킨다.

혐오와 미움을 혼동하는 사람이 많지만 전혀 다르다. 미움은 속에 애정의 감정을 깔고 있는 양면적 서운함에 가깝고, 대상도 나와 대등하거나 더 강한 대상을 향한 감정이다. 한때 좋아하던 사람이나 미련이 있는 사람에게 서운함과 미움을 느끼지, 전혀 상관없는 제삼자에게는 미움이 발동할 수 없다. 불륜을 저지른 애인이나 자기를 괴롭히는 직장 상사에 대한 미움이 그런 예다.

하지만 혐오는 철저하게 파괴적 감정이고 불안감과 생존에 대한 공포가 나와 단절된 약자에게 전가되는 경우다. 예를 들어, 바퀴벌레를 볼 때 순간적으로 느끼는 불쾌감과 소름은 혐오이고, 미움처럼 대상에 대한 연민의 감정으로 전환될 일은 전혀 없다. 미움이 관계를 전제한다면 혐오는 그 대상이 완전히 없어졌으면 하는 배타적 감정이다.

그런데 최근 혐오는 개인적 차원이 아니라 집단으로 표출되거나 특정한 성(性), 민족, 계층에게 표현되는 경우가 빈발해지고 있다. 신종 코로나바이러스가 중국에서 시작되었다고 중국인뿐 아니라 우리나라에 거주하는 중국 동포들을 싸잡아 벌레처럼 바라보는 차가운 시선도 문제고, 이참에 아예 중국과 단절해야 한다고 과장된 화풀이를 하는 일부 여론도 지나치다.

혐오 심리를 뜯어보면 근거가 없거나 과장된 경우도 많고, 혐오의 표출 자체가 극단의 부정적 감정을 남긴다. 외국인뿐 아니라 장애인, 노인, 여성을 혐오하는 일이 다양한 층위로 확장되면서 범죄를 일으키기도 하는데 이것은 결국 사회 자체를 병들게 하는 암적 감정이다. 혐오 사회에서는 누구나 불안할 수밖에 없다. 지금 같은 위기의 순간에는 더 냉정하게 해결책을 찾으면서 합리적으로 이 난국을 극복해야 한다.

(2020-02-05)

신천지 망상과 맞서려면 더 지혜로워져야

잇단 경고 무시한 정부 대응도 문제지만
선택된 자 되려고 직업도 가족도 팽개치고
과대망상에 빠진 신천지 더 우려스러워
실체 알리고 사상과 제도 자체 무너뜨려야

2월 18일 대구에서 처음으로 코로나19 확진자가 나오면서 소강상태로 들어가던 코로나사태가 새로운 국면을 맞았다. 2천 명이 넘는 확진자가 생기고, 감염 때문에 온 나라가 마비되고, 국민은 사태가 어떻게 전개될지 불안에 떨고 있다. 감염병 전문가들은 이번 코로나 재앙을 초기 대응단계에서 정부가 질병관리본부, 대한의사협회와 대한감염학회 등이 수차례 제기한 권고와 의견을 무시한 결과로 보고 있다. 중국에 대한 전면 입국 금지 내지 이에 준하는 입국지역 제한 확대를 묵살한 것이다. 그런 방심의 틈을 코로나19가 신천지에 뚫고 들어와 재앙을 낳았다. 보건 당국이 역학조사를 위해 신도 명단을 요구했지만 누락자가 있어 비난이 거세고, 자신들의 행적에 대해 거짓말을 일삼으면서 신천지가 왜 이런 행동을 하는가에 대한 의문점도 커진다.

다른 이단과 마찬가지로 신천지도 독특한 교리와 점조직 형태의 비밀활동 방식을 고수하면서 공격적으로 기성교회를 파괴하고 있다. 신천지는 교주 이만희를 이 시대의 재림예수나 요한처럼 떠받들면서 그를 절대불사의 신처럼 생각한다. 또 문자 그대로 14만4천 명이 다 차면 종말이 오고, 이들이 새로운 세상(신천지)의 왕이 된다고 주장하면서 구원받은 자들은 죽지 않는다는 육체영생교리도 정상인의 사고방식으로는 도저히 이해할 수 없다. 벌써 종말이 시작되었다고 믿기에 모든 재산을 바치고, 직업과 가족도 내팽개치면서 선택된 자가 되기 위해 포교에 안간힘이다. 이들은 자신들 장막을 보호하기 위해 거짓말이나 위법 행동을 하면서도 전혀 가책을 느끼지 않고 심지어는 가족에게도 정체를 숨긴다.

필자가 지적하고자 하는 것은 이들의 교리나 행동이 아니라 이들이 신봉하고 실천하는 믿음과 삶의 방식이 전형적인 망상증(편집증)과 닮았다는 점이다. 정신분석이론에 따르면 현실을 인정하고 갈등을 내적으로 수용하는 신경증과 현실을 부정하고 망상을 믿는 정신병은 질적으로 다른 정신 상태다. 보통 정신병하면 인격이 완전히 붕괴되고, 눈에 초점도 없이 횡설수설하는 이미지를 연상하지만 그것은 정신분열증(조현병)이고 망상증은 특정 논리에서만 일탈적이고 다른 부분에서는 정상처럼 보인다.

예를 들어 박해망상에 빠진 사람도 논리적이고, 지적으로 사태를 설명하고 행동할 수도 있지만 모든 것을 박해 상황으로 해석하는 점에서 일반인과 차이를 보인다.

망상에는 구원자 망상, 과대망상, 피해망상 등 여러 가지가 있다. 흔히 보는 의처증 같은 것도 망상증의 일종이다. 망상증에 빠진 사람은 자신의 문제를 절대 객관화하지 못한다.

그런데 신천지에 빠진 사람을 지능이 모자라거나 정신장애가 있는 저능아나 특이한 사람처럼 선입견을 가지고 대한다면 신천지에 맞서기 힘들다. 이번 코로나 감염조사 과정에서 공무원이나 간호사, 선생님 등 전문가 중에서도 신천지 신도가 나와 사람들이 깜짝 놀랐는데 그들이 철저하게 자신을 감추면서 목적의식적으로 행동했기 때문이다. 이들은 정상인처럼 위장하지만 신천지에만 구원이 있고, 자신은 특별한 존재라고 믿는 전형적 구원자 망상의 지배를 받는다.

망상의 큰 특징 중 하나는 자신의 믿음이 잘못일 수 있다는 생각을 전혀 하지 못하고 점점 그 논리에 깊이 빠지는 것이다. 시간이 지나면 망상적 믿음은 계속 현실과 충돌하면서 허점을 드러낸다. 그러나 이단들은 믿기 힘든 주장을 서슴없이 하다가도 상황이 바뀌면 그것을 정당화하는 또 다른 논리를 개발하고 추종자들은 그것을 의심 없이 받아들인다.

지금 상황에서 혐오의 감정으로 이들을 비난하고, 탄압하면 오히려 지하에 숨거나 그들의 과대망상만 키워 줄 수 있다. 사회 자체에서 그들의 교리와 거짓 믿음이 고립될 수 있도록 본질을 폭로하고 실체를 알리면서 신천지 사상과 제도 자체를 무너뜨려야 한다. 영적인 싸움이다. 맹목적인 망상과 싸우기 위해서는 신앙인들이 더 경건하고 지혜로워야 한다.

(2020-03-02)

일상의 회복과 감사가 최선의 치료

우리에게 필요한 것은 불안이나 낙관 아닌
어려움 속에서 평범함을 되찾으려는 노력
어려워도 강하고 담대한 것이 믿음의 증표

코로나19 여파가 수그러들지 않고 감염이 전국으로 확산되면서 불안감이 커지고 집단 우울증 정서도 안개처럼 퍼지고 있다. 불안감이 증폭되는 것은 바이러스에 대한 두려움보다 일상이 깨지고 불확실한 사태가 언제 끝날지 모른다는 막연함 때문이다. 이건 공포라기보다는 불안심리로, 둘은 구별된다. 확실한 대상이 있고, 그것에서 벗어나기 위한 방어본능에 가깝게 반응하는 것이 공포라면, 실체를 알 수 없고 두려움의 대상도 불확실한 정서가 불안이다. 예를 들어, 늑대가 쫓아오면 공포가 생기지만, 저 멀리서 오는 게 늑대인지 개인지 구별되지 않을 때 온몸을 휘감는 감정이 불안이다. 지금 형국도 비슷한데 불안의 가장 큰 피해는 일상이 깨지면서 모든 것이 위축되는 무기력증이다.

새내기의 활력과 새 학기 기운으로 가득 차 있어야 할 캠퍼스가 텅 비어 있고, 건물은 낮 동안에 관계자들에게만 개방된다. 개학은 2주이상 연기되고 그나마 온라인 수업으로 대체하지만, 3월이 돼도 언제 대학이 정상화될 수 있을지 모르니 사람들 얼굴이 다 어둡다. 행사나 모임이 취소되는 것은 물론이고, 누군가에게 식사라도 하자고 선뜻 제안하기가 멋쩍어지는 게 요즘이다. 구슬픈,

왠지 모르게 우울한 상황이 계속되자 소소해 보이고 따분해 보이는 일상이 실은 얼마나 소중한지 다들 절실하게 느끼는 것 같다. 아침에 일어나 출근하고, 사람들 만나 식사하고, 주어진 일을 하다 가끔 수다도 떨고 낮잠과 여가도 즐기는 게 일상인데 이것은 지루함이 아니라 큰 근심이나 문제가 없는 평안한 상태다. 평범한 것이 더 어렵다는 말처럼 일상이 지속되는 것은 저절로 주어지는 비범함이나 단순함이 아니라 축복이고 감사한 은총이다. 그러나 상황이 늘 좋을 수는 없기에 특히 어려운 상황에서 일관되게 일상의 리듬과 기분을 잃지 않으려면 멘탈이 강해야 한다. 상황에 지나치게 일희일비하면서 민감하게 군다는 것은 상황에 지배당한다는 뜻이고, 심리적으로 유약하다는 증거다.

지금처럼 모든 게 불확실해 보일 때 오히려 일상을 회복하기 위한 새로운 깨달음이 필요하고, 현실을 받아들이면서 불안을 떨치기 위해 마음을 다잡아야 한다. 바이러스 공포에 굴복해 의기소침하거나 번뇌와 불안에 사로잡혀 절망하고 분노하는 것은 삶을 사랑하지 못하는 태도다. 또 막연하게 어떤 희망을 품거나 근거 없이 낙관론을 펼치는 것도 파멸적 태도가 될 수 있다. 2차 세계대전 상황에서 포로가 되거나 아우슈비츠 같은 극한 장소에 갇혀 자연사하는 사람들은 대체로 두 가지 유형이다. 하나는 절망적 상황이 언제 끝나 석방될지 모르는 불확실한 상황의 두려움 때문에 심약해지거나, 절망적 상태가 돼 퇴행적으로 과거 기억에 몰두하면서 심약해진 사람들이다. 이들은 미래에 대한 기대나 삶의 의욕 없이 절망하다 병에 맥없이 무너진다. 다른 부류는 특히 성탄절이나 새해가 다가오면 특사(特赦) 등으로 집에 갈

수 있을 것이라는 근거 없는 희망을 품는 사람들이다. 이들은 자기 기대가 좌절될 때 오는 절망감을 이겨 내지 못하고 무너진다.

지옥처럼 고통스러운 수용소에서 살아남는 사람들은 절망하거나 낙관하지 않고 현실을 받아들이면서 어려운 조건에서도 삶의 의미를 찾으려고 노력하는 사람들이다. 상황이 우리를 어렵게 만드는 게 아니라 우리가 절망의 구렁텅이에 스스로 빠지는 것이다. 지금의 사태도 비슷하다. 우리에게 필요한 것은 불안이나 무조건적 낙관이 아니라 평범함을 되찾으려는 노력이다. 일상의 회복과 감사가 최선의 치유다. 어려운 상황에서 강하고 담대한 것이 믿음의 증표다. 이것은 믿는 자들의 특권이기도 하다.

(2020-03-10)

악마는 평범한 곳에서 기생한다

범죄를 관행처럼 여기고, 인간을 성적으로
대상화해 팔고 사면서도 반성의 사유 없이
방조하는 사람들이 우리 속에 악마 만들어
이번 기회 성에 대한 잘못된 관념 뜯어 고쳐야

온 나라를 떠들썩하게 만들고 전 국민을 경악시킨 성(性) 착취물 집단공유사건 'n번방' 주범 조주빈이 구속됐다. 'n번방'은 해외에 서버를 둔 수많은 '비밀 채팅방'에서 미성년자를 포함 수많은 여성을 성 고문하거나 성노리개처럼 다룬 사진과 영상을 공유한 데서 붙여진 별칭이다.

하지만 이 사건은 조주빈 사건도 아니고 n번방도 아닌, 성 착취범죄로 단죄해야 마땅하다. 성범죄자 신상을 공개하고 합당한 처벌을 내리라는 청원이 기록을 경신하면서 조주빈 얼굴이 공개됐는데 그가 기자들 앞에서 한 첫마디는 "악마의 삶을 멈춰주어 고맙다"는 것이다. 언뜻 들으면 반성하는 말 같지만 담담한 태도나 이어진 답변을 보면 자기는 특별한 존재라고 우월감을 표현한 말이다. 체포돼 기자들 앞에 서서도 자신은 악마처럼 힘센 존재라고 과시한 것이다.
워낙 사건에 대한 국민적 관심이 크다 보니 조주빈이 누구고, 구체적으로 어떤 범죄를 저질렀나에 말초적 관심을 쏟는 언론도 있지만, 이것은 본질이 아니다. 오히려 우리 사회가 성적으로 얼마나 타락했고, 여성에 대한 성 상품화가 어느 정도 넓게 퍼졌는지 병든 모습을 단적으로 드러냈다. 그동안 몰래카메라나 성 영상을 만들어 올려 돈을 벌거나 이를 즐기지만 제대로 처벌받지 않았기 때문에 이런 사건이 터진 것이다. n번방은 수십만이 넘는 유료회원이 있고 채팅방에 이른바 여성 노예가 직접 참여해 회원이 시키는 대로 따라 했다는 보도가 나오면서 회원들도 엄하게 처벌하라는 여론이 있지만 먼저 사건의 본질을 제대로 이해할 필요가 있다.
조주빈은 자신을 악마라고 표현했지만 사실 주범이나 공모자들은 지극히 평범한 사람들이고, 성 관련 영상물을 컴퓨터 게임 하는 것처럼 즐긴다. 우리는 악에 대한 선입견을 근본적으로 바꿀 필요가 있다. 범죄자, 변태성욕자, 악마는 특별한 유형이나 사이코패스가 아니다. 오히려 범죄를 관행처럼 여기고, 인간을 성적으로 대상화해 팔고 사며 반성의 사유 없이 이를 방조하는 사람들이 우리 속에 악마를 만든다.
전형적 예가 있다. 2차 대전이 끝난 후 아르헨티나에 숨어 살던 아돌프 아이히만이 이스라엘 정보기구에 의해 체포돼 이스라엘 법정에 섰다. 아이히만은 유대인 수송열차에 가스관 장치를 부착해 수많은 유대인을 학살하고, 재산을 압류하고, 포로들을 분류해 가스실로 보낸 나치 책임자였다. 사람들은 막상 아이히만이 평범하게 생겼고, 지극히 예의 바르며, 자신은 상부 명령을 충실하게 이행했을 뿐 사람을 죽이지 않았다고 주장하자 충격에 빠졌다. 실제 아이히만은 단지 군인으로서 유대인 재산이나 생명을 박탈하는 서류 업무만을 담당했고, 그것 때문에 죽은 유대인들은 자기 책임이 아니라고 믿었다. 이것은 궤변이다. 이 재판을 목격한 철학자 한나 아렌트가 '악의 평범성'이라는 말로 이를 표현하면서 아무런 성찰적 태도 없이 국가의 명령이나 의무를 기계적으로 수행하는 것이 악이라고 이 사건을 규정했다.

조주빈이나 거기에 동조한 사람들도 마찬가지다. 그들은 성 동영상을 보고 즐기면서 그 속에서 울고 고통당하는 수많은 여성을 사람이 아니라 한낱 캐릭터처럼 대하고 성 착취를 놀이로 생각했기 때문에 죄의식 없이 범죄를 저지를 수 있었다. 어떤 일을 할 때 그것이 가져올 결과를 생각하지 않고 행동한다면 자기도 모르게 악마가 될 수 있다. 범죄를 저지른 몇몇을 엄벌한다고 이런 악이 없어지지는 않는다. 이번 기회에 악마를 배양하는 우리 사회의 문화와 범죄구조를 발본색원하고 성에 대한 잘못된 관념을 뜯어고쳐야 한다. 악마는 도처에 있다.

(2020-04-04)

믿음으로 '코로나 블루'를 넘어서자

단절된 일상에서 오는 답답함과 불안감
예전처럼 일상 되찾기는 당장 힘들겠지만
조건이나 장애물 보지 말고 담대함과
믿음을 가지고 심리적 방역으로 극복해야

지난 1월 20일 국내 첫 코로나19 확진자가 발생한 뒤로 100일이 훌쩍 지났다. 확진자가 급속히 늘면서 정부는 3월 22일부터 종교·유흥·실내체육시설에 운영을 제한하고, 모임이나 나들이를 삼가라는 '고강도 사회적 거리두기'정책을 시작했고, 4월이면 끝날 것 같던 거리 두기가 계속 유지되자 사람들의 피로감은 커지고 있지만 긴장을 풀지도 못하고 있다. 우리 교회는 정부 시책보다 한결 강도 높은 '16단계 출입방역수칙'을 시행하면서 노약자나 조금이라도 위험성이 있으면 자가격리해서 가정에서 예배드리도록 하고 있다.
코로나19는 일상의 많은 모습을 바꿔 놓았다. 해외여행과 교류가 중단되었을 뿐 아니라 벚꽃놀이, 축제, 각종 공연이 취소되고 회식자리도 피하고 있다. 초중고와 대학은 수업과 강의를 온라인으로 진행하고 재택 근무와 재택 수업이 일상화하면서 집에서 생활하는 시간도 엄청나게 늘어났다. 갑자기 닥쳐온 불편한 변화에 몸을 맞추며 다들 조금만 참으면 코로나19도 잡히고 전처럼은 아니더라도 어느 정도 일상을 회복할 수 있을 거라고 막연히 기대하지만 전문가들은 "예전으로 돌아가는 것은 불가능하다"고 암울한 전망을 내놓는다.
이런 가운데 '코로나 블루(Corona bleus)'라는 신조어가 회자(膾炙)하면서 지금의 모습을 압축적으로 보여 준다. 코로나 블루는 코로나19 여파로 발생한, 집단화된 스트레스와 우울증의 만연 현상을 말하는데 꽤 많은 사람이 이를 호소하고 있다. 우울증까지는 아니더라도 다수가 이런 상황에서 심리적 고통을 느끼고 불안감도 만성적이 된다. 사람은 의식주뿐 아니라 사회적 관계 속에서 활력을 얻고, 존재감도 느끼는데 코로나19가 우리 사회를 위축시키고 행동을 제약하면서 당연하게 누리던 모든 것이 박탈되고 있기 때문이다. 두렵고 불길하지만 그 실체를 명확히 알 수 없고 대응하기 힘들 때 혹은 앞으로 사태가 어떻게 될지 모르는 불확실성이 지속될 때 사람들은 불안을 느낀다. 고강도 트라우마는 아니지만 지금의 사태를 무력감과 두려움에 사로잡혀 있는 '코로나 트라우마'라고 진단하는 정신건강 전문가도 있다. 트라우마나 우울증이 특정한 생리적 요인이나 어떤 상황 때문에 소수에게 생기는 병리 현상이라면 코로나 블루는 불특정 다수 모두에게 안개처럼 스며들고 피하기도 힘든 사회적 병리 현상이다.

이런 상황에서 어떻게 할 것인가? 사실, '긴 병에 장사 없다'고, 낙천적이고, 멘탈이 강한 사람들도 이런 상황이 지속되면 평온하게 삶의 리듬을 지키고 활기차게 살기는 힘들다. 정도는 다르지만 누구나 불안, 스트레스, 무기력, 분노, 슬픔 등을 조금씩은 경험하고 있을 것이다. 그런데 상황 자체에 매몰되어 빠져나오지 못하는 것이 우울증과 트라우마의 공통점이다. 코로나 블루에서 벗어나려면 그것에서 나와야 한다. 주어진 조건을 바꾸지는 못하지만, 상황을 해석하면서 대처하는 행동을 결정하는 것이 인간의 고유한 능력이자 실존성이다. 철학자 스피노자는 어떤 현실적 제약이나 조건에 대해 피할 수 없지만 제대로 인식한다면 능동적으로 대처할 수 있고, 그것이 인간의 자유 개념을 가능하게 한다고 얘기했다. 자연에 구속되는 것은 동물과 똑같지만 인간은 그것을 늘 또 다른 변화와 가능성의 조건으로 바꾸었고, 그런 식으로 역사를 만들어 왔다. 성경이 말하는 믿음과 소망도 그런 태도다. 출애굽과 가나안 정복기를 보면 주어진 조건이나 장애물을 보지 말고 담대함과 믿음을 가지고 앞으로 나아가면 승리할 테니 강하고 담대하라고 말한다. 우리가 코로나19를 완전히 물리치고, 예전처럼 일상을 되찾기는 당장 힘들겠지만 겨울의 찬 대지에서 봄을 기다리는 씨앗처럼 믿음을 가지고 이 조건에서도 자유를 실천해야 한다. 믿는 자에겐 능치 못할 일이 없다.

(2020-05-02)

마스크 착용에 동서양 문화 차이

아시아에선 규범화…서양에서는 거부감
전통적 강국인 미국·유럽 위상 추락하고
한국 위상 상승은 지나친 개인화의 역설

공동체와 개인의 관계를 바라보는 동서양 시각에는 적지 않은 차이가 있다. 예를 들어 활짝 웃고 있는 사람의 그림을 보여 준 후 "이 사람이 행복하냐"고 물으면 동서양 사람 모두 "그렇다"고 대답한다. 하지만 활짝 웃는 사람이 잔뜩 화가 난 사람들과 같이 있는 사진을 보여 주고 똑같은 질문을 해 보면 차이가 난다. 동양 사람은 "이 사람이 행복하지 않다"고 대답하지만, 서양 사람은 "이 사람은 여전히 행복하다"고 대답한다. 물론 예외는 있지만 대체로 이런 대답을 한다. 인물 사진을 찍어 보라고 해도 비슷한데, 서양 사람은 인물 자체에 초점을 맞추어 얼굴이 크게 나오게 촬영한다. 반대로 동양 사람은 인물을 배경과 함께 찍는 경향이 많다. 이 실험은 동서양의 사고방식과 가치관을 함축적으로 보여 준다. 서양인과 달리 동양인은 관계 속에서 개인을 바라본다. 아무리 주인공이 웃고 있어도 주변 사람이 찡그리면 동양인은 결국 이 사람은 불행할 수밖에 없다고 사회적 환경을 고려해서 답을 한다. 하지만 서양인은 개인 자체가 중요하다고 생각하기 때문에 개인의 내면이나 외면에 집중해 판단한다.

관계를 중시하는 사고방식은 한국인에게 더 두드러지는데 소유를 나타낼 때도 우리 것, 우리 집, 우리 아버지와 같은 표현을 쓰고, 개성이나 개인의 관심을 앞세우기보다 공동체 입장을 은연중 먼저 강조한다. 예를 들어 자기소개를 할 때, 서양인은 자신의 장점이나 단점, 취미 등을 주로 말하지만 동양인, 특히 한국인은 남들 앞에서 자신의 성격이나 내면적인 것을 얘기하기보다, 주로 자기가 살던 동네, 가족 관계, 출신학교 등을 많이 얘기한다. 타자를 배려하는 태도에서도 큰 윤리적 차이가 있다. 대체로 동양과 한국에서는 개인의 입장보다는 예의 자체를 더 중시하고 너무 직설적으로 속을 드러내는 것을 싫어한다.

이런 차이에 관해 많은 문화적 연구가 있는데 이번 코로나 사태가 세계적으로 확대되면서 우리나라가 방역 선진국이 된 것에도 상당한 영향을 미쳤다고 본다. 예컨대 초기에 미국이나 유럽에서는 보건당국과 정부가 마스크 착용을 권하고, 대면접촉을 자제하라는 등 캠페인을 벌여도 무시하는 경우가 많았다. 정부가 개인의 권리나 자유에 간섭하는 것을 싫어하는 오랜 전통이 있고 개인주의 사고방식이 강하기 때문이다. 영국이나 스웨덴은 오히려 자연 면역력을 키운다고 일상적인 생활 리듬을 유지하다가 사망자가 증가하는 등 큰 낭패를 봤고, 미국은 지금도 마스크에 대한 거부감이 크고, 정부의 통제에도 저항한다.

반대로 우리나라에서는 공공장소에서 마스크를 쓰지 않으면 따가운 시선을 많이 받고 기침 예절도 강조한다. 공동체나 사람에 대한 신뢰를 잃지 않았기 때문에 다른 나라처럼 사재기나 극한 폭동이 발생하지도 않았고 생활 속 거리 두기를 지키며 잘 견디고 있다. 이런 평온함은 오랫동안 품앗이, 두레 같은 것을 통해 형성된 상호부조 전통이 강하고, 삶에서 공동체와 개인의 조화를 중시하는 가족적 가치관이 강하기 때문에 가능하다. 최근 미국은 코로나 사망자가 이미 10만 명을 넘어 2차 대전 당시 사망자 수를 능가했고, 경제활동이 위축되면서 빈곤의 고통이 커지고 이런 것이 인종차별에 대한 불만으로 인해 걷잡을 수 없는 폭력사태로 확대되고 있다.

코로나 사태를 보면서 우리가 얻을 수 있는 큰 교훈은 개인의 운명이나 삶은 상당 부분 공동체와 묶일 수밖에 없고, 구성원의 유대와 협력이 사회 유지와 발전에 매우 중요하다는 것이다. 코로나로 인해 한국의 위상이 높아지는 반면, 전통적 강대국인 미국과 유럽의 위상이 추락하는 것은 지나친 개인화의 역설일 수 있다. 어려운 시기에는 모두 협력해서 선을 이뤄야 한다.

(2020-06-06)

마녀사냥식 '억울한 사람' 안 된다

성추행 의혹 결백 밝혀진 교사 자살
무엇이 그를 죽음으로 내몰았나
감성적 측면과 이성적 측면 균형있게
작동해야 개인이나 우리 사회가 건강

한 편의 신문 기사가 가슴에 메아리를 남긴다. 제자를 성추행했다는 의혹을 받고, 경찰 조사를 받은 끝에 무혐의 처분을 받았지만 이와 상관없이 교육청이 징계 절차를 진행하자 스스로 목숨을 끊은 교사 이야기다. 교사 가족이 억울하다며 공무상 사망을 인정해 달라고 소송을 했고, 법원은 이를 순직으로 인정했다. 우리 사회에 갑질 폭로와 미투 운동이 확산되면서 그간 관행처럼 벌어지던 성희롱, 성추행 등 음지의 사건이 폭로되고, 권력 관계를 악용한 성적 착취나 갑질 횡포를 사회가 점점 더 엄격하게 단죄하는 것은 바람직한 현상이다. 필자 세대엔 개인윤리 의식을 떠나 성 감수성이나 갑질에 대한 통념이 지금과 달라 돌이켜 보면 억울한 피해자도 참 많았다. 무슨 일이 생기면 개인의 부주의로 돌리고, 조직에 해를 끼치기보다 피해자에게 희생을 강요하는 분위기가 지배적이어서 피해자가 목소리를 내기 힘들었다. 그런데 최근에는 이런 폐단을 바로잡으려는 의지와 인권존중 문화가 확산하면서 신고와 처벌이 권장되고 있다. 그러다 보니 성과 못지않게 부작용도 심심찮게 발생한다.
기사처럼 성 문제나 갑질 혐의로 신고를 당하면, 일단

범죄자처럼 단죄하는 사회 분위기가 대세다. 그러면서 가해와 피해를 도식처럼 나누는 마녀사냥으로 전개되는 풍조가 종종 벌어진다. 아주 오래전 일인데, 아는 교수 한 분이 성 문제로 교내에 신고되어 고초를 치른 적이 있다.

평소 이분의 인격을 알고, 전후 사정도 깊이 아는 사람들은 신중했지만 잘 모르는 사람들은 혀를 차고 수군대기도 했다. 나중에 혐의를 벗었지만 학내 인권위와 징계위를 거치는 과정에서 경험한 수모나 가해자로 취급되면서 자신을 변론해야 하는 자괴감과 상처는 엄청났다. 최종 무혐의 판정이 당사자의 마음고생까지 없애 주지는 못한다. 요즘 사회 분위기에서는 정황이나 증언보다 피해자의 말 자체에 무게를 두기 때문에 가해자로 지목되면 자신이 결백하다는 것을 스스로 증명해야 한다. 여론은 주로 "아니 땐 굴뚝에 연기 나랴"는 말처럼 소문을 맹신하고 가해자에게 돌을 던지는 방향으로 흘러가기 때문이다.

필자는 성, 갑질 문제에 대해 피해자를 보호하고, 피해자 중심으로 문제를 푸는 것에 찬성하고, 일탈을 초래하는 사회적 불평등을 해소할 수 있는 제도적 개선책을 세우고 처벌을 강화하는 것을 지지하는 입장이다. 그러나 불의를 비판하거나 범법자를 단죄할 때 고수해야 할 원칙도 중요함을 지적하고 싶다. 이것은 사태를 객관적으로 보고 혐의가 완전히 판명되기 전까지 성급하게 결론을 내리지 않아야 한다는 상식이다. 법에서 '무죄 추정의 원칙'에 따라 조사와 재판을 하는 것도 이런 면을 고려해서다. 이번 교사 자살 사건도 경찰이 학생들 진술을 종합해 추행 의도가 없다는 결론을 내렸고, 학생들이 탄원서까지 냈으나 피해 신고가 잘못되었을 리 없다고 징계에 착수하면서 비극으로 끝났다. 개인과 마찬가지로 사회도 감성적 측면과 이성적 측면이 균형 있게 작동해야 건강하다. 어떤 일을 보고 판단할 때 의식적이건 무의식적이건 어떤 기준을 갖기 마련이고, 하나의 사안이 시간이 지나 정반대로 결론이 나오는 일도 흔하다.
어떤 범죄나 일탈이 벌어지면 무조건 판단을 하지 말라거나 범죄에 대해 기계적 중립을 지키자는 얘기가 아니라, 사태를 정확히 알기 위해 냉정해질 필요가 있고 억울한 사람이 나오지 않도록 신경 써야 한다는 것이다. 정보화 시대의 가장 큰 폐단은 정보의 홍수와 이에 편승한 분위기다. 예전에는 정보를 몰라 오판을 했다면 이제는 정보가 넘치고, 인터넷을 중심으로 대중여론이 형성되다 보니 한쪽으로 쏠리거나 과도하게 감정적으로 판단하는 경우가 많다. 미혹에도 주의해야 한다.

(2020-07-04)

당신에게 지금은 어느 때인가

세계 유수 학자들 학문지식 기반 삼아
미래 전망하고 대비하지만 보장 없어
주님은 영원불변한 진리의 말씀으로
예수께서 재림하실 때 준비할 것 당부

우리 교회 글로리아찬양대에 지원하고 감격과 긴장 속에 처음 부른 곡이 '지금은 엘리야 때처럼'이라 이 노래를 들으면 항상 감회가 새롭다. 가사가 예언적이고 웅장하며 리듬도 상당히 경쾌해 이 노래를 좋아한다. 지금은 주가 오실 때로 엘리야의 시대처럼 말씀과 언약이 선포되고 성취되겠지만 동시에 전쟁, 기근, 핍박의 환란도 오리라. 그래도 우리는 광야에 외치는 소리이기에 주의 날을 예비하자는 게 가사의 요지다. 한마디로 예수님의 재림을 준비하자는 메시지다.
코로나가 우리 삶을 덮친 이후 학자들은 코로나 이후 시대에 대해 다양한 전망을 제시한다. 인문학의 본류인 철학, 역사학은 담론의 시대적 성격과 사회구조를 분석하면서 시대를 구분한다. 시대구분은 미래를 예측하고 준비하는 토대가 되기에 중요성이 크다. 유명한 시대구분은 칼 마르크스의 5단계 역사이론이다. 그는 역사를 '원시공산제', '고대노예제', '중세봉건제', '근대자본주의', '미래 공산주의'로 나눠서 역사는 공산주의를 향해 발전한다는 유물사관을 주창했다. 마르크시즘이 공산혁명과 계급투쟁의 지침이 되어 세계를 양분한 것은 시사점이 크다. 철학자들의 시대구분은 세계사를 바꾸기도 한다.

시대구분에는 반드시 목적과 비전이 담겨 있다. 시대구분에 따라 미래에 대한 태도와 전망, 현재 할 일에 대한 평가가 달라지기 때문이다. 예를 들어 최근 인공지능이 발달하고 생활 깊숙이 침투하면서 '4차 산업혁명시대'라는 용어가 기업과 정부, 대학에서 많이 회자되고 있다. 4차 산업혁명은 인공지능, 초연결 사물인터넷, 자율화된 테크놀로지에 의해 산업구조와 삶의 방식이 혁명적으로 바뀌면서 편리성이 커지리라는 기대 섞인 예측을 내포한다. '포스트휴머니즘', '트랜스휴머니즘' 같은 휴머니즘에 대한 정의는 인간의 고유한 본성이 테크놀로지와 생명공학에 의해 변형되면서 인간이 전혀 새로운 종으로 변하거나 신과 같은 지위에 오를 수도 있음을 시사하는 변형된 인본주의다. 반대로 2011년에 미국 지질학회에서 처음 사용된 '인류세'라는 용어는 과학기술이 발달하면서 인간에 의해 환경이 파괴되는 시대에 접어들었음을 비판하면서 인간중심사상에 경종을 울리기 위해 제안되었다. 지구온난화로 인한 기후변화, 그리고 그것이 초래한 해수면 상승, 폭우, 폭염 등 기상 이상이 인류세를 지지하는 학자들이 거론하는 불길한 징조다.

학자들뿐 아니라 일반인도 자신의 관심사에 따라 시대를 평가한다. 부동산이나 주식에 관심이 많고 일확천금을 꿈꾸는 사람들은 자산과 유동시장이 돈의 흐름을 따라 어떻게 변화할 것인가를 분석하면서 지금이 투자의 마지막 시기라며 불나방처럼 달려든다. 학생들은 미래 직업과 산업구조가 어떻게 바뀔 것인가를 분석하면서 인공지능시대에 살아남을 직업을 열심히 준비한다. 노년층은 초고령사회라는 뉴스가 빈번해지는 것에 놀라면서 향후 경제와 복지가 어떻게 될지 불안한 마음으로 하루

하루를 살아간다. 모두가 힘든 코로나 시대지만 어떤 이들은 큰돈을 벌 수 있는 투자 분야를 찾아다니면서 자신이 가장 지혜로운 사람이라도 된 것처럼 우쭐하기도 한다.

언제부턴가 기독인들이 가장 많이 사용하는 말은 '말세'와 '재림'일 것이다. 이 말은 성경에 여러 차례 반복해 등장하는 용어지만 사람마다 다른 관점과 느낌으로 다가온다. 어떤 이는 지금이 마지막 추수를 할 때라는 경고로 듣고, 어떤 이는 그 말을 교회가 늘 강조하는 진부한 구분으로 육신의 날을 더 분주하게 살아간다. 그러나 부(富)하든 가난하든, 행복하든 불행하든, 이렇게 살아도 저렇게 살아도 유한한 육신의 때는 반드시 끝이 있다. 당신에게 지금은 어떤 시대인가?

(2021-02-16)

미래에도 대체할 수 없는 것들

전문가들 '온라인' 미래사회 예측하나
기계나 물질로 사람다움 채우지 못해
특히 성령 안에 모인 교회 공동체는
모여 기도하고 예배드려야 신앙 굳건

학자들은 물론 정치인, 유명 사업가들도 미래에 대해 곧잘 예언을 한다. 이른바 천재로 불린 사람들은 자신이 본 것처럼 미래에 대해 얘기하고, 그중 일부는 실제로 실현되어 사람들을 놀라게 한다. 르네상스의 대표적 천재 레오나르도 다빈치가 낙하산, 헬리콥터 등에 관해 많은 스케치를 남겨 둔 것도 그런 예다. 최근에는 빌 게이츠가 팬데믹을 정확히 예측했다는 기사를 본 적 있다. 2015년에 열린 어떤 콘퍼런스에서 향후 바이오 공격에 의해 수많은 사람이 죽는 시대가 오니 대비해야 한다고 했다는 것이다. 전 세계를 강타한 코로나19 사태를 보면 그의 선견지명이 맞는 것 같기도 하다.

하지만 현실화한 예언 못지않게 천재들의 엉터리 예측에 관한 기사도 적지 않다. 예언이라고 하지만 어떤 특정 측면을 과도하게 부각하면서 과장한 것도 많다. 컴퓨터 전문가인 빌 게이츠도 2004년에 스팸 문제가 해결될 것이라고 잘못 예측했다. 빗나간 예언 중에 필자가 공감한 것이 향후 종이책 몰락과 전자책 흥행을 예측했던 전문가들의 예언이다. 그들의 바람과 달리 전자책이 종이책을 완전히 대체하지 않았고, 향후에도 종이책이 사라지지 않을 것 같기 때문이다. 또 컴퓨터기술이 발달하면서 아날로그 문화 전체가 사라질 것이라고 예측한 것도 실현되지 않았다. 1970~1980년대를 풍미하던 LP판에 대한 향수가 최근 두드러지면서 아날로그 감성을 자극하는 복고풍 상품과 디자인도 새롭게 유행하고 있다.

오늘도 인공지능이 주도할 4차 산업혁명이 어떻게 우리 삶을 바꿀 것인가에 대한 전망이 난무하고 있다. 필자는 그 모든 것이 예언처럼 되지 않을 것이고, 인간이 의도하지 않은 엉뚱한 부작용을 가져오거나 예상치 못한 방향으로 전개될 수 있다고 예언(?)한다. 코로나 이후에 대한 전망 중 하나가 전 세계가 완전히 디지털 사회가 되면서 비대면이 일상화되리라는 예측이다. 쇼핑과 오락은 물론 교육, 회의, 여가활동 같은 다양한 형태의 만남도 온라인으로 대체되리라는 예상이 많다. 코로나로 인해 '언택트(un+contact)'라는 말이 친숙해졌고, 집이 주거뿐 아니라 일터가 될 것이라는 전망도 나온다. 향후에는 모든 것이 온라인으로만 이루어지는 '온택트(online+contact)'시대가 열리리라고 확신하면서 기업이나 대학도 대비하느라 분주하다. 향후 미래영화에서 보듯 모든 것이 자동화되고 인공지능에 통제되며, 우주 어디론가 이주해 인류가 살지도 모른다.

하지만 디지털이 절대 우리 삶 전체를 대체할 수는 없다. 예를 들어 양방향 통신이나 녹화강의가 현재 대학 강의 대부분을 차지하지만 그것이 현장강의보다 더 효과적이고 적합하다고 대답하기는 어렵다. 교육에서는 지식 전달 못지않게 가르치는 사람과 배우는 사람의 만남 속에서 부수적으로 얻어지는 정서적 공감이나 교육효과를 절대 무시할 수 없기 때문이다. 직접 만지는 종이책, 잡음 섞인 아날로그 음악, 향수 어린 고물, 투박하지만 살아 있는 느낌을 주는 자연물은 우리 삶과 정체성의 중요한 부분이다. 인간이 화성에 이주한다고 신이 될 수는 없을 것이다.

코로나로 인해 부득불 시행되는 양방향이나 화상 예배가 현장예배를 100% 대체하고, 디지털 유목민이 많아지면서 신앙의 형태도 바뀔 것이라고 속단하기는 어렵다. 특히 교회는 마가 다락방에 밀집해 기도하면서 성령을 받은 초대교회 공동체의 체험 위에 서있기 때문이다. 인간에게는 기계나 물질이 절대 대체할 수 없는 부분이 있고 과학이 생명을 완전히 통제할 수도 없다. 피, 땀, 눈물, 한숨과 환호, 사람의 심장 박동, 자연의 냄새, 그리고 감정과 영혼은 절대 사라질 수 없는 것들이다.

(2021-03-09)

혐오라는 이름의 전염병

팬데믹 탓에 사회 불안 증가하면서
최근 특정인종 겨냥 증오범죄 잦아
혐오는 사회 급변에 따른 집단 증상
한국도 병적인 혐오 정서 경계해야

3월 16일 미국 애틀랜타에서 벌어진 총격 사건으로 한인 4명이 죽은 이후 아시아인을 상대로 한 크고 작은 범죄가 계속 벌어지고 있다. 길을 산책하던 중국 노인 한 명이 괴한에게 폭행당하기도 했고, 지난 30일에는 뉴욕의 지하철에서 한 흑인이 아시아계 남성을 무차별 폭행하고 목을 졸라 기절시켰는데도 누구 하나 말리지 않은 사건이 일어났다. 호주에서도 산부인과에 진찰을 받으러 온 한인 3세 여성에게 백인 여성이 너희 나라로 돌아가라고 소리를 지르고, 욕하는 일이 있었다. 최근 빈발하는 이런 인종범죄가 우발적 일탈 같지만 점차 도덕적으로 쇠락하는 미국 사회의 병폐를 보여주는 불길한 단면이다. 애틀랜타의 총격 범인이 SNS에 올린 글을 보면 중국이 우한 바이러스의 원흉으로 미국인을 고의로 죽였으며, 우리 시대 최대 악이니 맞서 싸우자고 주장하는 등 광기어린 살인 동기를 엿볼 수 있다.
문제는 이런 정서를 공유하는 하층 백인들이 생각보다 많다는 것이다. 미국은 전통적으로 흑인차별이 큰 사회문제 중 하나인데 팬데믹 발생 이후 그 대상이 아시아인으로 옮겨지면서 사회적 약자끼리 서로 가해를 가하기도 한다. 증오 범죄의 확산이 우려스러운 것은 이것이

비합리적이고, 근거도 없이 퍼져가는 혐오 정서에서 비롯되는 현상이고 사회의 발전에 큰 장해물이기 때문이다. 혐오는 본능이 아니라 철저하게 역사적 과정을 통해 만들어지며, 특정한 계기에 의해 폭발하면서 걷잡을 수 없이 전염되는 집단 심리의 하나다. 팬데믹 이후 환자와 사망자가 급증하고, 코로나로 인한 폐쇄조치로 경기가 침체되면서 사회적 불만과 불안감이 커지자 그 탈출구로 특정한 계층이나 인종을 향한 혐오와 폭력이 발산되고 있는 것이다.

혐오가 미국에서만 나타나는 현상이라면 걱정이 덜하겠지만 문제는 현재 전 세계 곳곳에서 배제와 혐오의 정서가 동시다발적으로 커진다는 것이다. 외신을 보면 영국에서도 중국인, 그리고 이미 현지 국적을 가진 아시아인들을 향해서도 노골적인 편견과 증오를 드러내는 일이 잦아지고 있다. 독일과 프랑스에서도 아시아인에게 욕을 하거나 대중교통 탑승을 거부하는 등의 혐오 사건이 빈발한다고 한다. 필자도 유럽에 오래 살았지만 다행히 차별적 대우를 거의 경험하지 못했는데 언제부터인가 이슬람, 외국인, 아시아인에 대한 집단적인 혐오와 폭력이 늘고 있는 것을 외신을 통해 자주 접한다. 코로나 사태가 가라앉지 않자 이제 코로나 뿐 아니라 사회문제와 관련해서도 아시아인들에게 화풀이 하는 혐오정서가 슬금슬금 확대되면서 인종차별이 더 견고해지는 느낌이다.
중국 우한에서 코로나가 시작되었다고 우리도 인종주의자들처럼 중국을 욕하거나 한국인은 중국인과 다르다고 강변하면 문제가 풀릴까. 아니면 일부 극단주의자들이 주장하는 것처럼 미국이나 유럽에서 아시아인들이 철수를 하고 백인들의 기득권을 인정하면서 과거로 돌아가야 하는가. 혐오나 증오는 피해당사자들에게 문제를 전가해서도 안 되고, 혐오 이유를 절대 인정해줘도 안 되는 범죄다. 『문명과 혐오』의 저자 데릭 젠슨은 흑인에 대한 백인들의 여러 혐오범죄 사례를 분석하면서 사람들은 노예제처럼 자신들이 누렸던 기득권을 상실하거나 새로운 삶의 방식으로 전환할 때 불안과 함께 혐오가 생긴다고 말한다. 혐오는 사회적 차별이나 전근대적 특권을 정당화하는 병리적 심리이며, 지금과 같은 사회전환기에 발생할 수 있는 집단 증상이다. 우리나라에서도 노인, 여성, 장애인, 그리고 특히 중국이나 일본인에 대한 혐오 정서가 벌어지는 일이 점점 잦은데 우려할만한 징조다. 이런 현상이 만성화되기 전에 바로 잡아야 한다. "악에게 지지 말고 선으로 악을 이기라"(롬12:21).

(2021-04-12)

약할 때 곧 강함이라

허물과 연약함 솔직히 인정할 때
열등감 극복하고 승리할 수 있어
성경 속 인물들도 약점 많았으나
하나님 붙들어 위대한 역사 이뤄

미국에서 열린 제93회 아카데미 시상식에서 배우 윤여정이 <미나리>로 여우조연상을 받아 큰 화제와 국제적 자랑이 되었다. 일명 오스카상이라고 불리는 아카데미 시상식은 미국 영화업자와 영화예술 아카데미협회가 수여하는 미국 영화상이지만 어느 영화제보다 영향력이 크다. 지난해에는 봉준호 감독이 <기생충>으로 작품상과 감독상 등 4관왕을 차지하는 쾌거를 이루더니 올해 윤여정이 또 하나의 역사를 썼다. 수상 소감도 큰 화제를 모았는데 필자는 특히 열등의식 때문에 열심히 연기를 했다는 74세 노배우의 고백이 놀랍고 신선했다. "나는 특별한 사람이 아니며 생계형 배우로 남에게 피해를 주지 않기 위해 열심히 대본을 외우고 연기를 했다"는 고백을 기자들 앞에서 하는 모습이 역으로 그의 자신감을 보여 줬다.
보통 열등감 하면 부정적 이미지를 떠올리기 쉬운데 윤 배우는 이를 발전의 동력으로 삼아 노년의 나이에 개성 있는 연기로 호평을 받으면서 본인이 주인공인 인생 드라마를 보여 주었다. 열등감은 모든 심리적·정신적 문제의 근원이지만 그 자체가 새로운 자극이 될 수 있다. 심리학자 알프레드 아들러는 "열등감이야말로 자연이 약한 인간에게 준 축복"이라고 말했다. 인간은 다른 동물에 비해 육체적으로 매우 약하고, 오랫동안 부모의 보살핌을 받아야 하는 의존적 존재로 태생적으로 열등할 수밖에 없다. 아들러에 따르면 인간 무의식 깊숙이 뿌리박은 열등감이 모든 병리 현상의 원인이다.
그러나 인간은 열등감에 치이기만 하는 존재가 아니라 이를 보상받으려는 강한 목적의식을 가지고 있다. 강한 의지를 발동해 열등한 상황과 조건을 극복하면서 우월감을 추구하는 이중적 존재이기도 하다. 열등감이야말로 인간이 지닌 잠재능력을 발달시키고, 사회적 협동을 가능하게 하는 원천이라는 것이 아들러 이론의 핵심이다.
그러므로 중요한 것은 열등감이 아니라 열등감을 대하는 태도다. 어떤 분야에 강점을 보이거나 자기만의 성과를 낸 사람들은 모두 그 나름의 문제가 있지만, 그것에 좌절하지 않고 열등감을 우월함의 가능성으로 실현한 사람들이다. 나폴레옹은 작은 키와 그를 괴롭힌 위장병, 시골 출신이라는 신분적 약점을 극복하고 황제까지 올랐으며, 불가능이란 없다는 말을 역사에 남겼다. 평생 우울증에 시달렸던 윈스턴 처칠은 자신의 병을 '검은 개'로 부르면서 문학적 감수성으로 승화하고 독일과의 전쟁에서 불굴의 리더십을 발휘해 영국에 승리를 안겼다.
성경은 약하고 보잘것없는 자들의 역사다. 에서에 비해 신체적으로나 태생적으로 볼품이 없고 약점도 많은 야곱이 형을 대신해 장자의 직분을 계승했고, 예수의 열두 제자도 무식하고 사회적으로 천하며 무시당하던 갈릴리 마을 출신이었다. 용모가 뛰어나고 재능이 많거나 힘센 자들은 교만과 우월 의식 때문에 망했지만 자신의 약함을 인정하면서 대의와 믿음에 충실한 자들은 선택을 받았다. 성경은 이를 “하나님께서 세상의 미련한 것들을 택하사 지혜 있는 자들을 부끄럽게 하려 하시고 세상의 약한 것들을 택하사 강한 것들을 부끄럽게 하려 하시며 하나님께서 세상의 천한 것들과 멸시 받는 것들과 없는 것들을 택하사 있는 것들을 폐하려 하시나니 이는 아무 육체라도 하나님 앞에서 자랑하지 못하게 하려 하심이라”(고전1:27~29)고 설명한다.

열등감에 매몰되면 의심과 불만이 커지고 상황에 대해 부정적으로 판단하면서 도피할 수밖에 없다. 우리 자신을 제대로 돌아보고 자신의 한계와 열등성을 잘 통찰하면서 이를 극복해 나가는 믿음과 긍정의 의지가 중요하다. 배우 윤여정이 보여 주었듯 삶에는 은퇴와 물러남이 없다. 늘 감사하면서 내 삶의 진정한 주인공이 되자.

(2021-05-04)

깨달음의 중요성

예수 만나고 새사람 되는 것처럼
큰 깨달음은 본성과 삶 변화시켜
인생에서도 진정한 행복 찾으려면
겸손히 깨닫고 돌이키는 태도 필요

살다 보면 전혀 알지 못하던 것을 어느 순간 새롭게 깨달으면서 삶의 방식이나 행동이 극적으로 바뀌거나, 막힌 것이 확 풀리는 느낌을 받은 적이 있을 것이다. 뭔가를 깨칠 때 큰 변화가 생기기 때문에, 중요한 계기마다 깨달으면서 성숙해 가는 사람과 늘 같은 오류를 반복하면서도 고치지 않는 사람 간에는 엄청난 차이가 생기게 마련이다. 깨달음은 우리 본성과 삶 자체를 바꿀 수 있다. 그래서 철학자들은 사물과 사태에 대한 객관적 앎인 지식보다 근본 원리나 관점의 전환과 연관된 진리를 더 강조한다.

깨달음에 관한 가장 유명한 일화는 '유레카'일 것이다. 그리스의 물리학자 아르키메데스는 아주 긴 지렛대와 받침만 있으면 지구를 들어 올릴 수도 있다고 말한 사람으로 유명하다. 어느 날 왕의 명령으로 금관(金冠)에 불순물이 섞여 있는지를 알아내야 했던 아르키메데스는 고민을 많이 했지만 도무지 해결책을 찾을 수 없었다.

그러다 목욕탕에 갔는데 탕의 물이 넘치는 것을 보고, 흘러넘친 물의 부피를 재면 원래 물체의 부피를 알 수 있겠다는 놀라운 발견을 했다. 이런 깨달음에 너무 흥분한 나머지 "유레카(발견했다. 알았다)!"라고 소리치며 벌거벗은 채 집으로 달려갔다는 일화가 전한다.

성경에도 깨달음과 회개에 관한 많은 일화가 있다. 구약성경을 보면 바빌론에 포로로 끌려간 이스라엘 백성은 적국에서야 비로소 자신들의 잘못을 깨닫고 회개하며 새롭게 언약의 백성이 된다(왕상8:47). 호시절에는 그렇게 목이 곧고 반성이 없었지만, 다른 나라 노예가 되어 70년간 핍박을 당하자 자신들의 죄와 하나님과 가로막힌 처지를 알게 된 것이다. 시편 137편에 나오는 이 이야기는 70년대 유명한 팝그룹인 '보니 엠'이 '바빌론강가에서(Rivers of Bablyon)'라는 노래로 만들어 세계적으로 히트하기도 했다. 부하의 아내를 범한 다윗은 선지자의 책망을 듣고, 자신이 사울처럼 버림받을 수 있다는 사실을 깨닫고 눈물로 회개하여 용서를 받는다.

깨달음이 회개에만 해당하지는 않는다. "여호와여 나의 종말과 연한의 어떠함을 알게 하사 나로 나의 연약함을 알게 하소서"(시편39:4). 삶을 위해 꼭 알아야 할 섭리나 인생의 길을 아는 것이 오히려 깨달음의 본질에 가깝다. 그리고 이런 깨달음은 진정한 행복을 위해 일상에서도 필요하다. 큰 문제가 생기고, 감당할 수 없는 위기와 고통이 시작될 때 깨달으면 돌이키기 어려운 경우가 많다.

얼마 전 친한 친구의 동생이 갑자기 죽어 문상을 다녀왔다. 아직 40대 창창한 나이인데 심근경색으로 사망했다. 나도 그 친구를 잘 알고 있었기에 가슴도 아프고,

참 허망했다.

상갓집에서 문득 예전 일이 기억났다. 어떤 고통에 시달린 적이 있을 때 수면제를 먹고 자다 비몽사몽간 두려움이 생생하게 엄습했던 기억이었다. 그 당시 주변에 아무도 없었고, 무기력해진 나는 갑자기 죽을 수 있겠다는 생각이 들면서 시편 23편에서 말하는 '사망의 음침한 골짜기'가 무엇을 의미하는지 생생하게 깨달은 적 이 있다.

그 뒤로 필자는 죽음이란 어느 순간, 누구에게나 갑자기 찾아올 수 있으므로 내일 떠나도 후회하지 않게 살아야겠다고 다짐하면서 기도를 하고 있다. 또 30년이나 지난 대학 시절 무심코 내뱉은 말에 큰 상처를 받았다는 얘기를 친구에게 듣고 그에게 사과하면서 어리석음을 뉘우치기도 했다. 내가 깨달은 것은 내 말이나 행동이 나비효과처럼 다른 사람에게 영향을 미친다는 평범한 사실이다. 중국의 고대 철학가는 인생의 첫째 즐거움으로 '배우는 것', 즉 깨달음을 들었다. 사람의 인생은 변화의 연속이고, 그것이 좋은 바다로 흘러가게 하려면 겸손하게 깨달음을 찾는 것이 중요하다.

(2021-07-21)

올림픽과 아름다운 4위

메달 색 연연하지 않고 성숙하게
응원하는 국민, 언론 모습 보면서
대한민국 자존감 성장했다고 느껴
자존감은 타인을 수용하는 성숙함

일부러 찾아볼 만큼 스포츠를 좋아하는 편도 아니고, 연구 활동으로 바쁘다 보니 세계적인 스포츠 대회가 있어도 거의 보지 않는 편이다. 더구나 이번 도쿄 올림픽은 시작하기 전부터 제대로 진행되기 어려우리라는 논란도 많았기에 더욱 관심이 없었다. 그래도 막상 경기가 열리니 감동적인 모습들이 신문과 뉴스로 연일 보도되어 스포츠의 매력을 새삼스레 느끼게 한다.

내가 가장 주목한 것은 도쿄 올림픽에서 우리 언론과 국민이 경기를 중계하거나 뒷일을 보도하고 관전하는 태도가 성숙해졌다는 점이다. 3년 전 평창 동계올림픽 때부터 우리 국민은 승부에 크게 연연하지 않으면서, 전 세계에서 방한한 선수들을 열심히 응원해 주고 대접하며 외국에 좋은 인상을 주기 시작했다. 단적인 변화로, 예전에는 올림픽 뉴스를 전하면 항상 금메달을 기준으로 한 순위 보도를 강조하면서 우리나라가 몇 위를 할지 예측하는 기사가 많았다. 아무리 경기를 잘했어도, 금메달을 따지 못하고 은메달이나 동메달에 머물면 선수들은 풀이 죽었다. 그리고 양궁, 사격, 태권도 등 우리가 강세인 종목만 관심을 두면서 비인기 종목에는 눈

길도 주지 않았다.

그런데 이번에는 승부 결과를 떠나 게임 자체를 즐기고 최선을 다하는 모습을 우리 선수들이 많이 보여 줬고, 국민들도 성적과 상관없이 투혼을 보인 선수들에게 아낌없는 박수를 보냈다. 대표적 사례가 육상 높이뛰기 결선에서 4위를 기록한 대한민국의 우상혁 선수에게 찬사와 격려를 보낸 것이다. SNS 댓글에도 "국가대표 해 줘 감사하다", "내게는 최고의 선수다" 같은 격려가 줄을 이었다고 한다. 올림픽 첫 '노골드'를 찍은 태권도는 기대에 미치지 못했지만, 우리나라의 태권도가 세계화된 결과라고 자부하면서 선수들을 격려해 준 것도 국민적 성숙성을 보여 준다.

나는 이것이 집단 차원의 자존감(self-esteem)이 성장한 결과라고 생각한다. 보통 자존감(自尊感)과 자존심(自尊心)을 구분하지 않지만 많은 차이가 있다. 자존감은 자신이 사랑받을 만한 가치가 있고 성과를 낼만한 유능한 사람이라는 믿음이지만, 본질은 자신과 타인에 대한 긍정적인 태도다. 자존감이 낮으면 시기, 질투, 의심 같은 부정적 정서가 많고 남을 자주 비난한다.

반면 자존심은 자신의 품위와 평판을 지키려는 마음으로 심리적 방어 기제에 가깝다. 남이 자신을 조금이라도 무시하면 참지 못하고 공격적으로 반응하는 조바심이 특징이다. 자존감이 높으면 인생에서 성공할 확률이 높은 까닭은 자신에 대한 믿음과 타자를 수용하는 열린 태도가 시너지를 내기 때문이다. 집단 심리도 마찬가지다. 우리나라가 못살던 시절에는 변변하게 내세울 게 없고 열등감도 많아 국제대회 같은 곳에서 금메달이라도 따면 과도할 정도로 감격해하고, 선수들에게도 1등만을 강요하는 자존심이 대세였다.

이번 도쿄 올림픽 탁구 혼합복식 결승전에서 일본에 패해 은메달에 머문 중국 남녀 선수가 "중국 국민에게 미안하다"며 눈물로 사죄한 일이 국제적으로 빈축을 사고 있다. 올림픽 은메달도 대단한 성과인데 이들은 죄인을 자처했으며, 중국 네티즌들은 "이런 실망스러운 모습을 보이라고 선수로 내보낸 게 아니다"라며 선수들을 맹비난했다. 오죽하면 영국 BBC도 금메달을 따지 못한 선수를 매국노로 평가하는 민족주의를 비판했다.

중국은 미국과 세계 1, 2위의 경제 규모를 다투고 국제적 영향력도 크지만, 중국을 비판하는 것을 참지 못한다. 주변국에 대해서도 고압적인 태도를 유지하다 보니 세계적으로 반중 정서가 확산한다. 이건 자존감이 아니라 자존심이 강하다는 것이고, 한국과 같은 가까운 이웃이 자존심의 희생양이 될 위험이 크다. 개인이나 국가나 자존심이 아닌 자존감을 높이는 것이 모두를 위해 중요하다.

(2021-08-13)

아프간 비극과 대한민국

탈레반 아프간 점령…망명자 속출
정상국가 모색하나 공포정치 계속
국민 보호 못하는 국가가 정상인가
한국의 씁쓸한 현주소도 돌아봐야

지난 8월 사람들을 가장 충격에 빠뜨린 사건은 아마 아프간이 다시 탈레반 손에 장악당한 일일 것이다. 이슬람 무장단체 탈레반은 1996년부터 2001년까지 아프간을 지배하며, 그들 율법인 샤리아와 가부장 전통에 따라 야만적 공포통치를 하던 극단주의의 상징이었는데 미국에 의해 거의 궤멸 직전까지 갔다. 그러던 탈레반이 아프간 정부의 무능과 부패를 파고들면서 부활해 아프간 수도 카불에 입성했고, 최강대국 미국이 거의 100조에 이르는 온갖 첨단무기를 버리고 허겁지겁 철수하는 모습에 사람들은 충격을 느꼈다. 아프간을 벗어나려고 활주로를 이륙하는 군용기에 매달렸다가 하늘에서 떨어져 죽은 젊은이들. 아비규환 속에 어린아이들이라도 피난시켜 달라며 울부짖으면서 철조망 위로 아이를 던지는 부모의 절망. 공포에 어쩔 줄 모르는 사람들을 총과 몽둥이를 들고 폭행을 가하는 모습은 21세기 문명인들에게는 상상하기 어려운 광경이었다. 우리나라를 도운 아프간 협력자들이 '미라클 작전'으로 구조되어 한국에 왔지만, 아직 그 나라에는 미국인을 비롯한 많은 사람이 죽음의 공포에 시달리며 국제사회의 도움을 애타게 요청하고 있다.

정권을 탈취한 탈레반 집단은 국제사회로부터 정상국가로 인정받겠다고 유화적 메시지를 보내면서 화해를 가장하지만, 그 본질이 바뀌지 않을 것이라는 회의적 시선이 지배적이다. 당장 여성 인권을 존중한다고 하지만 많은 여성이 다니던 학교와 직장을 그만두고, 탈레반이 무서워 집 밖으로 나오지 못하고 있다. 지난 8월 24일에는 국제로봇경진대회에 참가하고, 과학기술 교육사업도 진행해오던 아프간 여성 과학자 5명이 해외로 망명하는 등 고급 인력의 이탈 또한 심각하다. 아프간이 이른바 정상국가로 국제사회로부터 인정받기가 쉬워 보이지는 않는다. 미국의 원조가 중단되고, 경제 제재가 시작되면서 물가가 40% 이상 폭등하고, 실업률도 높아지고 있다. 이런 가운데 아프간 재건에 필요한 사회 지식인과 엘리트들이 자국을 버리고 해외로 계속 도피하려고 하므로 세계에서 가장 가난한 이 나라의 장래를 어둡게 하고 있다.

아프간 사태는 가장 원론적인 질문을 떠오르게 한다. 국가란 왜 존재하는가. 국가는 국토와 국민을 지키는 최고의 주권집단인데, 정부가 무서워 살던 집도 이웃도 다 버리고 국민이 타국으로 망명한다면 이를 국가라 할 수 있겠는가. 그리고 국가가 지향하는 이념과 목표가 다른 나라들에 의해 전혀 인정받지 못하고, 경계와 두려움의 대상이 된다면 그 나라가 제대로 된 국가이며, 국제 협력 시대에 제대로 존립할 수 있을까.

아프간 외에도 이 같은 비정상적 국가들이 수두룩하다. 4차 산업혁명 시대에 여전히 권위적 왕정을 유지하면서 공개처형 같은 제도를 그대로 유지하는 중동의 국가들, 30년 넘게 내전을 끝내지 못하고, 국민을 기근과 질병으로 죽게 만드는 소말리아, 소수 군부의 기득권을 위해 자국민을 고문하고, 총격을 가하는 미얀마 같은 나라를 우리는 국가라고 부르기 어렵다.
우리는 어떤가? 대한민국은 전후(戰後) 가장 빠르게 경제성장을 이룩해 현재 전 세계 10위의 경제 규모를 자랑하며 선진국들만 가입하는 G7의 새로운 멤버가 될 가능성이 큰 나라이고, 한류와 K팝 등이 전 세계에 유행하면서 문화강국의 이미지를 뽐내는 21세기의 새로운 선진국임이 분명하다. 하지만 OECD 최고의 자살률을 기록하고, 국가 행복지수도 거의 최하위권인 우리나라의 모습을 보면 일류국가라 하기에는 여러 가지 씁쓸함이 남는다. 국민을 불행하게 하는 국가는 정상국가가 아니다. 아프간 사태를 타산지석으로 삼아 우리나라의 국격과 장래에 대해서도 새롭게 생각해 볼 때다.

(2021-09-07)

소프트 파워와 한국이 갈 길

최근 한국 문화가 전 세계 사로잡으며
대한민국도 '소프트파워' 선진국 등극
국가 위상 높아졌으나 국민 행복도는…
성장보다 성숙 도모하는 국가 이루길

한 나라의 국력과 영향력을 평가할 때 예전에는 정치, 경제, 군사력 그리고 인구나 영토 같은 외형적 지표를 많이 고려했다. 강대국은 곧잘 부강한 나라 혹은 힘이 센 나라를 뜻했고, 그에 반해 우리나라는 인구와 영토가 작고, 중국, 러시아, 일본 같은 열강에 둘러싸여 있기에 은연중 기가 죽고 우리 스스로 약소국으로 생각하기도 했다.

그런데 최근 대한민국의 위상과 영향력이 예전과 달리 갈수록 커지고 있다. 이미 세계 경제 규모 10위에 들어섰고 코로나19가 발생한 이후 K방역도 세계적으로 호평을 받았다. 그런 가운데 올 6월에는 선진국들의 모임 G7 회의에 게스트로 초청되기도 했다. 경제력뿐 아니라 2000년 초반부터 세계적으로 불기 시작한 한류열풍이 확산하면서 한국은 문화적으로도 다른 나라에 큰 영향을 미치고 찬탄과 모방의 대상이 되고 있다. 이미 영화 <기생충>이 오스카상을 수상했으며, 올해는 <미나리>로 한국배우가 아카데미 여우조연상을 수상하는 쾌거를 이룩했다.
예전에는 동남아 중심으로 인기를 끌던 한국 드라마가

이제 서방에서도 많이 시청하는 인기 콘텐츠가 되고 있다. 최근 넷플릭스에서 개봉된 <오징어 게임>은 전 세계 83국에서 시청률 1위를 차지하여 세계를 놀라게 하고 있다. BTS는 이미 국내뿐 아니라 세계적으로 충성도가 높은 팬들인 '아미(BTS 팬덤 이름)'를 보유해 영국그룹 비틀스를 잇는 세계적 그룹으로 인정받고 있다. 문화적 영향력이 커지면서 문화콘텐츠 관련 수출액도 2018년에 96억 1,504만 달러, 한화로 약 11조 5,000억 원으로 급증했다고 한다. 경제적 시너지뿐 아니라 한국 문화의 영향력이 커지면서 해외에 있는 한국식당에도 사람들이 몰리고 있으며, 한국어, 한국사, 우리 문화를 배우고 한국에 오려는 외국인도 점차 늘고 있다.

국제정치학에서 널리 통용되는 '소프트 파워' 개념을 처음으로 만든 하버드대 명예교수 조셉 나이(Joseph Nye)는 "최근 한국이 세계에서 가장 성공한 나라이자, 소프트 파워를 가진 미래가 밝은 나라"라고 평했다. 소프트 파워는 한 국가의 문화, 가치, 국제 정책의 3가지를 요소로 해서 작용하는 힘이며, 지금과 같은 글로벌 시대에 새로운 경쟁력 지표가 되고 있다. 경제, 군사력 같은 하드 파워와 대비되는 소프트 파워는 초연결 사회, 지식정보 사회에서 중요성이 갈수록 커지고 다양한 시너지를 동반한다. 마치 리더십에서 위치와 권력을 통해 강제하는 것보다 리더의 매력과 리더십의 대의에 자발적으로 공감할 때 사람들이 더 충성심을 보이는 것과 똑같다. 경제규모와 군사력에 비례해 소프트 파워가 커지는 것은 아닌데, 중국이나 일본이 우리보다 외형적 지표에서는 강대국이지만 소프트 파워에서는 한참 밀리는 것도 봐도 알 수 있다.

필자는 이 소프트 파워에 조직이나 공동체 구성원의 행

복도 포함해야 한다고 생각한다. 우리나라가 소프트 파워에서 세계적 강국이 된 것은 사실이지만 국민이 그만큼 행복하고 대한민국의 일원으로 소속감과 자부심을 느끼는지는 여전히 의문이기 때문이다. 주지하듯 우리나라의 행복도는 OECD 국가 중 최하위에 가까우며, 자살률도 세계 1, 2위를 다투고, 사회갈등지수도 다른 선진국에 비해 지나치게 높다. 이런 분위기를 반영하듯 출산율도 낮고, 힐링과 치유라는 말도 많이 회자된다.
아무리 국가 위상이 높아지고 다른 나라가 부러워해도 그 나라 국민이 느끼는 삶의 만족도와 미래에 대한 희망이 없다면 그 나라를 선진국, 소프트 파워 강국이라고 부르기는 어려울 것이다. 고도성장과 물질적 풍요보다 중요한 것은 정신적 평안과 행복, 서로에 대한 신뢰다. 이제 우리 내면으로 조금 눈을 돌리면서 성장보다 성숙을 도모할 때다.

(2021-10-13)

부끄러움을 모르는 시대

'내 허물에 관대' 정치권 내로남불
부끄러움 실종한 우리 사회 자화상
자기반성 사라진 뻔뻔한 시대 우려
부끄럼 모르면 금수와 다를바 없어

인간이 도덕적 존재인 이유는 '부끄러움'을 알기 때문이다. 부끄러움은 타인의 시선을 의식한다는 것을 전제하지만 눈치와는 다른데, 양심이나 도덕성이 없다면 타인의 시선이 아무리 강렬해도 부끄러움을 느낄 수 없다. 사이코패스가 그런 유형이다.

부끄러움 혹은 수치심에 대한 생각이나 기준은 시대마다 조금씩 다르기는 하다. 그리고 부끄러움의 대상이나 양상도 동서양 차이가 있다. 간단하게 정리하기 어렵지만 큰 틀을 보면 동양에서 부끄러움은 주로 유교적 세계관, 즉 도덕적인 것과 관련되어 있다면, 서양에서는 누드 논쟁에서 보듯 주로 문화나 성적인 것과 관련이 많다. 예를 들어 중세에는 목욕 중 찾아온 손님을 맞기 위해 나체로 나오는 것은 전혀 결례가 아니었다. 가난한 사람들이 대형 공동침대를 사용하면서 알몸으로 자는 것이나, 다른 사람에게 도움을 받아 용변 뒤처리를 하는 것도 마찬가지였다고 한다. 문명화가 진행되면서 성과 풍속에 대한 에티켓이 생기고 수치심도 자리를 잡았다. 서양의 부끄러움은 금기와 비슷하다.

동양에서 말하는 부끄러움은 주로 도덕적 성품과 관련이 있다. 대표적 사상가인 맹자는 인간에게 네 가지 근본 도덕적 뿌리가 있다고 했는데 그 하나가 '수오지심'(羞惡之心)이다. 수오지심은 올바른 것을 벗어나는 일에 대해 부끄러움을 느끼는 것으로, 의로움의 뿌리다. 올바른 것의 기준은 주관적인 것이 아니고 사회가 생각하는 의리나 충(忠), 지체에 대한 효와 애정이다.

잘못을 저지를 때 물리적 형벌로 다스리기보다 인간이 가진 본래 속성인 예와 부끄러움을 가르쳐야 한다는 것이 유학의 오랜 가르침이다. 각자의 역할과 본분을 강조하는 정명론(定命論)도 이런 전통과 관련이 있다. "임금은 임금다워야 하고, 신하는 신하다워야 하며, 아비는 아비다워야 하고, 자식은 자식다워야 한다"는 것이 정명론의 요체다. 유학을 지배이념으로 삼던 조선은 유달리 명분과 체면을 중시했다. 물론 이것이 심해져 허례허식처럼 형식으로 흐르기도 했지만 그래도 사회를 자연스럽게 통제하는 기능을 어느 정도 감당했다. 우리나라 사람들이 지금도 남을 많이 의식하고, 부끄러움 때문에 행동에 제한을 두는 것도 이 때문이다. 법적으로 강요하지는 않으나 지하철 경로석이나 임산부석을 비워 두거나, 공공장소에서 소란을 피우지 않는 것 그리고 눈치를 살피면서 민폐 끼칠 행동을 알아서 삼가는 것도 내면화된 부끄러움 때문이다. 사람을 야단칠 때도 "부끄럽지도 않느냐?"라고 말한다.

그런데 최근 이런 부끄러움이 점점 실종되는 것 같아 우려된다. '내로남불(내가 하면 로맨스, 남이 하면 불륜을 줄여 이르는 말)'이라는 신조어에서 보듯 남의 잘못에 대해서는 엄격한 잣대를 들이대면서 자신의 허물은 부끄러워하지 않는 이중 행동이 너무 많다. 또 금세 드러날 거짓말을 하면서도 눈 하나 깜짝하지 않는 것을 보면 정말 얼굴이 많이 두꺼워졌다는 생각이 든다. 이번 대통령 선거에 나오는 후보들에 대한 비호감이 역대 최고로 크다는 것도 부끄러움이 사라진 사회의 슬픈 자화상이다. 정치인이 성직자는 아니기에 도덕적이지는 않더라도 최소한의 품격은 필요한데, 그렇지 못해 정치에 관여하기를 싫어하는 국민이 너무 많다. 부끄러움이 사라지면 악덕이 자리를 잡는다. 하나라도 더 자기 것을 챙기면서 남을 짓밟으려는 야수의 탐욕과 폭력이 고개를 들 것이고, 도덕이나 교화가 아닌 법에 의한 강제가 지배할 것이다.

아담과 하와가 죄를 지었을 때 제일 먼저 느낀 감정이 부끄러움이었다. 부끄러움은 인간이 죄인이자 양심을 가지고 있다는 증거다. 부끄러움을 전혀 못 느낀다면 사람이 아니라 사단의 족속이다. 체면 때문에라도 양보하고, 손해를 보면서도 명분을 잃지 않으려고 했던 고리타분한 시대가 가끔 그리워진다.

(2021-11-09)

온라인 시대의 명암

사회 전반 '무인 시스템' 확산 추세
감염병 우려해 비대면 체제 가속화
편리성 크지만 실업률 등 부작용도…
정서적 소통 어렵다는 한계 분명해

얼마 전 모바일 거래를 하기 위해 이에 필요한 인증서와 OTP 카드를 다시 발급받으려고 은행을 방문한 적 있다. 사람이 많지 않았는데도 거의 한 시간을 기다려야 했다. 그럴 수밖에 없는 것이 그 큰 은행에 직원이 업무를 보는 창구가 딱 두 군데였기 때문이다. 담당 직원은 본사에서 인력을 줄이고 있어 본의 아니게 불편을 드렸다며 굉장히 미안해했다. 나야 어쩌다 점포를 찾았기에 그러려니 했으나, 수시로 창구에서 입출금을 하거나 직접 공과금을 납부하는 노인들, 상인들은 불편함이 이만저만이 아니겠다고 말하니 직원도 적극 맞장구를 쳤다. 실제 통계에 따르면 평균 이틀에 하나씩 은행 지점이 사라지고 있고, 시중은행 네 곳도 하반기에 점포 130여 개를 추가로 폐쇄할 계획이라고 한다. 은행 업무가 줄어드는 게 아니라 사람이 담당하던 일을 온라인시스템이 대체하면서 창구를 찾는 발걸음이 줄었기 때문이다.

어디 은행뿐인가. 무인 시스템이 사회 전반에 걸쳐 확산하고 있다. 맥도날드나 프랜차이즈 카페 같은 곳에 가도 얼굴을 맞대지 않고 기계로 처리하는 '비대면 주문'이 흔하다. 또 24시간 이용할 수 있는 무인 세탁소, 무인 쇼핑점이 하나둘 전통 가게를 대신하고 있으며, 쇼핑도 온라인 거래 비중이 늘고 있다. 밤중에 스마트폰을 이용해 음식 정보를 검색하고, 다른 사람이 먹어 보고 내린 평점을 확인하면서 클릭 몇 번으로 배달음식을 손쉽게 주문한다. 여기에 지난해부터 코로나19 사태로 언택트(비대면) 활동이 가속화하고, 재택근무가 늘어나면서 새로운 형태의 사업과 만남이 늘어났다. 필자가 재직하는 대학만 해도 이제 줌으로 회의하는 것이 익숙하고, 온라인으로 강의하고 시험을 보는 등 사이버교육 시스템이 자리를 잡았다.
4차 산업혁명 시대를 맞아 디지털화, 자동화가 대세가 되면서 엄청난 편리함을 선사했으나, 신문명에 익숙하지 않은 소외 계층을 발생시키고, 사람들의 일자리를 잃게 하며, 온라인 활동에 필연적으로 뒤따르는 한계점 등 부작용도 적지 않다. 대학만 봐도 학생들과 온라인으로 만나면서 상호 소통하고 정서적 교감을 하는 데 어려움을 겪고 있다. 예를 들어 토론 수업이 제대로 진행되지 않고, 강의에 대한 현장 반응을 바로 확인하기가 어려워졌다는 것이다. 학생들이 다 같이 가서 멤버십을 기르는 모꼬지나 답사, 전공 체험을 못 하는 것도 온라인 시스템의 한계가 분명하다. 『사피엔스』의 저자 유발 하라리는 미래의 대학은 사이버 강의가 대부분을 차지해서 전통 대학이 없어질 것이라고 주장했지만 필자가 보기엔 온라인으로 모든 교육을 수행하려면 뭔가 채워지지 않는 부분이 반드시 존재하리라 예상한다. 몸과 몸이 부딪치는 만남이 일으키는 정서적 공명과 집단 체험, 감정과 감정의 상호작용 그리고 이런 과정에서 얻어지는 일체감은 무엇과도 대체하기 어렵다.
디지털, 온라인이 대세라고 우리 삶 전체를 여기에 맞추면서 산업 논리에 따라 인간다움을 포기할 수는 없다.

온라인 기술이 진화해서 현장보다 더 생생한 체험이 가능해져도 예배나 기도처럼 반드시 함께 모여 해야 할 것이 있다. 또 무인화가 경제적 이득이 크고 편리해도 사람이 그 일을 할 때 얻을 수 있는 이점도 보존할 필요가 있다. 인공지능이 인간을 능가해도 상처 입은 마음을 어루만지고 힘을 주며, 위로할 수 있는 상담 같은 업무를 로봇이 다 대체할 수는 없다. 온라인 시대의 삶은 과학기술의 명암을 잘 보여 준다. 기계가 인간을 지배하면서 가상의 삶을 살게 한다는 영화 <매트릭스>를 보면 모든 것이 너무 완벽하게 설계되었기 때문에 인간이 오히려 견디지 못한다는 내용이 나온다. 불안정하고, 어설프며, 완벽하지 못하기 때문에 인간이고, 그것이 우리가 과학만으로 살 수 없고 여전히 하나님께서 절대적으로 필요한 이유이기도 하다.

(2021-12-07)

이기주의 극복과 공존의 지혜

사회 만연한 자신만 아는 개인주의
공동체 해체와 공멸만 가져올 뿐
"네 이웃 네 몸과 같이 사랑하라"
성경 말씀에서 상생할 해답 찾아야

40대 이상은 실감하겠지만 사회 변화가 정말 빠르고, 복잡하다. 메타버스(Metaverse)처럼 사이버 기술을 통한 제2의 삶의 공간과 캐릭터를 활용하는 산업의 확대, 거의 모든 영역에서 시행되고 있는 자동화 등 테크놀로지 변화는 삶의 방식과 사회구조를 바꾼다.
전보다 온라인 활동 영역이 주가 되고 사회제도가 다변화하면서 1인 가구도 증가하는 추세이며, 개인주의 문화도 심화된다. 전통적인 학교, 지역, 교회, 취미 같은 분야에서 구성원들 간의 관계도 점점 바뀌고 공동체 사회가 급격히 해체되고 있다. 단적인 예로 대학교에서 학생들이 서로를 대하는 모습을 보면 점점 개인주의와 계산적 대응이 두드러진다. 학생들끼리 토론할 때도 같은 과 학생들끼리 동질감으로 뭉치거나 서로에 대한 우애를 느끼기보다 마치 모르는 사람을 대하는 것처럼 조금이라도 불편하면 거부할 때가 많다. 신앙을 나누는 교회에서도 등록하지 않고 인터넷으로 예배만 보는 유목민 신자들이 늘고 있다.
4차 산업혁명으로 인공지능 기반의 하이테크놀로지가 보편화하고, 개인 영역이 더 확장되고, 권리의식이 발달하면서 전통적으로 우리가 지녔던 미덕과 삶의 태도도 퇴보한다. 직장이나 학교에서 회식을 하거나 공동으로 무언가를 하기보다는 혼자 즐기는 것을 좋아하며, 조직이 필요해도 내게 도움이 되지 않으면 외면하는 경우가 허다하다. 직업도 예전처럼 자아실현의 차원이 아니라 단순한 생계 수단으로 변질해 프리랜서처럼 그때그때 돈을 벌어 소비하면서 자유롭게 사는 사람들이 늘어난다.

이러면서 개인주의와 관련한 여러 폐해도 점점 늘어나고 사회가 살벌해진다. 인터넷 같은 곳에 악성 댓글이 늘어나고, 남을 배려하지 않는 혐오 표현이 난무하며, 사회적 약자나 소외된 존재를 벌레처럼 배척하는 태도도 자주 보인다. 남성과 여성의 젠더 갈등도 심화해 서로를 적대하고, 세대 갈등도 피부에 와닿을 만큼 위험한 수위에 이르렀다. 사회가 고도로 물질화되고 생산성만 중시하는 가운데 이기주의를 합리주의와 동일시하면서 정당화하고, '나만 좋으면 남은 상관없다'는 극단의 편익 주의가 점점 전통문화를 대체하는 것이다.

필자는 사회계약론으로 유명한 토마스 홉스가 말한 '만인의 만인에 대한 투쟁'이 21세기에 전 지구적으로, 더 폭력적인 양상으로 재현되면서 구조화되는 것을 보며 멸망의 징조인 것 같은 느낌을 많이 받았다. 이기주의는 공동체 간에도 예외가 아니다. 백신을 예로 들면 전 세계에서 생산되는 백신의 89%를 주요 선진국 20국이 독점하면서 아프리카 같은 가난한 나라에서 끊임없이 코로나 변종이 만들어진다. 요즘 한창 위세를 떨치는 오미크론 바이러스 변종은 백신 접종률이 20%에 머무는 보츠와나와 남아프리카공화국에서 발생했다. 오죽하면 유엔 사무총장이 이런 식으로 각국이 이기적 정책을 이어간다면 팬데믹이 종식되지 않을 것이라며 새로운 국제적 협력을 강조했겠는가.

이기주의가 만연해지면 결국 강자만 살아남고, 그나마 그 자리도 계속 바뀌게 된다. 코로나 백신에서 보듯 한 나라가 아무리 방역과 예방을 철저히 해도 다른 나라가 그만큼 방역에 관심을 기울이지 않으면 재앙은 멈추지 않는다. 세계적으로 히트한 넷플릭스 드라마 <오징어 게임>에서 나오는 유명한 대사 "제발 그만해, 이렇게 하면 모두 다 죽어"라는 대사가 지금처럼 절절할 때도 없다.

"곡식을 벨 때 그 한 뭇을 밭에 잊어버렸거든 다시 가서 취하지 말고 객과 고아와 과부를 위하여 버려두라"(신24:19)라는 말처럼 이스라엘 백성이 지켜야 할 관습과 윤리 중에 가난한 자, 과부나 이방인을 보살피는 것이 있다. 이것은 공동체 존속을 위해 율법이 명한 최소의 규범이다. 새해에는 이기주의를 극복하고 공존하는 지혜를 배우면 좋겠다.

(2022-01-04)

뉴미디어 시대의 폐해

자극적 정보만 좇는 '디지털 치매'
도를 넘어버린 SNS 중독과 '관종'
성찰 사라져버린 감각의 시대에서
신앙 지키려면 세상소리 문 닫고
내 영혼의 목소리에 귀 기울여야

혹시 글을 읽는 독자 중에 '예전과 달리 요즘 세상은 왜 이리 험해지고, 엽기적인 사건이 자주 생기나?', '왜 사회 갈등은 점점 심해지고, 영화 같은 범죄나 사건들도 그리 많아졌는가…'라고 한탄한 적이 있는가. 사회가 점점 개인화되고, 물질만능주의를 추구하면서 인성이 변한 것도 사실이지만, 미디어의 영향도 이런 현상에 크게 작용한다. 70년대, 80년대 같은 과거에도 황당한 사건 사고와 통제 불능한 진상들이 있었지만, 주변에서 조용히 묻히곤 했다. 반면 오늘날은 그런 자극적인 정보가 순식간에 퍼지면서 공론화되는 경우가 많다.
바야흐로 뉴미디어 시대다. 뉴미디어란 기존의 전화, 텔레비전, 카메라처럼 한 방향 소통 매체가 다양한 멀티미디어 기능을 갖추고, 상호 작용이 가능해지면서 일상에서 활용되는 미디어를 말한다. 인스타그램 같은 SNS, 독립생산과 전파가 가능한 유튜브, 팟캐스트 등이 대표적이며, 최근에는 3차원 가상공간에서 사회, 경제활동까지 가능한 메타버스가 영역을 넓히고 있다. 과거에는 소수 엘리트 집단이 정보를 생산하고 선별적으로 대중에게 전달했다면 이제 누구나 다양한 정보와 지식을 생산하고 활용하는 것이 가능하며, 물리적 시공간의 한계를 뛰어넘어 삶의 지평을 확장할 수 있다. 이러면서 대중의 소통 방식과 행동은 물론 관심사도 바뀌고 있다.
독해능력과 사고가 필요한 말과 글 대신 짧은 동영상이나 디지털 이미지가 광범위하게 활용되면서 대중문화도 점차 말초적으로 향하고, 깊이나 내용보다 테크닉과 형식이 화려해진다. 요즘 젊은이들은 정보를 검색할 때도 네이버나 백과사전보다 시각적 유튜브를 선호하며, 생활용품 구매나 배달도 인터넷 플랫폼을 많이 이용한다.
뉴미디어의 발달에 반비례해 인간이 창의적으로 생각하고 깊게 사고하거나 기억하는 능력은 점점 퇴보한다. 신문기사나 책 대신 영상 정보에 의존하면서 정적인 실제 현실에는 둔감해지고 마치 팝콘처럼 튀는 것에만 반응하는 '팝콘 브레인' 현상이 만연하다. 팝콘 브레인은 시청각적 멀티미디어에 익숙해지면서 성찰하고 직관하는 능력 자체가 퇴화하고 자극적인 정보만 좋아하는 일종의 '디지털 치매 현상'이다. 현대 대중사회를 설명하는 적절한 용어이다. 정보통신 기술이 발달하면 지식의 확대와 참여가 늘어나고 수평적 의사결정이 가능해져 민주화가 가능해질 것이라고 미래학자들이 낙관했지만, 오히려 대중문화가 획일화되고 사람들의 이해력과 공감능력이 이전보다 떨어졌다. 정보화 시대에 양질의 정보를 가려내고 창의적으로 활용할 줄 아는 능력인 디지털 격차가 점차 벌어지면서 양극화와 사회 갈등이 심화하고, 어처구니없는 집단심리나 행동도 심심찮게 보도된다.
또 소셜미디어가 확장하면서 남의 관심과 주목을 받기 위해 과장된 행동을 하거나 이를 성공의 무기로 활용하려는 이른바 '관종(관심받고 싶어 하는 종자)'도 늘어난다. 이들은 자신의 존재가치를 자신이 생산하거나 유포한 정보에 대한 대중 반응과 댓글 등으로 확인하기에 점점 자극적이고 선정적인 정보에 매달린다. 나만의 공간인 인터넷은 이들에게 좋은 활동 무대기에 비상식적이거나 엽기적 행동도 서슴지 않으며 내 기준을 절대화하기 쉽다. 조금만 불편하면 일단 상대를 비난하거나 욕을 하며, SNS를 통한 공론화, 고소나 진정도 주저 없이 한다. 뉴미디어 즉자성(卽自性)과 확장 가능성이 감각적이고 이기적이며 배려하지 못하는 디지털 폐인과 결합하면서 위에서 말한 온갖 사건·사고를 양산하는 것이다.

인간이 미디어의 노예가 되면서 미디어 자체로 바뀌는 시대에 디지털 치매와 관종은 이 시대의 문제거리로 대두할 수 있다. 가끔 멈추어 생각하고, 향락과 자극에서 벗어나기 위해 육신이 아니라 영혼의 목소리를 들을 필요가 있다. (2022-02-09)

편집자의 말

김석 박사는 교회에서 만난 사이입니다. 나이가 비슷하여 같은 기관에서 신앙생활했습니다.
늘 기도하며 하는 일이 잘 되기를 바라는 관계였습니다.
힘들고 어려운 시간강사의 과정을 거쳐 다행히 학교 교수가 되고 그 분야에서 어느 정도 탄탄히 자리를 잘 잡았습니다.
프랑스에 유학해서 취득한 철학박사가 신앙과 사회를 주제로 매달 한 편씩의 칼럼을 썼습니다.
이제 대나무가 마디를 맺듯 한 권의 신앙칼럼집을 출간하게 되었습니다.
그동안 써 온 철학관련 연구성과를 담은 책과는 달리 목회자의 자녀로 꾸준히 신앙생활하며 하나님을 의식하며 살아온 삶 속에서 어떤 시대적 사건을 만나 나름대로의 의견을 피력했는데 시대를 초월하여 우리가 배울 점이 많습니다.
편집하면서 다시 읽으며 감동을 받았는데 독자 여러분도 지나간 사실을 다룬 것일지라도 지금 우리에게 주는 교훈을 찾는다면 유익하리라 생각합니다.
그래서 시대순으로 글을 싣고 맨 끝에 날짜를 적었으니 참고하시면 좋을 것입니다.
이 책을 구매하신 모든 분께 감사드립니다.
먼저 제목을 찾아서 읽어도 되고 아무 때고 어느 부분을 찾아 읽어도 감동은 다르지 않습니다.
시대와 상관없이 우리에게 필요한 철학자의 메시지를 느낄 수 있으리라고 확신합니다.

2022. 가을에

오태영(진달래출판사 대표)